JOHN MARSDEN

De avond valt

Vertaald door Molly van Gelder

Gottmer · Haarlem

DIT IS EEN Jenny de Jonge BOEK

De oorspronkelijke uitgave van dit boek verscheen onder de titel
Darkness, be my friend bij Pan MacMillan Australia Pty Ltd.

Voor het Nederlandse taalgebied:

Uitgeverij J.H. Gottmer / H.J.W. Becht BV is onderdeel van de
Gottmer Uitgevers Groep BV

Omslagontwerp en -illustratie: Jeroen van den Boer
Zetwerk: zetR, Hoogeveen
Druk en afwerking: Drukkerij Bariet BV, Ruinen

ISBN 90 257 3405 7 / NUGI 222

INHOUDSOPGAVE

Voor Neil Elliot Meiers
Geboren op 10 januari 1984, en op 29 december 1995
begonnen aan een nieuw avontuur

Veel dank aan Charlotte en Rick Lindsay, Roos Marsden, Felicity Bell, Paul Kenny, Jill Rawnsley, Julia Watson en scholieren van de Hale School voor hun zeer welwillende hulp.

I

Ik had geen zin om terug te gaan.

Dat klinkt vrij normaal, hè? Zoiets van: ik heb geen zin om naar de film te gaan, ik denk dat ik maar niet naar dat feest ga, ik zie het vandaag niet zo zitten.

Van die dingen die je gewoon zegt.

Maar om eerlijk te zijn raakte ik zo in paniek bij het idee dat we teruggingen, dat mijn ingewanden vloeibaar werden. Ik had het gevoel alsof mijn darmen uit mijn buik stroomden tot die helemaal hol was. Ik zag het zelfs voor me, dat mijn ribben tegen mijn ruggengraat aan duwden.

Maar mijn ingewanden stroomden niet naar buiten. Nadat ze ons hun plannen verteld hadden, ging ik naar de wc, maar er kwam niets uit. Ik zat daar met mijn armen strak om me heen en ik vroeg me af of ik me ooit nog goed zou voelen.

En dat kwam allemaal doordat mijn leven op het spel stond. Mijn leven. Ik dacht dat we er lang over mochten nadenken, dat we de dingen heel goed mochten afwegen en dat er veel over gepraat zou worden. Dat iedereen zijn mening kon geven en dat we heel veel therapeutische hulp zouden krijgen en zo, en dat ik dan in de weken erna de mogelijkheden zou overwegen.

Maar nee. Ze deden net alsof we een keus hadden, maar

ze deden dat alleen maar om mij te paaien, snap je? En nou ja, misschien was er echt geen keus, omdat het allemaal veel te belangrijk was. Maar dat hoefde ik allemaal niet te weten. Ik had zin om tegen ze te schreeuwen: 'Luisteren jullie nou even! Ik heb geen boodschap aan die fantastische plannen van jullie, ik wil me gewoon onder mijn bed verstoppen en wachten tot de oorlog voorbij is. Oké? Meer wil ik niet. Einde verhaal.'

Ik wilde ook dat iemand, wie dan ook, begreep dat me gevraagd werd om mijn leven op het spel te zetten. Dat hun opdracht iets enorms, iets kolossaals, iets gigantisch was.

> Aan het leven is niet al te veel verloren;
> Maar dat ging nog boven ons jong verstand.

Dat is uit een gedicht dat iemand in de Eerste Wereldoorlog schreef. Ik kreeg het van een leraar in Dunedin. En al is het misschien waar wat er in dat gedicht staat, toch wil ik mijn leven niet verliezen. Ik weet niet veel dingen zeker, maar dit wel.

Dus ik wilde weken kunnen nadenken, mijn gedachten ordenen, voelen. Wennen aan het idee dat we teruggingen. Me voorbereiden.

Maar ik vroeg om weken en kreeg dagen. Vijf dagen, om precies te zijn. Vijf dagen nadat kolonel Finley het ons had gevraagd, stonden we al op het vliegveld.

Ik was kwaad, dat was eigenlijk het voornaamste. Ik voelde me genomen. Ze behandelden mij en mijn leven alsof het een plastic speeltje was. Je pakt het op, je speelt er even mee en dan smijt je het weer weg. Er is nog meer speelgoed op de wereld.

Kolonel Finley sprak ons altijd aan alsof we soldaten in zijn regiment waren. Alsof er geen verschil was tussen ons en zijn manschappen. Maar zij waren in dienst gegaan om risico's te nemen, om oorlogen te voeren en mensen dood te schieten. Maar wij niet! Het leek nog maar zo kort geleden dat we een klaarover-mevrouw nodig hadden om de weg naar school over te steken. En ik weet heus wel dat er in sommige landen kindsoldaten zijn van elf jaar, dat was me al duizend keer verteld, maar het kon me geen bal schelen.

'Zo doen wij dat niet,' wilde ik tegen hen schreeuwen. 'Wij zijn anders.'

Daar ging het alleen maar om bij mij.

Alleen Fi begreep blijkbaar hoe ik me voelde. Tot op zekere hoogte dan. Want ik betrapte mezelf erop dat ik dacht dat zij het toch een beetje anders zag. Dat verbaasde me, moet ik bekennen. Ik wilde niet als een sukkel overkomen vergeleken bij de anderen. Ik wilde juist het sterkst zijn van iedereen. Fi had zo haar eigen kracht: dat wist ik natuurlijk wel, maar ik mocht graag denken dat ik beter leiding kon geven dan zij. Maar zij zat nu doodleuk te beweren dat ze ging, terwijl ik als een verschrikt trillend hoopje een paar jaar eruit wilde en erover nadenken.

Ik was eigenlijk kwaad op haar, dat was het idiote.

Of misschien toch niet zo idioot. Ik was immers op iedereen woest. Dus daar kon zij nog wel bij.

Het begon allemaal toen we bijna vijf maanden in Nieuw-Zeeland waren. We waren aan een nachtmerrie ontsnapt, dat dachten we tenminste. Maar aan sommige nachtmerries valt eigenlijk niet te ontsnappen. Deze achtervolgde ons over de Tasman heen. Ze hadden ons per vliegtuig uit ons vaderland weggehaald nadat het bezet was. We waren met allerlei verwondingen en in shock in Nieuw-Zeeland aangekomen, met gebroken botten en littekens vanbinnen en vanbuiten. We hadden geen contact meer met onze families, we hadden vrienden zien doodgaan, we hadden de dood van andere mensen op ons geweten.

We waren gewoon typische oorlogsslachtoffers, denk ik.

Maar toen begon het allemaal weer opnieuw.

Het liep al tegen de zomer. De tijd van de bosbranden. En dat past eigenlijk wel, want het begon ook een beetje als een bosbrand. Je weet hoe dat gaat. Eerst hoor je waarschuwingen op de radio, dan hoor je in de verte een geruis, als takken in de wind, dan zie je witte rook, kunnen wolken zijn, maar misschien ook niet, je weet het niet zeker, maar dan krijg je die lucht in je neus, die onmiskenbare brandlucht.

En plotseling zit je er middenin. Plotseling exploderen er bomen op honderd meter van je huis en het is zo heet alsof je de deur van een oven hebt opengedaan en ervoor bent gaan zitten, en dan steekt er een bulderende wind op en zie je de woeste, venijnige vlammen dansen door de grijze en witte rook heen.

De eerste aanwijzing, de eerste waarschuwing was voor ons een gerucht dat de ronde deed onder de vluchtelingen, namelijk dat sommigen van hen zouden worden teruggebracht naar bezette gebieden. Met Nieuw-Zeelandse troepen of in sommige gevallen alleen. Om een speciale opdracht te vervullen of als guerrillastrijders het soort dingen te doen dat wij in de buurt van Wirrawee en Cobbler's Bay hadden gedaan.

Ik ben zeker ontzettend onnozel, want ik dacht niet dat ze ons zouden vragen. Het kwam niet eens bij me op. Lee had het het eerst gehoord. 'Wedden dat wij op hun lijstje staan?' zei hij. Maar ik reageerde daar niet op: ik zat te lezen, geloof ik. *Emma*, voorzover ik me herinner.

Ik moet nu proberen eerlijk te zijn, omdat ik dat sinds ik alles opschrijf steeds ben geweest, dus kan ik maar beter bekennen dat ik dacht dat ze ons niet zouden vragen, omdat we al zo veel hadden gedaan. God, we hadden ons toch al genoeg uitgesloofd? We hadden ons er al die keren toch helemaal in gestort? We hadden toch een schip opgeblazen en Cobbler's Bay verwoest en een generaal in Wirrawee gedood? En Lee was toch in zijn been geschoten en die andere drie... (ik kan hun naam niet eens meer noemen). We hadden de dood toch in de ogen gekeken en gevoeld hoe zijn kille vingers ons achter in de nek vastgrepen? Waren ze nou nóg niet tevreden? Moesten we eerst allemáál dood, voordat ze 'Oké, zo is het goed, je mag de rest van de oorlog vrij' zouden zeggen?

Hoe ver moesten we gaan?

Ik raak helemaal van de kaart als ik daarover nadenk.

Ik weet dat het niet logisch is. Ik weet dat als er een oorlog woedt, ze niet gewoon kunnen zeggen: 'Hé, we doen het wel een tijdje zonder jullie, gaan jullie maar een jaartje of twee uitrusten.'

Maar op een bepaalde manier is ons al heel vroeg in onze jeugd geleerd dat het leven wél eerlijk is: dat je loon naar werken krijgt, dat als je iets echt heel graag wilt, je dat ook kan bereiken.

Maar dat is gelul. Daar ben ik nou wel achter.

In deze fase van mijn leven, waarin ik plotseling de behoefte kreeg dat het er eerlijk aan toeging, was dat woord plotseling helemaal verdwenen. Het stond niet in het spellingsprogramma, niet op een Pictionary-kaartje, in het woordenboek was het niet meer te vinden.

De Nieuw-Zeelanders waren tot nu toe goed voor ons geweest, echt waar. Daarom werd het juist nog moeilijker om tegen kolonel Finley in te gaan. Maar ze waren écht goed voor ons geweest. Meteen vanaf het begin hadden ze ervoor gezorgd dat we psychologische hulp kregen en zo. Dat kregen we uiteindelijk allemaal, ook Homer en Lee, die vroeger voor geen goud naar een therapeut waren gegaan, ook al gaf je ze geld toe. Met de psychologe die mij werd toegewezen, Andrea, had ik heel goed contact. Ze werd een soort tweede moeder voor me.

Verder hadden we echte vakanties en alles. Nee, serieus, we waren een soort helden. We hoefden maar te piepen of we kregen het. Fi en ik maakten er een paar weken een soort spelletje van door de gekste dingen te vragen. Maar opeens kwam dat spelletje me m'n neus uit.

We gingen dus naar South Island en skieden in de Remarkables, en we vlogen naar Milford Sound en reden door een tunnel, en we zagen Mount Cook, en daarna gingen we via de oostkust naar beneden en staken over naar Invercargill.

Andrea zei dat ik in de 'ontkenningsfase' zat en dat ik

als een gek bezig was, omdat ik de dingen die ons overkomen waren niet onder ogen wilde zien. Dat zei ze niet echt, 'als een gek'. Dat zou niet zo tactisch zijn als een therapeut dat zei.

Het was vooral heel raar dat toen we in van die jetboats zouden gaan varen, ergens in de buurt van Queenstown, we allemaal niet durfden. We scheten dus zowat in onze broek. Niemand had de moeite genomen om even te vragen wat het eigenlijk voor dingen waren. We dachten dat het van die plezierbootjes waren waarmee je gezellig de rivier af dobberde of zo. Maar toen we daar kwamen, bleken het een soort monsters te zijn die met zo'n honderd kilometer per uur over het water scheurden en dat was maar zo'n vijf centimeter diep.

En toen we dat eenmaal in de gaten hadden, wilde niemand meer in zo'n ding. We stonden rillend op de rivieroever, als een zielige kudde schapen die ontsmet moesten worden. De bestuurder van de eerste jetboat zei: 'Kom op, opschieten, stelletje watjes', maar we waren als verlamd.

Het was ontzettend gênant. De bestuurster keek ons aan met zo'n blik van 'Wat mankeert die lui?' en na een tijdje nam korporaal Ahauru, die ons toen begeleidde, haar apart en had een lang gesprek met haar en ik wist precies wat ze zei, tot op de komma's en de punten toe. Zo van: Zij zijn die jongelui die in het nieuws waren, de tieners die de aanval op Cobbler's Bay in Australië hebben uitgevoerd, en ze hebben allemaal grote psychische problemen, de arme schapen, en ik denk dus dat ze dit een beetje te eng vinden, dat ze dit niet helemaal aankunnen.

Korporaal Ahauru is verpleegster, had ik dat al gezegd?

Dus we gingen niet jetboaten en de bestuurster denkt waarschijnlijk nog steeds dat we een stelletje lafaards en bedriegers zijn, maar zoals we er toen aan toe waren, zou zelfs kolonel Finley ons niet naar een oorlogsgebied hebben teruggestuurd.

Maar op een gegeven moment is het kennelijk iets beter met ons gegaan. Ik weet niet precies hoe of wanneer, maar na een tijdje hadden we een paar goede dagen en daarna, na nog wat meer tijd, bijna net zo veel goede als slechte dagen. Ik kan natuurlijk niet voor de anderen spreken, maar in mijn geval had ik nooit meer dan drie goede dagen achter elkaar, en dan nog maar één keer. We kregen wat vrienden en dat hielp wel, al moet ik toegeven dat ik waanzinnig jaloers was toen de anderen met nieuwe mensen omgingen. Dat mocht ík wel, maar zij niet. Ik wilde het hele stel – Homer en Lee en Kevin en Fi – ik wilde ze helemaal voor mij alleen.

Toen kwam iemand op het briljante idee om op scholen praatjes te gaan houden om geld in te zamelen voor de oorlogsinspanningen. Dat hebben we drie keer geprobeerd, maar daarna zijn we er allemaal meteen mee gestopt. Het was een ramp. Het waren drie rampen bij elkaar, dus. Ik krijg het er nog warm van als ik eraan denk. We waren veel te zeker van onszelf, dat was één probleem. We dachten: dat doen we wel even. Zo voelden we ons de hele tijd, overdreven zelfverzekerd of volslagen in paniek, zoals met die jetboats.

Het eerste praatje was op een basisschool. Het was vrijdagmiddag en de kinderen waren al aan het klieren toen we binnenkwamen. Ze zaten in het gymlokaal op ons te wachten. Het was blijkbaar niet zo goed afgesproken, want we waren twintig minuten te laat. We hoorden ze al gillen toen we het hek door liepen. Het was zeker lunchpauze, dachten we, omdat het zo'n herrie was. Oké, als we een geweldig praatje hadden afgestoken, was het misschien anders gegaan, maar we hielden geen geweldig praatje. Lee sprak zo zacht dat hij niet te verstaan was. Homer zei vaker 'eh' dan iets anders, Fi praatte een halve minuut en zag eruit alsof ze elk moment in huilen kon uitbarsten, en Kevin probeerde leuk te zijn, wat jammerlijk mislukte, zodat de kinderen sarcastische geluiden begonnen te maken en net deden alsof ze moesten lachen, waardoor Kevin uit zijn slof schoot en zei dat ze hun bek moesten houden. Dat was echt té gênant.

Ik vertel lekker niet hoe mijn praatje ging.

De tweede keer ging het iets beter, omdat we in ieder geval van tevoren iets hadden ingestudeerd, en ook omdat het een middelbare school was. Maar we waren toen te zenuwachtig om er iets van te maken. Lee was de beste, omdat hij deze keer een microfoon had. De zinnen die Homer uitsprak, gingen zo: 'En we, eh, we, eh, we liepen, eh, naar, eh, een soort, eh, silo, ja, daar gingen we toen heen, toch, Ellen, of was dat vóór Kevin terugkwam?'

De derde keer hield Kevin het voor gezien en Lee stootte een kan water om toen hij opstond om iets te zeggen. Fi hield een fantastisch praatje, maar de rest van ons bleef schutteren.

Toen hebben we er maar van afgezien.

Maar op de laatste school, de Mount Burns High School in Wellington, in een zijstraat van Adelaide Road, kwam ik Adam tegen. Na onze praatjes zaten we in de kantine en toen kreeg ik Mallowpuffs van een jongen en daarna begon hij me een beetje te versieren. Hij was mentor van de jongere leerlingen en droeg een schoolblazer met zo veel onderscheidingen erop dat ik verbaasd was dat hij nog overeind stond. Hij was kennelijk de held van de school. Zwemmen, rugby, debating, hij had het allemaal gedaan. Veel jongens in Nieuw-Zeeland dragen een korte broek op school. Zelfs in de zesde dragen sommige jongens nog een korte broek. Het ziet er een beetje maf uit, omdat ze er veel te oud voor zijn, maar zo krijg je een goeie kans om naar hun benen te gluren. En Adam had zwemmersbenen. Ik hoorde later van iemand dat hij een vijftigmeterbad in vijfenzestig seconden over kon zwemmen zonder zijn armen te gebruiken. Ik was zwaar onder de indruk.

Maar hij gebruikte zijn armen wel voor mij. Hij vroeg of ik die avond meeging naar een feest en ik zei ja. Dat was een grote vergissing. Ik was al zo lang niet op een feest geweest dat ik niet meer wist hoe je je dan moest gedragen. Ik had van tevoren niet gegeten, omdat ik dacht dat daar wel eten zou zijn. Dat klopte: een zakje chips, een schaaltje snoepjes en vijf overrijpe bananen. Zo'n feest was het dus. Tot overmaat van ramp dronk ik drie BLS'jes in het eerste halfuur. Nog een vergissing. Om een uur of elf, na nog een paar cocktails en heel wat slokjes van Adams bier, was ik gevloerd. Ik was helemaal weg.

En hij werd opeens totaal anders. Het ene moment waren we aan het dollen als maatjes, en het volgende moment zat hij met zijn tong in mijn mond en duwde me achteruit over de gang naar de slaapkamers. Ik wilde nog zeggen: Hé, waar is de mooie, ouderwetse romantiek gebleven? Doen we niet meer aan voorspel of zo? Maar het is wat lastig praten met iemands tong in je mond. Ik zoende hem eerst terug, dat is waar, maar het liet me volkomen koud, ik deed het gewoon, ik weet niet waarom, omdat dat van me verwacht werd of zo, omdat híj dat van me verwachtte. Ik was net een soort robot. Het deed me geen moer.

Toen we in de slaapkamer waren, liet hij zich achterover op bed vallen en trok me mee. Het was niet erg elegant. Ik was duizelig en misselijk. Hij stak zijn tong in mijn oor en mijn enige gedachte was: God, wanneer heb ik voor het laatst m'n oorsmeer weggehaald? Maar ik was te misselijk en te dronken om hem tegen te houden, ik probeerde het niet eens. Even later deed hij de rits van mijn broek naar beneden. Ik zeg niet dat ik te dronken was om daar iets tegen te doen, zo was het niet, dat zou verkrachten zijn, nee, het kon me gewoon niet zo veel schelen. O, ik heb wel een poging gedaan, hoor, ik probeerde mijn spijkerbroek weer op te hijsen, maar toen dacht ik: wat kan het schelen, wat maakt het uit, doe het nou maar en daarna kan ik weer weg.

Ik begrijp niet wat jongens eraan vinden, aan dat soort seks. Niet erg veel, denk ik dan, maar blijkbaar vinden ze er toch wel iets aan, anders zouden ze het niet doen. Het enige positieve wat ik over hem kan zeggen is dat hij tenminste een condoom gebruikte. Maar alleen omdat hij bang was dat hij iets van mij zou oplopen. Vast niet omdat hij mij wilde beschermen.

Het enige wat ik eraan overhield was het afschuwelijke gevoel dat ik een walgelijk mens was. Het ging lijnrecht tegen al mijn principes, al mijn overtuigingen in. De volgende dag voelde ik me klote. Ik had sowieso een barstende koppijn en mijn maag leek zich steeds langzaam om te draaien. Maar erger nog, veel erger nog was dat ik me zo sletterig voelde. Ik walgde van mezelf. Met de anderen kon ik er niet over praten, ik kon er met niemand over praten, maar om een uur of drie kreeg ik het slimme idee om Andrea, de psychologe, te bellen.

Ze was goed, zoals altijd. Ik deed er zowat een uur over om het te vertellen, maar uiteindelijk gooide ik alles eruit. Aan het eind begon ik te huilen en toen kon ik niet meer ophouden. Ik schaamde me dood. Niet omdat ik huilde, maar omdat ik zo'n del was geweest. Ik balkte in het mosterdgele kussen in Andrea's grootste leunstoel en pakte het ene papieren zakdoekje na het andere, alsof ze een kwartje per doosje kostten. Maar dat is natuurlijk niet zo: alles in Nieuw-Zeeland is peperduur. Met een kwartje per zakdoekje zit je dichter in de buurt.

Andrea bleef ontzettend lang zwijgen. Ze is de enige mens die ik ken die je de tijd gunt om na te denken over wat je wilt zeggen. Ze zet je nooit onder druk wat dat betreft. Ze zit daar gewoon en ze kijkt en wacht.

Maar na een tijdje ging ik overeind zitten en ik hikte en snoot mijn neus. Ze legde uit dat ik nog steeds reageerde op de dood van Robyn, dat ik verschillende manieren zocht om niets te voelen, en dat dat eigenlijk het hele eieren eten was. Ze had nog een afspraak, dus ze stond snel op. Ik voelde me wel een stukje beter, vreemd, maar waar. Ik had er nooit aan gedacht een verband te leggen tussen Robyns dood en mijn gedrag.

Maar ik was kwaad op Adam. Ik dacht: Als ik hem nog eens tegenkom, krijgt ie meer dan een beetje smeer in z'n mond.

Ik wilde dit eigenlijk niet opschrijven, maar ik heb het toch maar gedaan, omdat ik denk dat het misschien een van de redenen was dat ik me uiteindelijk niet zo verzette tegen het idee dat we teruggingen. Ik voelde me gewoon klote over wat ik had gedaan en dat ik mezelf zo had verlaagd en zo.

Misschien dacht ik dat ik het goed kon maken door terug te gaan.

Ik snakte naar een beetje zelfrespect.

2

Een dag later al breidde de bosbrand zich flink uit. Eerst ging het gerucht dat ze vluchtelingen als guerrillastrijders wilden inzetten en daarna werden we met z'n vijven opgeroepen voor een medische keuring.

We kregen de hele handel, niet alleen een lichamelijke keuring, maar ook een geestelijke. Zowat drieduizend vragen van: 'wat heb je voor het ontbijt gegeten?' en 'wil je nog steeds boer worden als de oorlog voorbij is?' tot 'wat is je favoriete tv-programma?' en 'wat is belangrijker: eerlijkheid of loyaliteit?'

We werden gewogen, gemeten, geknepen en van onder tot boven bekeken, geïnspecteerd en geïnjecteerd. Mijn zere knie en mijn zere rugwervels. Mijn ogen, mijn oren, reflexen en bloeddruk.

Tijdens de lunch van salade en kaas, blazend op de bleekselderie om die warmer te maken, omdat die zo uit de koelkast kwam, zei ik tegen Homer: 'Waar was dat nou allemaal voor, denk je?'

'Weet ik niet,' zei hij bedachtzaam. 'Ze zijn ons aan het testen of zoiets. Kijken of we weer in goeie conditie zijn. Misschien is onze vakantie straks weer voorbij.'

Voor het eerst begon ik het een beetje serieuzer te nemen, maar dat duurde maar heel even. Ik was het gerucht en Lee's opmerking over hun lijstje al bijna weer vergeten. Ik zei tegen Homer: 'We zijn nog een stelletje wrakken. Ze willen heus nog lang niet dat we iets gaan doen.'

Dat geloofde ik ook echt. Ik dacht heimelijk dat ze ons nooit meer iets zouden opdragen.

Wat kwam daarna? Weer een gesprek met kolonel Finley, geloof ik. Dat was heel bijzonder. Hij had het altijd heel druk. Maar op een zaterdag om vijf uur belde hij Homer en vroeg of we kwamen praten.

Kolonel Finley mag je nooit iets weigeren, dus lieten we onze plannen voor een wilde zaterdagavond varen, namelijk door de televisie uit te zetten, en gingen naar hem toe. Het was een eigenaardige bijeenkomst. Er waren zes officieren, twee uit Australië en vier uit Nieuw-Zeeland. Ze werden niet eens aan ons voorgesteld, wat ik een beetje onbeleefd vond. Maar iedereen was veel te druk bezig, denk ik. Een van hen had zo veel gouden tressen op zijn uniform dat hij ze had kunnen omsmelten en verkopen, en dan van de opbrengst stil kunnen gaan leven.

Vreemd genoeg pasten we allemaal in het kamertje van kolonel Finley met de mooie, ouderwetse prenten aan de muur en de blauwe walm van zijn pijp. Misschien was het wel groter dan het leek. Dat moet haast wel, want het leek altijd piepklein. En we konden ook allemaal nog zitten. Ik zat op het puntje van Fi's stoel. Een halfuur lang werden we over allerlei dingen aan de tand gevoeld. Ze hadden kaarten van het gebied rond Wirrawee en Cobbler's Bay en Stratton, maar ze wilden ook andere dingen weten, zelfs zulke onbenulligheden als hoe hoog de bomen in Barker

Street waren en of de landweg naar Baloney Creek goed begaanbaar was.

Het was een spervuur van vragen, wat op zich geen probleem had moeten zijn, maar op de een of andere manier was het dat wél. We kennen dat gebied behoorlijk goed, Tenminste, dat idee hadden we, maar de officieren waren niet zo enthousiast. We kregen het voor elkaar om bijna op elke vraag vijf verschillende antwoorden te geven. En Homer en ik slaagden erin om het de hele tijd oneens te zijn.

'Er is een pompstation op de hoek van Maldon Street en West Street.'

'Maldon en West? Welnee!'

'O nee? Wat is daar dan?'

'Dat weet ik niet meer, maar zeker geen pompstation. Welk pompstation zou dat dan moeten zijn?'

'Nou, dat oude, Bob Burchett of hoe het ook heet.'

'Bob Burchett? Dat is op de hoek van Maldon en Honey, en dat heet Bill Burchett, niet Bob.'

'Ik heb 't toch goed, Kevin? Het is toch op de hoek van Maldon en West?'

Zo ging het maar door en toen we in onze barak terugkwamen, wilde Homer niet meer met me praten.

Op zondag kwam er een gozer na de lunch langs, maar wat hij kwam doen was ons niet helemaal duidelijk. Hij heette Iain Pearce, hij was een jaar of vijfentwintig en kennelijk een soort militair – dat kon je zien aan zijn loopje – maar hij had een spijkerbroek en een grijs Nike T-shirt aan en hij zat maar een eind weg te kletsen als een nieuwe buurman die even een kopje koffie komt halen. Hij had zo'n open, onbevangen gezicht, een rustige blik en een zwart, liniaalrecht snorretje. Kevin vond hem meteen aardig, dus vond het gesprek eerst een tijdje voornamelijk tussen hen plaats. Het ging voor het grootste deel over mannendingen: rugby, auto's en computers. Het was niet erg interessant, maar ik had de puf niet om in actie te komen, dus luisterde ik met een half oor en probeerde niet te gapen. Fi was nog onbeschofter. Ze las een tijdschrift dat *Contact* heette, een nieuwsbrief voor mensen die net als wij naar Nieuw-Zeeland waren gevlucht. Dus ze kéék niet eens naar ze. Lee zei af en toe wat, maar Homer zweeg. Homer was nog steeds kwaad, dus alles wat hij zei klonk als gemompel en gegrom.

Maar na verloop van tijd ging Iain de charmeur uithangen. Volgens mij had hij een pr-cursus gedaan of zo, want na een tijdje met Kevin gepraat te hebben, begon hij de rest van ons in te palmen. Ik vond het erg leuk om te zien hoe hij dat deed. Eerst vroeg hij aan Fi wat voor muziek ze mooi vond en omdat Fi gek is van muziek, had ze daar geen verweer tegen. Toen hoorde hij dat Fi, Lee en ik een Nieuw-Zeelandse film hadden gezien, *The Crossing*, die hij niet had gezien, maar waarvan hij wel de man kende die de *special effects* had gedaan – misschien had ik toen kunnen weten wat voor werk Iain deed – dus hadden we het even over die film. Een paar minuten later ging het ineens over de varkenshouderij en Homer, die gek is van varkens, was niet meer te stuiten en vertelde dat hij Poland China-varkens wilde gaan houden, een ras waar ik nog nooit van had gehoord.

Een uur later was Iain weg, maar we hadden nog steeds geen idee wat hij eigenlijk was komen doen.

De brand woedde nu op volle kracht, alleen wisten we dat nog niet.

Maar de volgende dag wisten we het wel. Nou, en hoe. Die maandag. Die zwarte maandag. Fi en ik waren om een uur of drie gaan hardlopen. We renden door het dennenbos over een oud pad naar een heuvel, die ik mooi vond. Er was daarboven niets te beleven, niets spectaculairs, maar het was een mooie, ronde, gladde en zachte heuvel, waar het gras altijd vochtig en groen was en de omheining precies hetzelfde als die vroeger bij ons thuis: stapelmuurtjes met één rij prikkeldraad erboven.

Het is een hele klus om boven te komen, maar een makkie om terug te gaan, behalve dat Fi altijd de boel bedondert omdat ze alle bochten afsnijdt. Ik maak het mezelf moeilijk door braaf op het pad te blijven. Ik kan Fi nog steeds verslaan, zelfs als ze vals speelt, maar ze doet niet echt haar best, ze gaat alleen mee voor de gezelligheid.

Oké, wees even eerlijk, ze gaat mee omdat ik zeg dat het moet.

Maar goed, op die maandag kwamen we om ongeveer kwart voor vier terug en daar was het hele stel: kolonel Finley, Homer, Lee en Kevin. Ze stonden in een kring als rouwenden op een begrafenis, en hun gezichtsuitdrukking leek ook op die van rouwenden op een begrafenis.

Toen ik hoorde wat kolonel Finley van plan was, besefte ik dat ze ook echt op een begrafenis waren.

Die van ons.

Fi en ik liepen vrolijk naar hen toe. Ik had mijn handen in mijn zij. Dat weet ik nog. We hadden het erg warm en we hijgden met vuurrode koppen, maar algauw vergat ik dat ik niet genoeg zuurstof had en dat ik hijgde en zweette. Voordat ik ook maar iets kon vragen, had Homer het al verteld.

'We gaan terug,' zei hij.

Typisch Homer: als je iets van Homer wilt begrijpen, en soms weet ik niet waarom je de moeite zou nemen, zeggen die drie woorden alles wat je moet weten. 'We gaan terug.' Nu ik ze weer opschrijf, ga ik meteen weer grommen en tandenknarsen. Het punt is dat Homer heel goed wist hoe kwaad ik daarover zou worden, maar hij kon zich niet inhouden. Hij zei het om zichzelf te bewijzen dat hij de Leider was en dat hij zich door niemand liet commanderen. En die 'niemand' was ik natuurlijk. We waren ons hele leven al elkaars rivalen geweest. Zelfs nu, nu het erop aankwam, gunde hij me niet de illusie dat ik iets in te brengen had.

Ons leven stond op het spel, maar toch wilde Homer voor ons beslissen.

Dus daar stond ik, terwijl het bloed zo snel uit me wegtrok dat ik bang was dat ik zou flauwvallen. Ik was razend op Homer, geschokt door zijn woorden en ik was totaal in paniek. Heel even had ik het gevoel alsof Fi en ik tegenover de vier mannen stonden. Toch raar: ik wist precies wat Homer bedoelde met 'We gaan terug'. Ik hoefde het niet eens te vragen. Ik wist dat hij het niet had over nog een rondje zwemmen in het zwembad of nog een filmpje pakken in de bioscoop op Customhouse Quay.

Het enige wat ik uiteindelijk kon doen was hen voorbijlopen en het huis ingaan. Kolonel Finley probeerde met me te praten. Hij was woedend op Homer, denk ik, omdat hij het er zomaar had uitgeflapt, maar ik wilde niet luisteren en liep gewoon door. Ik ging ervan uit dat Fi meteen achter me aankwam. Maar toen ik bij de badkamer was, zag ik pas dat het niet zo was. Daar werd ik nog razender van. Ik draaide me met een ruk om en liep met grote passen weer naar buiten. Ze stonden nog steeds op een kluitje, met Fi erbij.

Ik bleef abrupt staan en krijste tegen hen: 'Wat is er godverdomme allemaal aan de hand?'

'Luister,' zei kolonel Finley met zijn enorm geduldige stem die hij bijna nooit opzette. 'Zullen we daar binnen over praten?'

Drie kopjes koffie later was hij eindelijk weg en konden we vrij ruziemaken. En jemig, dat was me toch een scheldpartij! Ik raasde en tierde en krijste. Het was eigenlijk ontzettend stom, want diep in mijn hart wist ik dat we wel moesten. Achteraf gezien ging ik niet tegen hén tekeer: ik ging tekeer tegen alles, tegen het leven, omdat het allemaal zo oneerlijk was. En het voornaamste was dat ik bang was dat ik dood zou gaan, dat wat ik had zien gebeuren met Robyn, mij ook zou kunnen overkomen.

Maar er waren twee redenen waarom we wel terug móésten. Twee redenen die ons geen keus lieten. De ene reden was belangrijk voor kolonel Finley: de sabotageacties die ze voor Wirrawee gepland hadden. Sabotage werd steeds belangrijker, nu Cobbler's Bay weer in bedrijf was en Wirrawee een steeds belangrijker centrum van het hele gebied aan het worden was. Dat kleine Wirrawee, op de kaart dan. We zouden het van de kaart proberen te vegen. Maar omdat de Nieuw-Zeelandse luchtmacht steeds meer verliezen leed, was bombarderen te gevaarlijk. Er werd nauwelijks meer gebombardeerd. Guerrilla-acties waren het beste alternatief, dacht men. Die waren 'rendabel', zoals kolonel Finley het kil en droog formuleerde.

De tweede reden maalde door ons hoofd, raasde als skelters door onze gedachten. Hij was niet zo belangrijk voor kolonel Finley, maar voor ons betekende hij ontzettend veel.

Onze families, families, families. Dat argument deed alle andere teniet. Daarom wilden we allemaal terug. En dan ook alle vijf. Op een gegeven moment stelde kolonel Finley voor dat we niet allemaal hoefden te gaan, er konden er wel een paar blijven. Hij noemde geen namen en we vroegen ook niet verder. Unaniem weigerden we te praten over opsplitsen. We konden niet zonder elkaar.

Een paar dagen lang haatte ik mijn ouders bijna omdat ze gevangenzaten op het jaarmarktterrein in Wirrawee.

Als ze daar niet hadden gezeten, als ze veilig in Nieuw-Zeeland hadden gezeten bijvoorbeeld, zou ik dan nog steeds zijn teruggegaan?

Het was een afschuwelijk moeilijke vraag en gelukkig hoefde ik er geen antwoord op te geven. Maar toch weet ik diep in mijn hart wat het antwoord zou zijn, denk ik.

Soms is er maar één antwoord.

Dus was ik teruggegaan?

Ja.

3

Gek, maar ik vind het lekker om dit allemaal op te schrijven. Ik weet niet waarom. Het zal wel goed voor me zijn, zoiets. Ik weet nog dat Andrea dat een keer terloops zei, maar dat kan me verder niks schelen, ik ben het gewoon steeds leuker gaan vinden. Dus zit ik de ene bladzij na de andere vol te pennen. Soms kost het me moeite, maar dan weer vloeien de woorden vanzelf naar buiten. Mijn dagrecord is bijna tien bladzijden.

Maar om dat ene woord aan het eind van het laatste stukje op te schrijven, dat ene woord maar: daar deed ik bijna een hele dag over.

Maar goed, ik hou er verder mijn mond over.

Ze lieten niet veel los over hun plannen met ons, maar het begon tot me door te dringen dat we eerst naar de Hel zouden gaan, onze prachtige natuurlijke schuilplek, die zo mooi voor de rest van de wereld verborgen lag. Ik moest op een landkaart aangeven waar een helikopter op ons terrein zou kunnen landen, dus dacht ik dat er wel een helikoptervlucht in zat. Ook wisten we dat we een groepje Nieuw-Zeelandse soldaten moesten gidsen: dat was onze voornaamste taak. Maar meer wisten we niet.

De dag voor ons vertrek werd ik naar de kamer van kolonel Finley gebracht. Alleen, deze keer. Daar kreeg ik in detail te horen wat mijn opdracht was: dat ik vanaf het moment dat we landden, zestien mensen onder mijn hoede kreeg. Maar ik mocht niemand vertellen waar we heengingen. Dat mocht pas nadat we van Wellington waren opgestegen.

Kolonel Finley zei nog iets, waar ik echt heel kwaad om werd. Razend eigenlijk. Hij begon een tirade af te steken over dat we bereid moesten zijn om bevelen te ontvangen zodra we er waren. We moesten beseffen dat we onder leiding van beroepssoldaten stonden. We moesten ons goed voorbereiden en mochten niet 'op eigen houtje handelen', zoals hij het formuleerde. Ik moest meteen aan majoor Harvey denken, dus toen had ik het meteen wel gehad, maar ik vond het ook een miskenning van mijn intelligentie. Ik vroeg me af waarom hij dat niet tegen de anderen zei.

Dus trok ik van leer.

'Kolonel Finley, dit weet ik allemaal al. We zijn niet achterlijk. We gaan daar niet een beetje vakantie houden.'

Daar leek hij een beetje van te schrikken. Ik denk niet dat hij ooit door zijn eigen mannen zo werd toegesproken.

'Natuurlijk, Ellen, ik wil niet beweren dat...'

Het gesprek was algauw afgelopen. Ik denk dat hij blij was dat ik ophoepelde.

En wie stond er op het vliegveld? Ja hoor, Iain Pearce natuurlijk. Kapitein Iain Pearce, zoals we algauw ontdekten. En nog elf van dat soort types. Niet helemaal hetzelfde als hij, want er waren namelijk vier vrouwen bij. Maar ze hadden allemaal dezelfde uitstraling. Toen ik hen iets beter leerde kennen, kwam ik erachter dat ze natuurlijk allemaal anders waren. Oké, ik weet heus wel dat ieder mens anders is, maar dit stel zag er precies hetzelfde uit, ze hadden dezelfde kleren aan, ze praatten hetzelfde. Allemaal hadden ze hetzelfde trainingsprogramma achter de rug, zoiets. Of misschien waren ze voornamelijk uitgekozen omdat ze precies in het militaire stramien pasten. Ze waren zo vreselijk netjes, dat ergerde me een beetje. Alles wat ze zeiden was zo correct, ze flapten er niet zomaar wat uit, ze zeiden nooit iets beledigends, ze vloekten alleen als de radio het niet deed of als ze zich sneden bij het scheren. Je kreeg bijna het idee dat ze allemaal tegelijk naar de wc gingen en dat er dan precies hetzelfde uitkwam, als je begrijpt wat ik bedoel.

Huiverend stonden we op de landingsbaan van de Nieuw-Zeelandse luchtmachtbasis. Twaalf beroepssaboteurs en vijf amateurgidsen. Twaalf zwaar getrainde soldaten, volledig uitgerust, van automatische wapens tot pleisters, klaar voor de strijd. En vijf bleekneuzerige pubers, met de schrik in hun lijf, van hun huig tot hun ingewanden tot hun tenen.

God, wat waren wij bang. Zelfs Homer was bang. Het was allemaal te snel gegaan, dat was het punt. Maar al hadden we een halfjaar de tijd gehad, dan nog had het niet uitgemaakt. Misschien was het dan nog erger geweest.

Kevin stond in zijn eentje bij de staart van het vliegtuig. Hij had de hele nacht overgegeven. Dat wist ik, omdat ik zelf ook geen oog had dichtgedaan. Ik had al vier nachten slecht geslapen, maar vannacht was het dieptepunt. Fi leunde tegen me aan en keek naar de prachtige, vrije oceaan. Homer praatte met twee soldaten. Hij probeerde stoer te doen, net als zij, maar mij hield hij niet voor de gek. Lee zat op zijn bepakking met een stok in zijn hand, waarmee hij op het asfalt tikte.

Fi draaide zich met een ruk naar me om en zei tot mijn verbazing: 'Ben je er nu een beetje rustiger over?'

'Nee.'

'Maar we hebben geen keus.'

'Weet ik.'

Na onze knetterende ruzie hadden we er vier dagen niet over gepraat. We liepen op onze tenen en bespraken alleen maar hoeveel slipjes we moesten meenemen of welke chocola het lekkerst was.

'Ik heb ook geen zin om weg te gaan,' zei Fi.

'Je hebt je anders niet erg verzet.'

Ze haalde haar schouders op. 'We hebben er niets over te zeggen. Als kolonel Finley het zo belangrijk vindt, moesten we het maar doen, dacht ik.'

'Ja, allicht. Ik heb alleen wat meer tijd nodig om eraan te wennen, dat is alles. Ik wil best gaan, maar ik kan het niet hebben dat we gedwongen worden. Zoals Homer 'We gaan terug' zei, dat doet hij nou altijd. Je wordt echt hels van die vogel.'

'Wat staat ons te wachten, denk je?'

'Geen idee. Enge gedachte, hè, dat er misschien van alles is veranderd. Ze hebben het over Wirrawee alsof het een wereldstad is. New York, Tokio, Londen en Wirrawee.'

'Zo groot zal het niet zijn. Het gaat alleen om het vliegveld.'

Er was in verschillende kranten geschreven over de aanleg van een grote militaire luchtmachtbasis in Wirrawee.

'Dat is alles wat we weten. Er kan verder nog van alles gebeuren. Het hele gebied is vast vergeven van de soldaten.'

'Je bent gewoon bezig jezelf op stang te jagen.'

'Mmm, en dat gaat heel makkelijk.'

'Ben je echt zo veranderd, Ellen, of is dit alleen maar een fase waar je doorheen gaat?' Ze lachte erbij.

'Natuurlijk ben ik veranderd. Wat dacht jij dan?' Maar ik lachte er niet bij.

'Je durfde altijd alles. Je mag nu niet opgeven. Anders gooien we allemaal het bijltje erbij neer.'

'Zó veel durf had ik niet, Fi. Ik heb alleen maar dingen gedaan, omdat we geen keus hadden. Zoals je net zei. En niets anders.'

Iain Pearce, kapitein Iain Pearce, kwam met grote passen op ons af. Hij liep de hele tijd in marstempo. 's Ochtends marcheerde hij vast zo naar de douche.

'Er is weer een oponthoud, jongens. Sorry. Dat komt ervan als je op de luchtmacht rekent. Als jullie koffie willen: aan het eind van dat asbest gebouw is een kantine. Maar jullie moeten over drie kwartier terug zijn, oké?'

We gingen er allemaal heen, behalve Homer. Niet in marstempo, maar in een sukkelgang. Fi en ik pakten de draad van ons gesprek weer op toen we met onze handen om de koffiemokken geklemd zaten om ze warm te krijgen.

'Ik ben banger dan anders,' gaf ik toe. 'Ik ben nu bang om dood te gaan. Dat was ik altijd al, maar nu ik zo veel mensen heb zien sterven, ben ik gewoon doodsbenauwd. Jij niet?'

'Ja, natuurlijk. Het is heel raar, maar ik ben op dit moment superkalm. Ik snap niet hoe dat kan. Ze zouden me moeten opsluiten.' Ze tuurde in haar koffie, alsof ze daar een antwoord dacht te vinden. 'Het komt voor een deel door de soldaten, denk ik,' zei ze uiteindelijk. 'Ze zijn zo professioneel en zo. Ik heb het gevoel dat we deze keer alleen maar vanaf de zijlijn toekijken. En dat zij alle belangrijke dingen gaan doen.'

'Wie weet. Maar er kan heel wat fout gaan.'

'Dat wisten we al.'

'Denk je dat we onze ouders te spreken krijgen?'

'Nou, kolonel Finley zei dat hij er met Iain over zou praten. Hij dacht dat die kans wel bestond.'

'Hè, doe me een lol, Fi. En dat geloof jij? Hij zegt gewoon alles om ons over te halen.'

Fi keek zo verdrietig dat ik me schuldig voelde. 'Denk je dat echt? Maar ik wil ze zo ontzettend graag zien.'

'Ik soms niet? Dat is het enige waar het mij om gaat. Dat is alles wat ik wil. Als ik ook maar even dacht dat ik ze kon bevrijden, zou ik de Tasman overzwemmen. Met haaien en al.'

'Waarom doe je dan zo moeilijk over teruggaan?'

'Weet ik veel? Ik wil niet zweverig doen, hoor, maar ik heb er geen goed gevoel over, oké? Misschien heeft het met Robyn te maken. Dat denkt Andrea tenminste. Ik ben kwaad, dat is het enige wat ik zeker weet. Ik word om alles kwaad op dit moment.'

Volkomen onverwacht zei Fi: 'Wat is er eigenlijk op dat feest gebeurd met Adam, die engerd?'

'Hoe wist je dat het een engerd was?'

'Toe nou, Ellen. Waar is je goeie smaak en gezonde oordeel gebleven?'

Op dat moment kwamen Lee en Kevin naar ons toe.

'We gaan, meiden,' zei Kevin.

'Ik vertel het straks wel,' zei ik tegen Fi.

We liepen over de landingsbaan terug, terwijl de kille wind aan ons trok, zodat mijn jasje om me heen wapperde.

'Voorlopig was dit het laatste lekkere kopje koffie,' zei Lee.

'Ja, afschuwelijk. Geen tv, geen zacht bed, geen warm bad. Ik begrijp niet dat we ja hebben gezegd.'

'Ik dacht op een gegeven moment ook niet dat jij nog ja zou zeggen.'

Ik zuchtte. 'Hou daar maar over op. Fi en ik hebben daar al een uur over zitten praten.'

Even hiervoor had Fi me verrast door over Adam te beginnen. Nu werd ik door Lee verrast. Toen we verder liepen, sloeg hij zijn arm om me heen. Ik schrok heel erg. We hadden elkaar al zo lang niet meer aangeraakt. We waren heel intiem met elkaar geweest, intiemer kan niet, maar toen dat voorbij was, durfden we elkaar niet meer aan te raken uit angst dat het verkeerd zou worden opgevat. Tenminste, dat was bij mij zo. Daarom raakte ik Lee niet aan. Ik weet niet zeker waarom hij dat bij mij ook niet deed.

'We redden het wel, Ellen,' zei hij. 'Als we maar bij elkaar blijven, dan redden we het wel.'

De wind werd nog killer en grimmiger en ik weet echt niet of mijn ogen daardoor gingen branden en wateren, of dat die tranen ergens anders door kwamen. Hoe dan ook, ik knipperde net zolang tot ze weg waren. Geen beroepssoldaat zou mij zien huilen. En Homer al helemaal niet.

We bleven nog tweeëneenhalfuur op de landingsbaan staan wachten. Het was koud en saai en op de een of andere manier ook dodelijk eenzaam, ondanks al die mensen. Vliegtuigen kwamen en gingen, maar dat van ons ging nergens heen. We zagen het bij de verkeerstoren staan en een stuk of vier boordwerktuigkundigen waren met de motor bezig. Het was een beetje eng te beseffen dat al dat gesleutel nodig was om gewoon te kunnen opstijgen. Stiekem hoopte ik dat ze de hele tocht zouden afblazen. Dan konden we zonder gezichtsverlies teruggaan naar onze barakken: het mislukken was niet onze schuld.

Tien uur Nieuw-Zeelandse tijd – sorry, 22.00 uur – was onze deadline, zoals Iain had berekend: dan was het acht uur 's avonds in Australië. Die marge hadden we wel nodig. En ja hoor, dat moest ons weer gebeuren: om vijf voor tien, 21.55 uur, kwam er een werktuigkundige op een brommertje naar ons toe om te zeggen dat het vliegtuig klaar was.

Had ik maar niet stiekem moeten hopen.

De vliegtuigen hadden het zwaar te verduren gehad, er waren er een heleboel neergehaald of aan de grond gezet met schade. Dat onze opdracht heel belangrijk was, bleek wel uit het feit dat er een vliegtuig voor ons werd klaargemaakt. Al stelde het niet zo veel voor: het was een klein toestel, een Saab jet, zo oud dat de bekleding van de stoelen op veel plekken was afgesleten. Voor de oorlog was het voor niet-militaire doeleinden gebruikt, maar nu had de luchtmacht het geleend. Het dak was zo laag dat sommige soldaten de hele reis voorovergebogen moesten zitten.

Juist toen we aan boord wilden gaan, kwam kolonel Finley eraan. Er was geen tijd voor lange toespraken, maar hij gaf ons een hand en wenste ons succes. Aardig van hem om nog even te komen. Hij had ons altijd behoorlijk goed behandeld. Hij was natuurlijk vooral met de oorlog bezig, en alleen in ons geïnteresseerd als we ergens voor konden worden ingezet, maar hij had een goede behuizing voor ons geregeld en erop toegezien dat er goed voor ons werd gezorgd. Ook had hij therapie geregeld en zo, dus dat was allemaal dik in orde. Hij maakte nooit een erg hartelijke indruk, maar daar viel niet veel aan te doen.

Ik had tot het laatste moment gehoopt dat Andrea ons zou uitzwaaien, ook al had ze uitgelegd dat ze elke vrijdagavond een groep patiënten had in het ziekenhuis. Maar ik bleef hopen op een wonder. Nu moesten we ons met kolonel Finley behelpen.

Maar goed, daarna was er nergens meer tijd voor. Een minuut later was kolonel Finley weg, hadden ze de deur gesloten en zaten we in de lucht. Op deze vlucht geen stewards of stewardessen. Het was een kwestie van zitten, riemen om en wegwezen.

We scheurden supersnel over de Tasman, leek het wel. Het vliegtuig vloog laag om uit het zicht van de radars te blijven, maar het was zo donker dat we geen hand voor ogen konden zien. Iain zei dat je door laag te vliegen snelheid verloor vanwege de luchtweerstand, maar als hij dat niet had gezegd, had ik daar absoluut niets van gemerkt. Het ging al hard genoeg, vond ik. De piloten kregen we niet te zien, ook niet toen we landden. Ze hielden de hele tijd de deur dicht, maar dat maakte me niet uit. Ik vond het een prettig idee dat ze zo in beslag werden genomen door het vliegen.

We landden op een basis in onbezet gebied, maar we mochten daar niets van weten. Vooral niet waar dat gebied was. Het was allemaal topgeheim. Daarna ging alles heel snel. We hadden geen tijd om sentimenteel te worden dat we weer op eigen bodem terug waren. We moesten onze bepakking uit het bagageruim halen en naar een helikopter rennen die met draaiende motor klaarstond om op te stijgen. Hij stond zelfs te popelen om op te stijgen. Het leek alsof hij al een eindje boven de grond zweefde toen we er nog honderd meter vandaan waren.

Het was een enorme helikopter met twee schroeven en in tegenstelling tot de Saab was hij gloednieuw. Ze hadden hem van de Amerikanen gekregen, legde de piloot uit. Het was pas de tweede keer dat ik in een helikopter zat. De eerste keer was ik er zo beroerd aan toe geweest dat ik niets van mijn omgeving had gezien, maar deze keer was ik zo bang dat ik ook bijna niets zag. Maar wat me wel meteen opviel, was dat deze vlucht veel minder lawaaiig was dan de vorige. We konden heel gewoon met elkaar praten.

Sam, de piloot, was heel anders dan de onzichtbare piloten van de Saab. Wat een mafketel. Hij praatte aan een stuk door. Maar ik vond hem aardig. Met zijn stomme grapjes kreeg hij het toch voor elkaar dat we een beetje rustiger werden. En voor het eerst sinds ik wist dat ik terug moest gaan, voelde ik me weer een beetje een held. Dat ik iets dappers aan het doen was, iets waardevols, iets speciaals. Hij was zelf ook een soort held, want hij vloog elke dag in oorlogszones en bezette gebieden. Maar zoals hij maar door kwebbelde zou je denken dat hij een toeristentripje over een tropisch paradijsje maakte. Meteen nadat het vliegtuig geland was, hadden ze de lichten van de landingsbaan uitgedaan, maar voor de helikopter gingen ze niet eens aan. 'Heeft iemand een zaklantaarn?' vroeg Sam. 'Als die mafkezen hun energierekening nou eens betaalden, hadden we misschien wat meer licht gehad.' Hij keek me aan en knipoogde. 'Deze helikopters vlogen vroeger op elektriciteit, wist je dat? Maar toen werd dat te duur.'

'Op elektriciteit?' herhaalde ik sullig. Ik ben niet op m'n best midden in de nacht.

'Ja, het was best handig, alleen moesten ze erg lange verlengsnoeren hebben. Een maat van me vloog een paar centimeter te ver door, de stekker schoot eruit en toen is ie neergestort.'

Wij stortten gelukkig niet neer, maar zaten nog in de lucht en draaiden naar het noorden. Dit was het laatste deel van de reis. Ik was natuurlijk nog zenuwachtig, maar nu was het een ander soort zenuwen. Ik voelde me niet meer misselijk en ellendig, maar energiek en zelfs een beetje opgewonden. 'Straks laat ik de tv-schermen zakken,' zei Sam. 'Pas op je hoofd als je gaat rondlopen. De film die op deze vlucht vertoond zal worden is *De jongen die kon vliegen*.' Hij knikte naar de tweede piloot, die alleen maar grijnsde. Hij was gewend aan Sams geklets, denk ik.

De piloten van de Saab spraken niet met ons, omdat ze het te druk hadden met het besturen van het vliegtuig, dus ik begrijp niet hoe de helikopter überhaupt in de lucht bleef. Dat zal Xavier wel gedaan hebben.

Er stond geen maan, dus ik zag niets. Het was griezelig om zo door het duister te vliegen, blind vertrouwend op de lampjes van het instrumentenpaneel. Ik geloof dat Fi nu zenuwachtig werd, nog meer dan ik zelfs. Ze greep mijn hand vast toen we opstegen en liet die de hele vlucht niet meer los. Misschien was ze gewoon opgewonden dat we naar huis teruggingen, zoiets.

Ik was dat in ieder geval wel.

Geleidelijk aan bekroop me het gevoel dat ik weer thuis was, en dat ik iets deed wat goed was. Ik hou van actie, dat staat vast. Ik kan niet zo goed stilzitten en afgezien van onze uitstapjes in Nieuw-Zeeland, had ik dat veel te lang gedaan.

Ik had heel veel televisie gekeken, ook al was het de zoveelste herhaling van een serie of zo. Sinds Nieuw-Zeeland bij de oorlog betrokken was, was alle invoer van niet-militaire middelen stopgezet, omdat hun handelsbalans in de rode cijfers ging lopen vanwege de hoge militaire uitgaven. Daarom werden er ineens geen buitenlandse tv-series meer uitgezonden. En ook in de bioscopen draaiden geen nieuwe buitenlandse films meer. Sommige mensen vonden dat een te hoge prijs voor hun hulp aan Australië. Die hadden ons zó ingeruild voor nieuwe afleveringen van 'The Simpsons'. Eigenlijk kon ik daar wel inkomen.

Sam deed net alsof hij onze reisgids was, terwijl we door het donker vlogen. We geloofden niet dat we zo laag vlogen als hij zei, hadden we tegen hem gezegd, dus probeerde hij ons op alle mogelijke manieren van het tegendeel te overtuigen.

'Rechts ziet u een prachtige eucalyptus. Kijk maar eens naar die mooie blaadjes. En als u nog beter kijkt, ziet u een lieveheersbeestje op het derde zijtakje van de vierde tak aan de linkerkant.'

Maar tussen het gegrap door was hij ernstig, vooral tegen mij, omdat ik het dichtst bij hem zat.

'We gaan landen op jullie terrein, hè?'

'Ik geloof van wel. Ze hebben niet zo veel losgelaten.'

'Leuk om daar weer terug te komen.'

Hij vroeg hoe oud ik was en toen ik dat had verteld, schudde hij zijn hoofd.

'Zijn jullie allemaal even oud?'

'Kevin is iets ouder... een halfjaar of zo.'

'Mijn god, jullie zijn veel te jong om zulke gevaarlijke dingen te doen.'

'We hebben er niet om gevraagd. We zijn er gewoon ingerold. Maar ja, in veel landen zitten kinderen van twaalf of veertien in het leger. Dat hoor ik van iedereen, tenminste.'

'Ja, dat is wel zo. Maar in mijn ogen zijn jullie de grootste lefgozers die ik ooit in m'n heli heb gehad. Ben je niet zenuwachtig?'

'Zenuwachtig? Als er een wc was in deze helikopter, zat ik daar de hele tijd op.'

Dat pakte Sam meteen op. 'Heb je onze wc dan niet gezien? Ga maar naar achteren en til het luik op. Dan zie je daaronder een mooi gat. Ze noemden wc's ook wel 'de vrije val', wist je dat? Nou, die van ons heeft het record.'

Het was even over drieën in de ochtend en plotseling viel Sam stil en tuurde het donker in. 'We zullen nu wel in de landingszone zijn,' zei hij tegen Iain. 'Op de kaart is dit allemaal veilig gebied. Ik ga heel voorzichtig dalen en hoop dan maar dat we goed terechtkomen. En dat er niemand beneden staat met een mortier.'

'Maak je klaar,' zei hij tegen ons. 'Als we weer moeten opstijgen, doen we dat razendsnel en schuin. Hou je riemen om en je mond dicht, en stop je hoofd tussen je knieën als we ergens tegenaan dreigen te vliegen, wat we beter kunnen vermijden. De grond bijvoorbeeld.'

Toen ik op dat moment naar Sam keek, besefte ik wat een fantastische piloot hij was. Hij concentreerde zich als een violist op een concert, alert op elke noot, elke subtiele verandering in volume, elke kleine variatie. Als de helikopter langs een blad van een boom was geschuurd, denk ik echt dat hij dat had gemerkt. Xavier, de tweede piloot, had ook de stuurknuppel vast en keek aandachtig naar wat Sam deed. Toen ik er later over nadacht, besefte ik dat hij dat waarschijnlijk deed voor het geval er iets met Sam gebeurde – als hij bijvoorbeeld door een kogel werd getroffen – en Xavier de besturing dan meteen zou moeten overnemen.

Afschuwelijk idee.

Niemand van de inzittenden verroerde zich. Allemaal voelden we de spanning. Ik weet niet hoe het met de anderen zat, maar plotseling dacht ik er niet meer aan wat we na de landing moesten doen. Ik concentreerde me met mijn hele wezen op het veilig landen van dit machtige, brullende ding. Als we er een paar uur over hadden mogen doen, was dat prima geweest. Dan had Sam de helikopter twee centimeter per minuut kunnen laten dalen. Maar er dreigde constant beschietingsgevaar. Hij moest de angst om een boom of elektriciteitskabel te raken afwegen tegen de angst om beschoten te worden. Als we in het meest afgelegen deel van ons terrein landden, was de kans op kogels of elektriciteitskabels zeer klein, maar niemand wist dat zeker. Onze kennis, en die van kolonel Finley, was niet meer zo actueel. Wie weet was er een gloednieuw militair kampement onder ons neergezet. Of kwamen we midden in het jaarmarktterrein terecht.

Plotseling voelden we een harde klap aan de rechterkant. Ik gilde, Fi krijste en we waren niet de enigen. Maar zodra Sam de schok voelde, zette hij de linkerkant ook op de grond. Zo bleef hij staan, zachtjes heen en weer schommelend. Heel rustig zei hij over zijn schouder: 'We zijn geland, maar op een helling. Pas op met uitstappen.'

Er was geen paniek. Iain ging eerst, toen de helft van de soldaten, toen wij vijven en daarna de rest. Sam gaf me weer een knipoog toen ik langsliep. 'Succes,' zei hij. Ik probeerde een grijns te voorschijn te toveren, maar het lukte niet. Niet dat ik bang was, maar ik had gewoon te veel aan mijn hoofd. Het drong ineens tot me door wat voor grote verantwoordelijkheid er op mijn schouders zou rusten zodra ik uit de helikopter stapte.

Ik liet me door de valdeur vallen. Ik werd opgevangen en in het duister op de grond gezet. Iemand draaide me een kwartslag naar links om. Er schreeuwde een stem in mijn oor: 'Vijftig meter doorlopen, pas op: ruw terrein.' Struikelend liep ik de lawaaierige nacht in. De kerosinedampen verdrongen alle andere geuren. Ik liep verder met mijn armen voor me uit, totdat iemand anders me beetpakte. Ik bleef staan en wachtte, en liet mijn ogen aan het donker wennen. Na een tijdje zag ik veel bedrijvigheid om me heen en ik besefte dat de bagage uit de helikopter werd gehaald en doorgegeven. Ik vloekte, kwaad dat ik er niet aan had gedacht om mee te helpen. Terug op eigen bodem kwam mijn onafhankelijkheidsgevoel al snel terug. Ik wilde absoluut niet als een hulpeloos kind behandeld worden. Maar toen ik in de rij ging staan die de bagage doorgaf, stond ik alleen maar in de weg en hield de boel op, geloof ik. Door een plotseling gebrul van motoren en een hevige windvlaag wist ik dat Sam wegging. Weer was ik bang en voelde ik me alleen, maar alles ging nu zo snel dat er geen tijd was om aan dat soort gevoelens toe te geven.

Ik werd hard op mijn schouder getikt en tegelijkertijd werd mijn arm naar een stuk bagage getrokken. Ik werd echt kwaad dat ik zo hulpeloos was, maar het was luxe om een scène te schoppen, dus hees ik de bepakking op mijn rug. 'Kom mee,' fluisterde iemand. Het geluid van de helikopter was al weggestorven en de nacht was weer even rustig en stil als altijd. Het was een opluchting om weer te kunnen fluisteren. Ik kon ook weer wat zien in het donker, zodat ik makkelijk achter een grote, brede rug kon aanlopen. Ik wist heel goed waarom het zo ging. Iain had in de Saab uitgelegd dat we eerst van de landingsplek weg moesten komen, voor het geval we door soldaten omsingeld zouden worden. Als we eenmaal op veilige afstand waren, zouden we pas kijken waar we eigenlijk waren.

We liepen een kwartier snel door. Na zo lang te hebben stilgezeten, was die plotselinge lichaamsbeweging een aanslag op mijn lichaam. Algauw liep ik te hijgen en te puffen. Mijn neus begon ook te lopen, wat erg vervelend was omdat ik niet bij mijn zakdoek kon. Ik had geen flauw idee wie er achter me of voor me liepen, alleen wist ik zeker dat er een vrouw voor me liep. Het duurde eeuwen voordat ik weer een beetje op adem was – ik weet eigenlijk niet eens zeker of zoiets wel kan – maar na een tijdje kwam ik in een ritme en ging het een stuk makkelijker.

Toen klapte ik, béng, met mijn neus tegen de soldaat voor me aan. We waren gestopt. Ik liep een eindje door, met een gewichtig gevoel. Dit was het sein om in actie te komen. Iain was al naar me op zoek. 'Goed zo, Ellen,' fluisterde hij. 'Weet je al waar we zijn?'

'Nee, ik moet eerst even rondkijken.'

'Oké, doe dat maar. Kay gaat met je mee. Ik ga de manschappen controleren.'

Terwijl iedereen om hem heen ging staan, liepen Kay en ik het donker in. Ik zocht ingespannen naar bekende dingen. Er viel geen peil op te trekken waar we waren. Als Sam een centimeter van zijn berekeningen was afgeweken, konden we wel kilometers van onze bestemming vandaan zijn. We liepen nog steeds over ruw terrein vol kuilen. Het grootste deel van de tijd gingen we naar beneden: dat zou dan de oostgrens kunnen zijn, aan de voet van de heuvels. Er lagen veel schapenkeutels, dus waarschijnlijk waren we op een van de drie grote weiden langs de rand, al wist je met nieuwe eigenaren niet wat voor regels ze hanteerden. Misschien liepen de schapen wel wild rond.

'Komt het je al bekend voor?' vroeg Kay zachtjes.

Ik schudde mijn hoofd en we liepen stug door. Ik hoopte maar dat Kay, als professionele soldate, me uiteindelijk weer bij de anderen zou terugbrengen. Hoe verder we van hen vandaan liepen, hoe meer ik eraan twijfelde dat we hen terug zouden vinden.

Ik merkte dat de grond drassiger werd. Ik knielde en drukte mijn vingers erin. Hij was inderdaad vochtig. Een golf van opluchting ging door me heen. Ik had deze mensen niet in de steek willen laten. Ik had niet voor schut willen staan. Het was een erezaak. Maar toch moest ik helemaal zeker zijn van mijn zaak. Ik zei tegen Kay: 'Als we honderd meter verder lopen, komen we bij de hoek van een weide.'

Als ik mezelf nu wil oppeppen, als ik me goed wil voelen, denk ik vaak terug aan het moment dat ik Kay in het pikdonker, om kwart voor vijf in de ochtend, na ergens *in the middle of nowhere* uit een helikopter te zijn gedropt, regelrecht naar het punt leidde waar twee omheiningen elkaar kruisten. Ik probeerde net te doen alsof het niets bijzonders was, alsof ik altijd al had geweten dat het hier was, en ik probeerde niet te triomfantelijk te kijken toen Kay zei: 'Zo hé, jij kent het hier als je broekzak.'

We liepen snel naar de anderen terug. Het kostte geen enkele moeite hen weer te vinden.

'Hoe ging het?' vroeg Iain.

Hij klonk altijd zo onverstoorbaar. Het maakte niet uit of we midden in oorlogsgebied waren, duizend kilometer van Nieuw-Zeeland, en dat we misschien wel verdwaald waren. Hij klonk alsof hij vroeg hoe het gegaan was in de honderd meter hardlopen op de sportdag.

'We zijn niet precies op de goede plek. Maar we zitten niet slecht. Pakweg anderhalve kilometer van het pad. Het is een beetje een gedoe om er te komen. Maar er zijn hier absoluut geen soldaten. Dit is het ruigste stuk van ons terrein.'

Ik stond klaar om hen meteen de wildernis in te leiden, maar Iain haalde zijn zaklantaarntje te voorschijn en zei dat ik moest laten zien waar we waren. Volgens mij wilde hij gerustgesteld worden dat ik mijn zaakjes wel voor elkaar had. Maar Kay schoot me te hulp en zei: 'Ze kent het hier als haar broekzak, Iain. Ze bukte zich, voelde aan de grond en gaf toen precies aan waar de omheining was.'

Ik besefte dat dit voor Kay, die uit Auckland kwam, een soort tovenarij moest zijn. Ze had waarschijnlijk niet eens opgemerkt dat het gras drassig werd. Ik kende natuurlijk elk centimetertje van dit land – dat kan ook niet anders – dus zodra ik die vochtige grond voelde op een helling omgeven door ruw terrein, wist ik dat we aan het eind van Nellie moesten zijn, onze grootste weide aan de oostkant.

Maar dat hield ik voor me. Een goeie tovenaar verklapt nooit zijn geheimen.

Overdreven voorzichtig als hij was, deed Iain een kompaspeiling, hoewel zijn kaart eigenlijk niet accuraat genoeg was, maar zodra hij klaar was, konden we gaan. Ik hees de bepakking op mijn rug en nam, eindelijk weer energiek, de enige positie in waar ik me echt lekker bij voel: de leiding. Daar gingen we.

Na tien minuten vroegen ze al of het wat langzamer kon. Daar was ik ook trots op. Ik was geladen. Ik was als een blad aan de boom omgedraaid. Fi, die achter Iain liep, die weer achter mij liep, was geschokt. Toen we wachtten tot de anderen ons hadden ingehaald, zei ze: 'Ze zouden je op doping moeten controleren, Ellen.'

Ik haalde lachend mijn schouders op. 'Dat ik weer terug ben, dáár kick ik op.'

Maar ik moet toegeven dat het een heel gedoe was. Al mijn plotselinge zelfvertrouwen ten spijt, kwam ik niet op de omheinde ruimte voor de schapen uit, al was het nog geen honderd meter ervandaan, maar toch. Toen we uit de struiken kwamen, waren we bij het hek tussen Nellie en Burnt Hut, de volgende weide, en niet bij de omheinde ruimte. We waren ons doel voorbijgeschoten, zodat die kleine fout nog eens twintig minuten extra lopen betekende. Ik zei niets, omdat niemand het had kunnen weten, dus waarom zou ik mezelf dan voor schut zetten? Ik verbeet me, sloeg scherp linksaf en leidde hen langs het hek.

Om ongeveer halfzes kwamen we bij het pad. Het werd al bijna licht, dus moesten we wel verdergaan. Iain gromde alleen: 'Goed gedaan', toen hij het roodbruine zand in het ochtendlicht zag. Daarna beval hij twee soldaten vooruit te gaan, om te kijken of de vijand in de buurt was. Hij wilde niet dat ik meeging, maar ik zei dat ze me nodig hadden. Ik kende deze weg als geen ander. Ik wist waar hij een bocht maakte, waar hij omlaagging, waar vijandelijke troepen zouden kunnen overnachten of uitrusten, als ze op patrouille waren.

Maar goed, de kans dat ze hier waren, was ongeveer een op duizend.

Ik was in deze uren mijn angst niet kwijtgeraakt. Ik had hem alleen kunnen onderdrukken. Hij zat nog steeds diep in me. Maar op dit moment was er geen ruimte of tijd voor.

En zo sjouwden we met zijn drieën verder. We gingen nog steeds omhoog. Ik was vergeten dat oorlog voor een groot deel hieruit bestaat: keihard werken, kreunend berg op, berg af, gebukt onder zware bepakking waar alle schoolboeken in leken te zitten die je ooit had gehad, en nog meer. Je steeds voorhouden dat in elke struik, in elke boom de dood loerde. Even ontspannen, even met je gedachten ergens anders, even wegdromen, en dan opeens denken: o jezus, ik ben er niet bij met mijn hoofd, die dagdroom had me mijn leven kunnen kosten.

Urenlang ploeteren, soms dagen achtereen, zodat je uiteindelijk wel iemand zou kunnen vermoorden of zelf vermoord worden.

Nou, zo ploeterden we verder, tot we om negen uur 's ochtends op de top van de Kleermakerssteek stonden.

4

Wat was er veel gebeurd sinds we daar voor het eerst als groep hadden gestaan, met zijn zevenen: Homer, Fi, Robyn, Lee, Carrie, Kevin en ik. En later nog Chris. Twee, en misschien drie van dat groepje zouden hier nooit meer komen.

Maar de rest van ons was teruggekeerd.

Plotseling leek het heel belangrijk dat we teruggekomen waren, al moesten we ons nu in het donker verbergen. De eerste keer hadden we op open terrein gestaan, ontspannen, lachend, dollend, met het gevoel dat we thuis waren, dat dit ons land was. Daar hadden we nooit aan getwijfeld. Het was gewoon iets vanzelfsprekends.

Nu was niets meer vanzelfsprekend. Zeker ons leven niet.

De vijf overgeblevenen, de vijf overlevenden stonden op een kluitje bij elkaar, beschermd door een bosje oude, grijze, kronkelige eucalyptusbomen. We letten even niet op de Nieuw-Zeelanders en staarden naar de Hel beneden ons. Niemand zei iets. De enige geluiden waren de normale bosgeluiden: het geruis van bladeren, het gekras van kraaien, de verre krijs van een papegaai. Ik weet niet wat er in de anderen omging, maar ik bedacht dat dit de plek was waar ik thuishoorde, dit was mijn droomwereld. Ik was zelf een eucalyptus, een rots, een papegaai geworden. Ik had eerst niet willen teruggaan, maar nu ik er was, wilde ik er nooit meer weg.

Rechts van me zei Iain: 'Wat een ruige plek.'

Ursula, die ook kapitein was en na Iain de leiding had, zei: 'Ik heb heel wat trektochten gemaakt in Nieuw-Zeeland, maar zo woest heb ik 't nog nooit meegemaakt.'

'Kunnen jullie ons echt naar beneden krijgen?' vroeg Iain.

'Absoluut,' antwoordde Homer. 'Geen probleem.'

Ik voelde mijn lippen niet eens bewegen, dacht ik, maar ik zei niets. Het was niet het moment om weer ruzie te maken met Homer, de Grote Jongen Die Altijd De Baas Moest Spelen. In plaats daarvan zei ik tegen Iain: 'Als we langs de richel naar Wombegonoo lopen, komen we er.'

Blijkbaar hadden ze ons toch wel nodig. Daarom hadden ze ons erbij gehaald. Het was de beste schuilplaats in de wijde omtrek. En wij waren de enige mensen op de hele wereld die ervan wisten.

We hesen onze bepakking weer op onze rug en liepen langs de richel, onder de boomgrens, naar beneden, naar het verborgen pad dat naar de Hel leidde. Het was een hele klus om zo te lopen, omdat de wanden van de Kleermakerssteek ontzettend steil zijn en je bijna bij elke stap een kleine aardverschuiving veroorzaakte. Maar we moesten wel. Bij daglicht waren we volkomen onbeschermd op de top. Zo'n wandeltocht was gewoon weer de prijs die je moest betalen omdat we ons onder de voet hadden laten lopen.

Toen we bij Wombegonoo waren, lieten we Iain de boom zien. Het probleem was dat er tussen ons en de boom kaal terrein was. Een spekglad rotsplateau, kaal als een asfaltterrein, strekte zich uit van de top van Wombegonoo tot aan de oude eucalyptus. Als we alleen waren geweest, waren we er met zijn vijven overheen gegaan, denk ik. We voelden ons hier altijd veilig. Maar Iain wilde geen risico nemen. Hij besloot tot het donker te wachten.

Na alle spanning, angst en opwinding was er ineens niets meer te doen. We zetten een provisorisch kamp op aan de westkant van de richel en hingen een paar tentdoeken op tussen de struiken, waar ze niet gezien konden worden door vliegtuigen, om in de schaduw te kunnen zitten, omdat het een warme dag beloofde te worden. Iain wees drie soldaten aan om de wacht te houden en daarna ging iedereen slapen, ook ik, vooràl ik.

Jemig, wat heb ik geslapen. Ik kan niet bedenken waarom ik zo goed en zo lang heb geslapen. Ik had al bijna een week geen oog dichtgedaan, dat is waar, maar je zou denken dat het juist nog erger zou worden, nu ik weer midden in de gevarenzone zat. Misschien was het een reactie op alle spanning van die nacht. Maar goed, ik heb langer dan vier uur geslapen, wat ik normaal nooit doe. Niet overdag.

Later, toen ik weer wakker was, hingen we wat rond. Het werd behoorlijk eentonig. Sommige soldaten zaten te kaarten, en Kevin en Homer deden mee. Eentje las een boek dat hij van Fi had geleend – ik geloof niet dat ze zelf boeken en zo mochten meenemen, anders zou hun bagage te zwaar worden – en een aantal praatte over rugby, wat in Nieuw-Zeeland een geliefde sport is, merkte ik. Vlak voordat we vertrokken, kondigde de Nieuw-Zeelandse regering aan dat alle rugbywedstrijden werden afgelast zolang de oorlog voortduurde, omdat alle jongemannen waren opgeroepen voor het leger. Zelfs in de Tweede Wereldoorlog ging het rugby gewoon door. Dus daar zaten ze allemaal over te mopperen.

Op een bepaalde manier was het een soort schoolreisje. Je vergat bijna dat je midden in een oorlogsgebied zat.

De dag sleepte zich voort. Ik wilde dolgraag naar de Hel. Ik was daar thuis, in zekere zin. De Hel is mijn huis. Wat zei dat over mij? Wie woonden er in de Hel? Ik wist het wel. De duivel en de gekwelde zielen. Welke van de twee was ik? Meestal wist ik dat ook. Maar soms had ik het gevoel dat ik een duivel was geworden. Ik huiverde van afgrijzen, ik werd misselijk als ik dacht aan de dingen die we hadden gedaan. Ik had er met Andrea over gepraat en dat had wel geholpen. Een beetje. Ze zei maar steeds: 'Praten is altijd goed.' Dat was een soort motto van haar. Maar ik denk dat zelfs zij niet begreep hoe het zat. Hoe zou dat ook kunnen? Hoe ervaren je ook bent als psycholoog, je bent niet zomaar ineens een deskundige bij het helpen van tieners die mensen hebben gedood. Je hebt niet zo veel gevallen in je omgeving om op te oefenen.

Er was heel wat op zijn kop gezet door al die dingen. Om te beginnen was mijn relatie met Lee erdoor kapotgegaan. Ik keek soms nog verlangend naar hem, en dan wilde ik zo graag terugkrijgen waar we zo van hadden genoten, ik wilde hem weer in mijn armen nemen, de opwinding voelen, die van hem en van mij – want zijn opwinding wond mij ook op – en ik wilde weer dat heerlijke warme gevoel ervaren als we bloot bij elkaar lagen. Met Adam was het heel anders gegaan. Alleen maar agressie en egoïsme en drank. Ik kreeg niet het gevoel dat hij me lief vond. Nee, hij had eerder een hekel aan me, hij wilde me pijn doen. Vroeger, toen ik op school zat in Wirrawee, had ik ook al gemerkt dat veel jongens die opschepten over hun vriendinnetjes en hun geweldige seksleven, eigenlijk bijna een hekel aan meisjes hadden. Alles tegelijk. Heel raar. En bij Adam had ik dat gevoel ook.

Lee was heel anders. Ik had ontzettend lullig tegen hem gedaan. Maar hij was altijd aardig gebleven. Zoals toen op het vliegveld in Nieuw-Zeeland, toen we naar de wachtruimte terugliepen nadat we koffie hadden gedronken. Met al die vreselijke dingen die er om ons heen gebeurden, was ik helemaal kil vanbinnen geworden of zo, in mijn gevoelens dan. Ik voelde helemaal niets voor hem. Ik voelde voor niemand iets, behalve voor Fi, en mijn ouders. O, en Andrea. Maar ik verlangde het meest naar mijn ouders. Ik wilde zo graag weer dat kleine meisje zijn dat met hen knuffelde, dat zich tussen hen in wurmde in bed toen ze een jaar of drie, vier was, knus en warm op de veiligste plek van de wereld.

Maar in plaats daarvan had ik de Hel.

Die middag ging ik een eindje wandelen. Weer moest ik met veel moeite toestemming van Iain lospeuteren. Ik vond dat vervelend, dat ik toestemming moest krijgen om op mijn eigen land rond te lopen. Het deed me te veel denken aan het leven met majoor Harvey. Het was natuurlijk heel anders met Iain. Hij was ontspannen en vriendelijk en makkelijk in de omgang. Maar toch moest ik hem ervan overtuigen dat het geen kwaad kon.

'De vijand zit hier heus niet, hoor.'

'Die kans is inderdaad erg klein.'

'En ik zal niet verdwalen. Ik ken het hier als m'n broekzak.'

'De reddingsbrigade in Nieuw-Zeeland heeft het altijd druk met het redden van ervaren trekkers.'

'Ik zal echt heel goed oppassen. Ik ga niet bungeejumpen, grotten onderzoeken of rotsblokken naar beneden gooien. Erewoord.'

Toen hij uiteindelijk inbond en ik op pad ging, moest ik eerst een kwartier stoom afblazen over ons gesprek. Het was vervelend als je iets zo zeker wist en daarna iemand anders daarvan moest overtuigen. Thuis hadden mijn ouders altijd op mijn oordeel vertrouwd. Toen ik naar school ging, was het een enorme schok te ervaren dat het daar een beetje anders aan toeging. Het hing ervan af, natuurlijk. Het hing van de leraar af. Als je je op de basisschool bezeerd had, bijvoorbeeld, ging je naar de lerarenkamer en pakte je de verbandtrommel en deed er zelf een pleister op. Maar toen kregen we een nieuwe directeur, toen ik in groep drie zat. Ik zat voor de lerarenkamer met de verbandtrommel op schoot en haalde met een naald een splinter uit mijn vinger. De nieuwe directeur liep langs en vroeg me wat ik aan het doen was, en toen ik hem dat vertelde, werd hij razend. Niet alleen kreeg ik een standje, maar de meesters en juffen ook. Ik hoorde hem in de lerarenkamer tekeergaan over juridische gevolgen en zo. Ik vond hem stom, maar als we daarna een splinter hadden, moesten we aan een leerkracht vragen of hij hem eruit wilde halen.

Maar in de ruige natuur kun je niet zo lang kwaad blijven. Dat vind ik, tenminste. Niet dat je er rustig of kalm van wordt, integendeel. Bij mij is het zo dat zij bij me binnendringt, mijn bloedbaan in, en me helemaal beheerst. Ik heb er geloof ik geen betere omschrijving voor. Ze beheerst me en ik word er een deel van, zij wordt een deel van mij, en dan ben ik niet meer zo belangrijk, althans, niet belangrijker dan een boom of een steen of een spin die zich langs een heel lange draad van spinrag naar beneden laat zakken. Terwijl ik op die warme middag rondliep, zag ik niets verbazingwekkends of prachtigs of ongelooflijk spectaculairs. Ik kan me eigenlijk niet herinneren dat ik iets bijzonders opmerkte: alleen maar de grijsgroene rotsen, de olijfgroene bladeren en de rossige aarde waar het krioelde van de mieren. De gerafelde repen schors van eucalyptussen, de knisperdroge schilden van cicaden, het kronkelige spoor in de aarde van een passerende slang. Meer is het eigenlijk niet, meestal dan. Geen regenwoud met tropische vlinders, geen palmbomen of Californische sequoia's, geen luipaarden of leguanen of pandaberen.

Alleen maar bomen en struiken.

Iain wilde de Kleermakerssteek pas overgaan als het helemaal donker was. Hij had natuurlijk gelijk. Ook in het schemerigste licht bleef het risico bestaan dat onze silhouetten gezien zouden worden door iemand die toevallig de goede kant opkeek. Maar het was frustrerend om zo lang te wachten en elke minuut te denken: oké, nou is het wel donker genoeg, we gaan. En daarna te denken: o nee, er is nog een streepje grijs in de lucht boven de bergen, laten we nog maar een paar minuutjes wachten.

Toen stonden we ineens allemaal overeind, hesen de bepakkingen op onze schouders, schudden de haren uit onze ogen. Iain riep me en zei dat ik weer voorop moest gaan, wat ik erg fijn vond, hoewel Homer net deed alsof hij het niet had gehoord.

En zo, toen iedereen klaar was, gingen we op weg, weer over de steile wand van de richel omhoog, langs Wombegonoo, naar de Hel, mijn haven.

De Hel binnenkomen en verlaten was altijd lastig, omdat het pad zo steil en smal was. Ook was het op sommige plaatsen erg glibberig, omdat de beek er een paar meter langs stroomde, zodat de beek en het pad even in elkaar overgingen. Het was echt heel vervelend om dat in het stikdonker te doen. Het was één grote glijpartij en net als je weer wat steviger stond, kreeg je een tak in je gezicht. Dan verloor Iain weer zijn evenwicht en viel keihard tegen mijn rug aan. Het was net zoiets als dat je op Kevins broertjes paste. Je had het gevoel dat je de helft van de tijd aan een soort worstelwedstrijd meedeed. Maar de Nieuw-Zeelanders bleven recht overeind. Kolonel Finley had ons verteld dat ze uitgekozen waren om hun initiatief en moed, en ze brachten het er goed vanaf. Veel grappen en zo.

Ik deed het ook niet slecht, denk ik, maar ik was behoorlijk moe. Ik had niet veel te melden.

Even voor tienen, 22.00 uur, 'daalden we veilig en wel op de bodem van die helse put neer'. Of, met andere woorden, we waren weer thuis, in het hart van de Hel.

5

Ik weet niet wat de anderen die eerste nacht deden. Ze gingen allemaal slapen, geloof ik. Fi en ik in ieder geval wel. We zetten een tent op – nogal met de losse hand – kropen erin en bleven liggen.

Het leuke van die beroepssoldaten om ons heen was dat we niet meer de wacht hoefden te houden. Wat een meevaller. Hiervóór sleepten we ons elk uur van de dag of de nacht uit ons warme bed en slaapzak, weer of geen weer, kreunend en jammerend en vloekend, omdat het zo vreselijk was. Maar tot dusver had niemand nog gezegd dat we zoiets onaangenaams en onprettigs moesten doen. Daar moesten Fi en ik om grinniken in die eerste nacht. We waren het erover eens dat het maf was om ons als vrijwilliger op te werpen. Die lui werden er immers voor betaald. En ze waren ontzettend ijverig, ontzettend gedreven. De helft was nooit in actie geweest en de rest had niet veel gedaan. Het zou jammer zijn om hun die pret te ontnemen.

'Wat is Iain in Wirrawee van plan, denk je?' fluisterde Fi.

Er was ons niets verteld over hun eigenlijke missie. Kolonel Finley had uitgelegd dat het zo voor iedereen het veiligst was: als we gepakt werden, konden we maar beter zo min mogelijk weten. Ik begon als een idioot te trillen toen hij die vier woorden, 'als we gepakt werden', uitsprak. Tijdens de gesprekken met Andrea hadden we het voornamelijk gehad over de periode in de gevangenis van Stratton en wat er met Robyn was gebeurd, steeds maar weer. Het hielp om erover te praten, maar geleidelijk aan had ik geaccepteerd dat die afschuwelijke dingen altijd een deel van mij zouden blijven en dat ik alleen een manier moest vinden om ermee te kunnen leven. Kolonel Finley had ons in ieder geval garanties gegeven dat het wel goed zou gaan. Iain had strikte instructies ontvangen. We mochten alleen als gids gebruikt worden, we mochten niet in de buurt van gevechten of 'oorlogshandelingen' komen (kolonel Finley had me het eerste deel van Iains geschreven instructies laten lezen) en we zouden maar één keer naar Wirrawee hoeven gaan om hen wegwijs te maken.

Maar het was overduidelijk dat het vliegveld het doelwit was. Er was niets anders in Wirrawee de moeite waard om aan te vallen, niet dat wij wisten tenminste. Murray's Eats, de caravan waar je op zaterdagavond hotdogs kon krijgen op het parkeerterrein van de supermarkt, was niet echt een belangrijk strategisch doel, en volgens mij hadden we zo'n verwoesting aangericht in Turner Street dat daar lange tijd nog geen grasssprietje zou groeien.

Daar praatten we over. Maar we beseften ook dat we daarmee niet dichter bij onze families zouden komen. In de plannen van de Nieuw-Zeelanders was geen ruimte voor een bezoekje aan het jaarmarktterrein, waar de meeste mensen nog wel gevangen zouden zitten. Dat soort vertier stond niet op hun lijstje. De laatste informatie die we, twee weken ervoor, toen we nog niets van dit reisje wisten, van kolonel Finley hadden gekregen was dat er nog steeds werkploegen werden ingezet, omdat het steeds veiliger werd op het land en het gijzelaarssysteem steeds efficiënter werd.

Ik doezelde bijna weg toen Fi iets zei waardoor de rillingen over mijn rug liepen. Ik ging recht overeind zitten in mijn slaapzak.

'Wát zei je?'

'Ik zei dat we hier stiekem kunnen weggaan en ze kunnen gaan zoeken, als die Nieuw-Zeelanders ook zelf op pad gaan.'

'Fi, dat kan niet! O god, denk je dat we dat moeten doen?'

'Nou ja, het is de enige manier om ze te zien. Iain vindt het nooit goed dat we ze gaan zoeken.'

'Maar in Nieuw-Zeeland zei je nog dat kolonel Finley alles zou regelen.'

'Hmm, ja,' zei Fi. 'Maar ik begin zo langzamerhand te geloven dat je gelijk hebt wat kolonel Finley betreft.'

'Fi!' Ik moest een beetje lachen, omdat kritiek op iemand zo vreemd uit haar mond klonk. Ze vertrouwde altijd iedereen. 'Je vond hem toch zo aardig?'

'O, ik vind hem best aardig,' gaf Fi toe. 'Maar hij is inderdaad alleen maar aardig tegen ons als het hém uitkomt. Hij bekommerde zich niet om ons toen we ons op dat autokerkhof schuilhielden. Toen hij er eenmaal achter was dat we helemaal niets wisten en dat we absoluut niet meer naar Cobbler's Bay terug wilden, werd zijn belangstelling voor ons algauw minder.'

'Maar hij moet een oorlog winnen,' zei ik. 'Dat staat voorop.'

Ik nam het alleen maar voor de kolonel op omdat ik zin had in een discussie, niet omdat ik zo erg geloofde in wat ik zei.

'Ja, natuurlijk. Ik verwacht heus niet dat hij ons ontbijt op bed brengt of ons een paar M16's leent. Maar als we iets willen doen en niemand heeft daar verder last van, dan moeten we het doen, vind ik, of kolonel Finley dat nou goedkeurt of niet.'

'Om vergeving vragen, niet om toestemming,' zei ik, terwijl ik me herinnerde dat ik dat ooit van iemand had gehoord.

Het duurde even voordat het tot Fi doordrong wat ik bedoelde, en toen lachte ze.

'Ja,' zei ze. 'Precies. Jemig, Ellen, je bent weer een beetje de oude aan 't worden.'

'Dat komt doordat ik hier ben,' zei ik. 'In mijn eigen tuintje. Dat maakt verschil. Ik was het weer vergeten.'

'Ik miste het erg toen we in Nieuw-Zeeland waren,' zei Fi. 'Ik miste zelfs de Hel, en al die eindeloze tochten. Ik miste zelfs het verwoesten van mijn halve woonstraat.'

'Ik miste alles,' zei ik. 'Er zijn hier meer bromvliegen dan in Nieuw-Zeeland. Ik miste onze bromvliegen.'

Maar ik moest nog steeds denken aan wat Fi had gezegd. 'Denk je echt dat we ze moeten gaan zoeken? Stel dat we daarmee de Nieuw-Zeelanders dwarszitten? We mogen hun plannen echt niet verstoren.'

'Nee, natuurlijk niet. Dat staat voorop. Maar we zouden bijvoorbeeld hier weg kunnen komen over de Holloway Road en kijken of we een van de werkploegen kunnen vinden. Die zijn aan de andere kant van Wirrawee. En ook al worden we gepakt, dan weten ze niet dat we hier met Nieuw-Zeelandse soldaten zijn.'

'Ja, en Kevin zei dat de werkploegen buiten hun eigen terrein gestuurd worden, dus de kans is groter dat onze families buiten Wirrawee zijn dan binnen.'

'Behalve de mensen die ze als gijzelaar houden.'

'Wanneer zou Iain willen dat we hem naar Wirrawee brengen, denk je?'

'Gauw. Misschien morgenavond al.'

'Ben je gek? Zo gauw al?'

'Ja, waarom niet?'

Maar het was wel logisch, dacht ik. Waarom zou je hier rond blijven hangen en al het eten opmaken? Aan de andere kant hadden ze bergen eten meegebracht, dus misschien waren ze van plan om lang te blijven.

'Ik wou dat ze meer over hun plannen loslieten,' klaagde ik. 'Ik snap heus wel dat ze dingen geheim moeten houden, maar soms krijg ik het gevoel alsof majoor Harvey er weer is en ons als kleine kinderen behandelt.'

'Eén ding weet ik wel,' zei Fi.

'Wat dan?'

'Wie hen naar Wirrawee moet brengen.'

'Wie dan?' Maar ik voelde mijn ingewanden weer vloeibaar worden toen ik dat vroeg. Ik wilde niet dat ik het was, omdat ik niet gepakt, gewond of gedood wilde worden. Maar ik wilde ook wél dat ik het was, omdat het een grote belediging zou zijn als ik achter moest blijven.

'Weet je zeker dat je ertegen kan?' vroeg Fi.

'Ja, natuurlijk! Zeg het nou!'

'Jij en Lee.'

Ik was daar zo door in verwarring gebracht dat ik niet wist waar ik moest beginnen.

'Maar... maar ik weet helemaal niet of ik wel wil gaan. En Homer dan? Die wordt niet goed. Hoe weet je dit trouwens?'

'Ik hoorde vanmiddag Iain met Ursula praten.'

'Maar ik dacht nooit dat ze mij zouden uitkiezen. Ik ben toch de enige die niet uit Nieuw-Zeeland weg wilde?'

'Ja, daar hadden ze het over. Of je misschien, nou ja...'

'Of ik me tot een balletje zou oprollen en gaan huilen als we dicht bij de vijand waren.'

'Nou ja, niet in die bewoordingen, maar zo ongeveer, ja.'

'Waarom willen ze dan dat ik meega?' Ik zat natuurlijk te vissen naar complimentjes.

'Je reputatie, denk ik. We hebben een soort legende van je gemaakt, toch? En verder ging het best goed met je, gisteren en vandaag. Volgens mij was het een soort testje, toen Iain je voorop liet gaan naar de Hel.'

Ik was razend.

'Testje? Testje? Wat denken die imbecielen wel, om mij een test te laten doen? Wij hebben vaker een test gedaan dan zij hun kont hebben afgeveegd. Voorop naar de Hel, joepie, grote test, wauw, hoe ging het? Ben ik geslaagd? God, ik hoop maar dat ik geslaagd ben. Iain en die stomme tests van hem. Hoe durft ie!'

'Nou, Ellen,' zei Fi, van wie ik nooit eens lekker mocht uitrazen, 'je moet toch toegeven dat je behoorlijk moeilijk deed toen ze vroegen of we terug wilden gaan.'

'Ze hebben het niet gevraagd, ze hebben ons gewoon gedwongen,' klaagde ik. 'Dat is wel even iets anders.'

'Ik denk niet dat ze jou zullen dwingen om hen naar Wirrawee te brengen,' zei Fi. Ze paste nu heel goed op haar woorden. Dacht ze dat ik zo weinig kon hebben? 'Maar ik denk dat ze hopen dat je het doet.'

'En Homer dan? Waarom vragen ze het niet aan hem?'

Weer zweeg Fi even en zocht naar de juiste woorden.

'Ik denk dat ze in Nieuw-Zeeland de indruk hebben gekregen dat hij een beetje onverantwoordelijk is. Een beetje te wild.'

Veel volwassenen maken die vergissing over Homer. Hij was behoorlijk lastig op school, maar dat was meer een reactie op hoe hij werd behandeld dan iets anders. Je mag mensen absoluut niet met dieren vergelijken, maar zoals de leraren de pik hadden op Homer, deed me denken aan iets wat pap zei over de veehouderij: hoe rustiger de boer, hoe kalmer de schapen. Zijn theorie was dat je niet tegen de schapen moest schelden, omdat ze dan wisten dat je ze niet mocht. Hij heeft een keer een arbeider ontslagen omdat hij de schapen te vaak uitschold. Hij gaf dat niet als reden op, hoor, maar dat was het wel.'

'God, Homer flipt als ie dit hoort.'

Ik kon slapen verder wel vergeten. Terwijl ik dat zo hard nodig had. Ik lag uren te woelen. Als ik net even goed lag, merkte ik dat het te hard was voor mijn heup of dat er te veel druk op mijn schouderblad kwam of dat mijn arm sliep. Omdat ik die ochtend al zo lang geslapen had, werd het nog moeilijker om in slaap te komen. Maar het kwam eigenlijk doordat ik die tocht naar Wirrawee al aan het maken was. In gedachten liep ik door de donkere straten, trillend bij elke schaduw, opspringend van angst bij het minste geluid.

Ik vroeg me af of ik nog wel tegen zo'n spanning bestand was.

In het eerste ochtendlicht stond ik op. Ik had waarschijnlijk een paar uur geslapen, met tussenpozen, maar dat gevoel had ik helemaal niet. Fi sliep nog, dus kleedde ik me stilletjes aan en glipte het tentje uit om weer met de Hel kennis te maken.

Niets is mooier dan de vroege ochtend. De lucht is zo zacht, zo heerlijk koel. De beek bruist levendiger, lijkt het, dan later op de dag. En dan het hese geroep van de eksters. Eerst ging ik naar de kippenren kijken, ook al wist ik dat er geen kippen meer rondliepen. Dat klopte. Ik zal je de gruwelijke details besparen, maar die zielige verenhoopjes waren ook oorlogsslachtoffers geworden. Ik denk dat ze van de honger zijn omgekomen. We hadden de ren verbouwd, zodat de beek erdoorheen stroomde en ze genoeg water hadden, maar ze hadden alles opgegeten, op de aarde en het gaas na.

Toen ging ik naar een ander slachtoffer van de oorlog.

Het graf van Chris lag er ongeveer net zo bij als we het hadden achtergelaten. Het was wel een beetje overwoekerd. Ik trok een onkruidplantje eruit, wilde er nog een uittrekken, maar hield op. Chris hield van onkruid, op zijn eigen, unieke manier. En in ieder geval hield hij ervan om dwars te liggen. Ik grinnikte en liet het onkruid verder met rust.

Toen ik van het graf wegliep, dacht ik terug aan die afschuwelijke tocht naar de Hel, toen we het lijk van Chris erheen droegen, maar snel schudde ik mijn hoofd, omdat ik er niet aan wilde denken. Hij had tenminste vrienden gehad die hem hadden begraven. Soms vroeg ik me af of ik ook zo zou boffen.

Ik slenterde langs de beek. Ik dacht eraan om naar de kluizenaarshut te gaan, maar het idee om door het donkere struikgewas te lopen stond me niet aan. Ik bleef in het steeds feller wordende, verwarmende zonlicht lopen en vond een rots die me wel beviel. Ik ging er met opgetrokken knieën zitten en sloeg mijn armen om mijn benen heen. Ik kon niet geloven dat ik hier weer terug was. Stom televisiekijken in Nieuw-Zeeland, naar walgelijke feesten gaan met een walgelijk iemand, te veel hamburgers en chips vreten: dat alles leek nu ineens heel ver weg. Ik begon me ernstig af te vragen of ik wel naar Nieuw-Zeeland terug moest gaan met de anderen. De Nieuw-Zeelanders hadden een radio – twee radio's zelfs – zodat ze de helikopter konden oproepen als het tijd was om te vertrekken. Misschien moest ik dan de boot afhouden. Ik glimlachte bij mezelf toen ik eraan dacht hoe ze zouden reageren.

'Maar jij wilde eerst helemaal niet weg!' zouden ze dan roepen.

'Nou ja,' zeg ik dan, 'je mag toch wel van gedachten veranderen? Dat is juist goed. Het betekent dat je nadenkt. Alleen als ik dood ben, verander ik niet meer van gedachten. En misschien zelfs dán nog wel.'

Ik hoorde een knerpende voetstap op de rots achter me en toen ik omkeek zag ik Ursula. Ik vond Ursula aardig. Ze had vrij lang, rossig haar en blozende wangen, en een mooie, grote mond die veel lachte. Voordat ze in het leger kwam, was ze aerobicslerares geweest, en van Iain wist ik dat ze op de Commonwealth Games was uitgekomen voor Nieuw-Zeeland met hordelopen. Ze was nog maar zes jaar in het leger, dus had ze wel een bliksemcarrière gemaakt door zo snel tot kapitein bevorderd te worden, denk ik.

'Hoi,' zei ze. 'Lekker geslapen?'

'Vreselijk. Ik ben heel vroeg opgestaan. En jij?'

'Prima. Als een baby'tje.'

'Ik weet niet waarom mensen dat zeggen. Baby's slapen toch voor geen meter?'

Ze lachte. 'Dat schijnt, ja. Ik blijf zo ver mogelijk bij baby's uit de buurt.'

'Ik heb er ook niet veel ervaring mee, moet ik zeggen.'

Ze ging op de volgende rots zitten, een paar meter links van me, en gooide een dood blad in de beek.

'Het is mooi hier,' zei ze even later.

'Ja. Ik ben blij dat ik terug ben.'

'En het is zo prachtig verborgen. Als je boven op de top staat, kan je gewoon niet geloven dat we hier zijn gekomen. Heel knap van je om het terug te vinden.'

'Het was puur toeval.'

'Ja, dat zei Fiona al.'

'Wanneer moeten jullie dingen gaan doen, en zo?'

'Nou, daar wilde ik het met je over hebben. We willen vanavond naar Wirrawee gaan. En als je zin hebt, willen we graag dat jij een van de gidsen bent.'

Ik probeerde net te doen alsof ik het nog niet had gehoord.

'Wie nemen jullie nog meer mee?'

'Zeg alsjeblieft nog niets tegen de anderen voordat we met hen gepraat hebben, maar we dachten dat Lee misschien een goede keus zou zijn.'

'Ja, die is zeker goed.' Ik zat tussen twee vuren. 'Maar ik vind dat jullie Homer ook moeten vragen.'

'Het leek ons verstandig om hem hier de leiding te geven.'

O, dacht ik, wat slim. Wat ontzettend slim, maar ik denk niet dat Homer daar genoegen mee neemt. Ik denk dat hij daar dwars doorheen kijkt.

En zo gebeurde het ook. Toen ik zo'n tien minuten later met Ursula van de beek terugkwam, zag ik al meteen dat Homer naar het pad wegstormde, alsof hij regelrecht naar Wirrawee zou gaan en de hele stad eigenhandig zou opblazen. De rest van de dag liet hij zich niet meer zien. Toen we die middag vertrokken, zat hij nog steeds te simmen. Blijkbaar moesten de arme, oude bomen het ontgelden. Ik hoorde hem smijten met stukken hout, die hij voor een voorraadschuur wilde gebruiken, zei Kevin.

Ergens dacht ik niet dat die schuur er ooit zou komen.

6

Het was een heel eind lopen. Op een avond waren we op een feest bij Josh en Susie in Wirrawee en Homer had echt zwaar zitten zuipen en iedereen had de pik op hem, maar hij bleef maar volhouden dat hij geen druppel op had en uiteindelijk verklaarde hij om drie uur 's nachts dat hij naar huis zou lopen om te bewijzen dat hij nuchter was. Even later liep hij de oprit af en wij zwaaiden hem met z'n allen uit, gierend van het lachen. Ik bleef logeren, dus ik wist niet of hij was thuisgekomen, maar om acht uur 's ochtends ging de telefoon en toen Josh wankelend naar de keuken ging om op te nemen, was het Homer. Hij was zo tevreden met zichzelf dat ik hem helemaal vanuit mijn logeerbed in Susies kamer kon horen.

Maar dat is de enige keer waarvan ik weet dat er iemand van ons land naar Wirrawee heeft gelopen, of andersom.

Nee, wacht even, dat is niet waar. Mijn opa had een knecht, ene Casey, geloof ik, die erom bekendstond dat hij altijd liep. 'Trampoline Bob' werd hij genoemd, omdat hij een bijzondere manier van lopen had: verend op zijn hielen. Blijkbaar liep hij altijd overal heen, ook naar Wirrawee als het moest. Ik weet nog dat mijn oma vertelde dat hij een keer naar Stratton was gelopen om zijn vriendin te bezoeken. In die dagen werd de post niet verder bezorgd dan de boerderij van de familie Mackenzie, en hij liep daar twee keer per week heen om zijn brieven op te halen.

Mijn opa was te gierig om hem een paard te geven.

Ik bedacht allerlei kortere tussendoorweggetjes om die avond in Wirrawee te komen, maar Iain wilde er niet van horen. Veiligheid stond bij hem bovenaan, wat natuurlijk heel logisch was, maar ik vond wel dat hij dat een beetje te ver doordreef. We moesten niet alleen lopen, maar ook allerlei omwegen maken om huizen en wegen te mijden. Homers beroemde wandeling was daarbij vergeleken een ommetje na het eten. Het was voor mij ook een conditietest. Ik dacht dat ik nog behoorlijk fit was toen me tijdens de tocht naar de Kleermakerssteek gevraagd werd of het wat langzamer kon, maar algauw besefte ik dat mijn uithoudingsvermogen in het niet viel bij dat van de soldaten. Zij hadden een week in dit tempo kunnen doorgaan. Geen wonder dat hun paarden steeds de Melbourne Cup wonnen. Die gozers hadden die cup zelf kunnen winnen, daar hadden ze geen paarden voor nodig.

We liepen de hele nacht. We mochten niet praten, zodat mijn spieren dat onophoudelijk wél deden. Ze hadden heel wat te zeggen: alleen maar geklaag. Klaag, klaag, klaag. Maar ik neem het ze niet kwalijk. Ze hadden pijn. Ik wou dat ik meer aan hardlopen had gedaan in Nieuw-Zeeland.

Toen we vlak bij Wirrawee waren, stopten we even om met Iain en Ursula te overleggen. Er was nog tijd om snel even rond te kijken in de stad voordat het licht werd, maar ze vonden het risico te groot. Dus liepen we het struikgewas in, niet ver van de verwoeste boerderij van de familie Mackenzie, en zochten een schuilplaats voor overdag.

Deze keer hoefde ik niet te verwachten dat ik nog een wandeling zou kunnen maken. Iain was onverbiddelijk. Ik begreep waarom hij zo streng was en deed er verder niet moeilijk over. Ik begon mijn eigen gezelschap steeds leuker te vinden, maar op deze tocht zou ik daar niet zo vaak van kunnen genieten. Het was een warme dag en ik was blij dat ik op adem kon komen en mijn loden benen kon laten rusten. Sinds we terug waren, leken we non-stop in touw te zijn geweest: afgezien van die ochtend in de Hel had ik nauwelijks gezeten.

Weer sliep ik lekker lang, ongeveer even lang als twee dagen ervoor. Kennelijk kon ik ineens alleen maar overdag slapen. Maar toen ik wakker werd, voelde ik me niet zo lekker. Ik had een moet van een steen in mijn rug en de zon brandde op mijn gezicht.

Ik kwam moeizaam overeind en liep naar Lee en de anderen. Ze waren een spelletje minicricket aan het spelen met een kiezelsteen als bal en een takje als bat. Ik keek chagrijnig toe. Ik had het bloedheet en alles plakte en zeurde, mijn benen deden zeer, dus ik was niet in de stemming voor spelletjes. Maar na een tijdje liet ik me meeslepen: toen het steentje bij mij terechtkwam, speelde ik het terug. Uiteindelijk ving ik het op en kwam aan slag. Het was erg leuk. Maar ik werd er wel een beetje treurig van. Dit was het soort leven dat we hadden moeten hebben. Malle spelletjes doen, een beetje ronddollen, zo lang mogelijk genieten van je jeugd. De helft van onze schooltijd brachten we zo door. Toen Eric Choo zijn been brak, gebruikten we zijn ene kruk als bat en verzonnen een nieuwe variant van cricket: als je de bal raakte, moest je om de vuilnisbak heen rennen en terug naar de wicket, maar wél op krukken. Als er vanaf dat moment iemand op school iets gebroken had, werd hij juichend ontvangen en begonnen we het spel weer te spelen.

Dat bedoel ik dus. Gewoon dat soort maffe dingen. We hadden nog genoeg jaren voor ons waarin we ernstig en volwassen en respectabel moesten zijn. Dus waarom zou je je haasten?

Maar aan de andere kant klaagden we altijd als leraren en andere volwassenen ons als kleine kinderen behandelden. Eigenlijk werd ik daar altijd het kwaadst over. Dus het was een frustrerende situatie. We zouden een button moeten hebben met aan de ene kant 'volwassen' erop en aan de andere kant 'kind'. Dan konden we de kant die we op een bepaald moment wilden zijn omdraaien en dan konden de volwassenen zich daarnaar gedragen.

Maar één ding zette me aan het denken. Het ging eigenlijk niet echt over al die mensen die me vertelden over kinderen in andere landen die op hun tiende in het leger vechten. Als je hun verhalen hoorde, zou je denken dat zuigelingen uit vliegtuigen sprongen met M16's in hun knuistjes. Nee, wat vragen bij me opwierp waren die foto's van kleine aboriginals die als volwassenen werden ingewijd, als volwaardig lid van de stam. Want op elke foto leken ze een jaar of tien, elf. Dus dat had ik altijd raar gevonden. Als ze voor vol werden aangezien op hun tiende, wat mankeerde er dan aan ons dat wij pas op ons twintigste of eenentwintigste zo ver waren? Of soms nog ouder. Ik kende mensen van vierentwintig die zich nog steeds als kleine kinderen gedroegen. Randall MacPhail bijvoorbeeld. Soms dacht ik dat hij nooit volwassen zou worden. Hij was achtentwintig en woonde nog bij zijn ouders en hij scheurde nog steeds rond met zijn opgevoerde pickup-truck met stickers achterop waar 'Zonder pickup geen rondjes' op stond of 'Ik heb het vrijgezellenfeest van Stratton overleefd'.

Als ik hem tegenkwam, zei ik altijd: 'Doe een beetje normaal, Randall.'

Nou ja, zo was hij vóór de oorlog. Misschien was hij volwassen geworden door de oorlog. Alleen zou je daar geen oorlog voor nodig moeten hebben.

Alles wat je nu zei moest gedateerd worden als vóór de oorlog of erna. Dus in plaats van vóór Christus en na Christus, was het nu vóór de Oorlog en na de Oorlog.

Het punt is dat ik ook graag een pickup-truck wilde hebben en dat ik gek was op vrijgezellenfeesten, maar ervan uit was gegaan dat ik op mijn achtentwintigste zo langzamerhand wel met iets anders bezig zou zijn. Dat hoopte ik maar.

Toch was dat geen verklaring voor mijn vragen over de aboriginal kinderen. Misschien kwam dat doordat ze in die tijd een kortere levensverwachting hadden, en ze daarom sneller volwassen moesten worden. Misschien dat ze nu, met de moderne medische wetenschap en zo, langer over hun jeugd konden doen. De volgende fase kon best even wachten. Dat was tenslotte met ons ook gebeurd. Onze levensverwachting was verlaagd door de oorlog. En we waren echt heel snel volwassen geworden.

Uiteindelijk hielden de soldaten en Lee het cricket voor gezien. Ze slenterden weg en gingen verspreid onder bomen en struiken zitten. Iain had deze keer vier mensen op wacht staan, zodat een groot deel van de troep daardoor in beslag werd genomen. Ik bood aan om ook een paar uur de wacht te houden, maar hij bedankte me beleefd met het argument dat ik die nacht fris moest zijn voor de wandeling door Wirrawee.

Typisch Iain, dacht ik cynisch. Probeert overal een leuke draai aan te geven. Als hij wilde dat je de afwas deed, zei hij dat het handgymnastiek was en dat je die oefening wel kon gebruiken. Als hij niet wilde dat je de afwas deed, zei hij dat je vuile handen moest houden zodat ze 's nachts niet zo glommen. Oké, misschien een beetje overdreven, maar ik bleef erbij dat hij ooit ergens een cursus had gedaan om mensen zijn wil op te leggen. Het kwam nooit helemaal oprecht over.

Ik zag Lee aan de andere kant van de heuvel. Hij zat onder een dunne, zwarte acacia, een vreemd gevormde boom, waarvan het leek alsof hij zich in bochten had gewrongen en zichzelf in de knoop had gemaakt. Ik kreeg plotseling reuze zin om bij hem te zijn, dus liep ik erheen. Hij kraste in de aarde met een stok. Toen ik bij hem was keek hij niet op, dus bleef ik maar wat staan wachten. Ik besefte dat hij zijn naam schreef, hem dan wegveegde en dan weer opnieuw schreef. De ene keer schreef hij hem met rechte letters en de andere keer met krullen. Toen schreef hij mijn naam. Ik lachte en veegde hem weg. Toen gooide hij de stok weg. Ik voelde me een beetje schuldig dat ik lachte, al weet ik niet waarom. Ik ging naast hem zitten. Een tijdje bleven we zwijgen. Toen zei hij: 'Weet je die oefening nog die we bij taalverwerving deden, toen we moesten zeggen welke dingen we zouden redden?'

'Nee.'

'O, misschien was het dan in een andere klas. Ik geloof dat het mevrouw Savvas was van groep acht. Je moest opnoemen welke dingen je zou meenemen als je huis in de fik stond.'

'En wat heb je gezegd?'

'Ik weet ze niet allemaal meer. Je moest vijf dingen opnoemen, geloof ik. Ik weet wel dat iedereen z'n foto's noemde, z'n fotoalbums. Ik heb waarschijnlijk mijn viool genoemd. Belinda Norris zei haar Barbies, dat weet ik nog goed. Dat kreeg ze maanden later nog op d'r brood.'

'Laat dat maar aan Belinda over.'

'Ja. Maar ik bedacht dus net dat dit ons echt is overkomen, toch? Onze huizen liggen vrijwel helemaal in de as en we hebben niet veel meegenomen.'

Ik zei niets. Ik wist niet helemaal waar dit heenging.

Lee zei bedachtzaam: 'Als we ze nou alles van Wirrawee hebben laten zien wat ze willen, kan ik er toch een uurtje tussenuit piepen, naar m'n huis gaan en een paar spullen ophalen?'

'Zoals?'

Lee begon een andere naam in de aarde te krassen, deze keer met zijn vinger. Ik kon de naam niet lezen.

'Mijn opa,' zei hij langzaam. 'Toen hij nog leefde had hij een perkamentrol...'

Plotseling begon Lee te huilen. Het duurde even voordat ik het doorhad, omdat hij het zo zachtjes deed. Hij zat nog steeds in dezelfde houding, maar zijn lichaam schokte. Het leek net – dit klinkt vreselijk, maar meer kan ik er niet van maken – alsof iemand hem een zwakke elektrische stroomstoot toediende. Ik kon zijn gezicht niet zien, maar ik kon het me wel voorstellen. Hij had zijn kaken vast stijf op elkaar en zijn ogen stijf dicht. Ik legde mijn hand op die van hem en hield hem vast. Nee, ik hield hem niet gewoon vast, maar ik kneedde hem met mijn vingers, steeds maar weer. Meer kon ik niet doen. De tranen stroomden over zijn wangen. Het rare was dat hij geen enkel geluid maakte. Geluidloos huilen. Dat heeft iets heel naars. Ik weet niet waarom het zo'n akelige indruk maakt, misschien gewoon het gevoel dat hij huilde zonder dat hij dat mocht van zichzelf. Het ging maar door, ik dacht dat hij nooit zou ophouden. Ik hield de tijd niet bij, hoor, maar het was wel een halfuur lang.

Toen hij eindelijk met huilen op leek te houden, schoof ik een eindje omhoog, zodat ik naast hem zat en ik sloeg mijn armen om hem heen. Zo bleven we heel lang zitten. Het begon tot me door te dringen dat mijn relatie met Lee misschien nog niet helemaal voorbij was. Ik voelde nog steeds heel veel voor hem. Alleen wist ik niet precies wát ik voelde. Als ik het vroeger met een jongen uitmaakte, dan was het ook echt uit: ik dacht er geen moment over na om het weer goed te maken. Zo was het in ieder geval met Steve gegaan. Maar omdat ik zo vaak helemaal alleen was met Lee, golden er misschien andere regels.

Dat gold voor de meeste dingen, dus waarom niet voor relaties?

7

Wirrawee was heel erg veranderd, bijna niet te geloven hoe erg. Er waren al een paar voortekenen geweest toen we er binnenliepen, maar we waren zo veel mogelijk van de grote weg afgegaan, dus we waren niet echt voorbereid. Af en toe had ik flitsen van auto's en vrachtwagens gezien. De meeste scheurden voorbij, met groot licht aan. Sinds de bombardementen waren afgenomen, voelden ze zich kennelijk heel wat zekerder.

In Wirrawee zelf voelden ze zich ook behoorlijk zeker. Daar kwam ik algauw achter. 's Avonds om halftwaalf liepen we heel voorzichtig naar de stad. Ursula en Lee en ik voorop. Toen we over het heuveltje in Coachman's Lane kwamen, waar je altijd als een berg tegenop zag tijdens de hardloopwedstrijd – het was altijd aan het einde, als je bijna geen adem meer had – brandde er tot onze verbazing overal licht. Het was dolgezellig in Wirrawee. Zelfs in Nieuw-Zeeland was het niet zoals hier, omdat ze stroombezuiniging hadden ingesteld, verdonkering en zelfs totale verduistering. Dat was deels vanwege een gebrek aan stroom en deels omdat ze bang waren voor bombardementen. Ze hadden geen zin om een mooi, makkelijk, felverlicht doelwit te worden voor bommenwerpers. Hun beste verdediging tegen aanvallen was de opinie van de rest van de wereld, die voornamelijk op onze hand was. De verdonkering was wel te begrijpen. Je moest op veilig spelen.

De verlichting in Wirrawee was helemaal niets bijzonders. Het was gewoon zo'n schok na wat we gewend waren en vergeleken bij wat we verwachtten. Het zag er allemaal zo normaal uit, midden in een oorlog. Ik had verwacht dat ze in het donker zouden zitten, zoals wij nu altijd deden.

Maar alle straatlantaarns brandden en hier en daar was nog licht in een huis of winkel, alsof de mensen opbleven om naar *Rage* of zoiets te kijken. De schijnwerpers rondom het jaarmarktterrein waren in ieder geval wel aan: zo fel dat ze de lucht leken te verbranden.

Het was een idiote ervaring, te weten dat mijn ouders daar waarschijnlijk waren, zo dichtbij, nog geen kilometer bij me vandaan. Zo dichtbij waren we in een jaar niet geweest. Eén keer maar, toen ik op het parkeerterrein was, had ik dichter bij hen gezeten. Ik wilde nu dat ik kon vliegen en naast hen op de grond neerkomen. Of hen roepen, zo hard als ik kon: 'Hallo, hier ben ik! Hallo, mam! Hallo, pap!'

Terwijl we over de stad uitkeken, pakte ik Lee's hand. Ik geloof niet dat hij het merkte. Zijn hand trilde een beetje, als de fladderende vleugels van een vlindertje. Op dat moment dacht ik er niet bij na dat diezelfde handen mensen van het leven hadden beroofd. En ik dacht er al helemaal niet bij na dat ook mijn handen gedood hadden. Heel even was ik weer dicht bij Lee, dichterbij dan ooit.

In westelijke richting zag je nog een grote verandering

in Wirrawee. We hadden er wel iets over gehoord, maar het was toch vreemd om het daar te zien. Het vliegveld. Er was altijd een vliegveld in Wirrawee geweest natuurlijk, maar dat was niet meer dan een weide met een landingsbaan en een hangar en een bakstenen gebouwtje waar 'Wirrawee Vliegclub' op stond. Er stonden nooit meer dan zes of acht kleine toestellen. Het verschil met deze nieuwe militaire luchtmachtbasis was ongeveer hetzelfde als het verschil tussen een snackbar en een groot winkelcentrum.

Het was een ontzettend ingewikkelde bedoening. De smalle zandstrook, goed genoeg voor de kleine Cessna's, was vervangen door een lange, betonnen landingsbaan, die glansde in het schemerlicht dat het hele gebied omgaf. Een hoog rasterhek strekte zich in de verte uit. Het clubhuis van de Vliegclub werd verdrukt door een groot, nieuw, grijs gebouw van drie verdiepingen. Het moest haastig in elkaar zijn gezet en waarschijnlijk was het niet eens klaar, omdat het aan de ene kant nog in de steigers stond. Ik dacht dat ik een paar bulldozers in het donker zag staan bij de steigers.

Iain was al een paar honderd meter naar beneden gelopen en wachtte tot we hem hadden ingehaald. Schoorvoetend, omdat ik me herinnerde dat wij de leiding zouden moeten nemen, liep ik naar hem toe, langs hem, en nam mijn positie in. Lee en Ursula liepen voor me uit, aan de andere kant van de weg. Vlak voor me liep Tim, een zeer stevig uitziende bruine man uit Nauru.

We gingen op weg. De methode van de Nieuw-Zeelanders om de stad door te lopen verschilde niet zo veel van die van ons. Daar was ik heel blij mee, omdat ik bedacht dat we toch niet zo amateuristisch waren geweest. Het was een soort sprongsgewijs optrekken, waarbij twee koplopers de straat in slopen, elk aan één kant, en dan op een goede verstopplaats bleven staan. Het tweede paar volgde hen, liep hen voorbij en deed hetzelfde tot ook zij op een geschikte plek stilhielden en daar op het eerste paar wachtten. Achter ons deden de anderen hetzelfde. Lee liep aan de overkant, zodat we, als we de Nieuw-Zeelanders voor iets gevaarlijks wilden waarschuwen, dat gemakkelijk konden doen: ik zei het dan tegen Tim als ik langs hem liep en Lee zei het tegen Ursula.

We liepen over de Warrigle Road, niet ver van het huis van de familie Mather. Ik wist dat ik het moeilijk zou vinden om daar koud onder te blijven. We hadden het heel gezellig gehad in het huis van Robyn. Mijn ouders en ik waren daar eens in de zo veel maanden gaan barbecuen en in een heel droog jaar, toen onze zwemdam was drooggevallen, woonde ik zowat in hun zwembad. Maar ik moest flink zijn, me vermannen, en mezelf streng toespreken om niet aan Robyn te denken. Het is maar voor een paar uurtjes, verdedigde ik me tegen haar. Wees alsjeblieft niet boos op me.

Ik richtte mijn blik op de eerste donkere plek waar we op af liepen, een plek onder een struik ongeveer honderd meter verderop, tussen twee lichtbundels van straatlantaarns. Het was stil op straat, geen leven te bekennen. Ik dacht terug aan de eerste keer dat ik een veilige plek had verlaten en vijandig gebied was binnengegaan: op het parkeerterrein van het jaarmarktterrein, lang geleden. Toen ik daar uit mijn schuilplaats te voorschijn kwam, had ik het gevoel dat ik voorgoed veranderd was.

Ik sloop als een kat over straat naar de donkere plek. Ik kreeg het gevoel dat deze manier van lopen me ook veranderde. Het was niet zo drastisch dat ik daarmee tegen de vijand zei: Ik ben terug, maar het kwam wel in de buurt. Misschien zei ik bij mezelf: Ik ben terug, of: Ik functioneer weer, ik laat weer zien hoeveel lef en moed ik heb. Maakt niet uit. In ieder geval stonden mijn zintuigen op scherp. Ik keek de straat af alsof ik radar achter mijn ogen had, mijn oren waren op alles gespitst. Ik voelde elk zuchtje avondkou op mijn gezicht.

Omdat ik zo supergespannen was, stond ik stil toen ik halverwege het voetpad was. Het was een zacht kriebeltje tegen mijn kin. Een minuscuul windje. Ik aarzelde en bleef staan. Ursula deed tegenover me hetzelfde. Dat was de afspraak, dat als er één stopte, de ander dat ook meteen deed. Ik voelde me een beetje opgelaten, omdat ik dacht dat er waarschijnlijk niets aan de hand was, vals alarm, en omdat ze zouden denken dat ik bang was door zo snel al te blijven staan.

Maar ik stond roerloos en luisterde, trillend van de spanning, terwijl ik een signaal probeerde op te pikken en erachter probeerde te komen of ik het me maar inbeeldde.

Maar toen hoorde ik een duidelijk geknisper van een voet op grind, vlakbij, links.

Daar hoorde helemaal niemand te lopen.

Er kromp iets in mijn maag, er rolde iets op tot een zwart balletje, er verschrompelde iets en ging dood. Ik was zo aangedaan dat ik me niet kon verroeren. De kracht die ik even daarvoor had gevoeld, mijn herboren moed, als je het zo mag noemen, verdween als sneeuw voor de zon. Pakweg een meter voor me stond een brievenbus in de vorm van een konijn. Daarnaast was een soort trappetje met een stuk of vier treden. Het zicht werd geblokkeerd door een kleine, dikke, lelijke conifeer, niet veel groter dan ik, maar groot genoeg om iemand te verbergen. Het leek zo'n kale voortuin met niets anders dan gras en betonnen paadjes. Maar dat wist ik niet zeker: het was maar een idee.

Even later kwam een man het trappetje af. Hij liep snel en doelbewust, maar met lichte pas. Hij keek niet naar links of rechts, en dat was mazzel. Hij liep een meter of vijfentwintig over het voetpad naar een geparkeerde Volvo station. Op dat moment moest hij vrij dicht bij Lee en Tim zijn geweest, maar hoe dichtbij kon ik niet schatten, want ze waren helemaal uit het zicht verdwenen. De man droeg een soldatenbroek, met een effen wit T-shirt en een zwart jack. Hij liep op blote voeten. Met een sleutel maakte hij de achterbak van de auto open en pakte er een kleine, bruine aktetas uit. Ik keek nauwlettend toe, ik zag alles heel duidelijk, maar ik was nog steeds als verlamd. De man deed de achterbak weer dicht en maakte aanstalten om weer terug te gaan. Nu had ik in actie moeten komen, besefte ik, toen ik de kans had. Mijn huid begon over mijn hele lichaam te jeuken. Het was een idioot gevoel. Zelfs mijn schedel tintelde onder mijn haren. Ik wist dat ik vuurrood werd, ook al kon ik dat zelf natuurlijk niet zien.

Maar nog steeds was ik als verlamd.

De man liep recht op me af. Ik dacht niet meer aan Lee, dacht niet meer aan de Nieuw-Zeelanders. De wereld bestond alleen nog maar uit hem en mij, de man en mij. Hij liep nog steeds met lichte pas, misschien ging hij een klusje doen, ook op dit late uur.

Toen bewoog ik iets van mij. Mijn ogen. Ik bewoog mijn ogen. Ergens rechts van mij zag ik namelijk in een flits iets bewegen. Het was maar een flits. Maar mijn ogen schoten erheen. Het was Ursula, die stilletjes de weg over sloop. Ze liep met grote passen. Het was net alsof je een libel van de ene waterlelie op de andere zag dansen.

Er blonk iets fel op in haar hand. Het was een mes dat in het licht van de straatlantaarn opflitste.

Wie zal zeggen wat er had kunnen gebeuren? Als je stilstaat, doodstil, zonder geluid te maken, kan iemand je passeren zonder je te zien. Dat geldt zelfs voor dieren. Ik had met Millie, onze oude hond, dat trucje vaak genoeg uitgehaald.

'Doodstil, zonder geluid te maken,' zei ik bij mezelf. 'Dat is je enige kans. Verroer je niet. Geen beweging, geen geluid.'

Ik gilde.

Als ik er nu over nadenk en het opschrijf, kan ik het wel een beetje begrijpen. En 'begrijpen is vergeven'. Toch? Dat zeggen ze. Dus dan zal het wel zo zijn.

Ik begrijp nu dat ik gilde om alles wat we hadden meegemaakt en omdat ik al te veel mensen had zien doodgaan, omdat ik had gezien hoe Lee een man doodde met een mes en omdat ik zelf ook in koelen bloede mensen had vermoord. En om Robyn. Dat zie ik allemaal heel goed. Verder hoef ik er niets van te begrijpen, toch?

Toch?

Als ik nu zo terugdenk, lijkt het wel alsof ik me die gil van mij herinner als een soort keelgeluid, een schor geroep. Misschien was het meer een snik dan een gil. Dat was het enige goede eraan, denk ik. Het was een zacht, hees geluid, geen doordringende gil waar glazen van breken en mensen van uit hun huis komen en honden van gaan blaffen en katten van gaan miauwen. Dus we hadden mazzel dat alleen die ene vijandelijke soldaat hem hoorde.

Na die gil draaide ik me om en rende weg. Ik klop mezelf niet op mijn borst, dat zal duidelijk zijn. Maar ik deed het wel. Ik rende recht in Iains armen, die achter me aan was gerend. Hij gaf me over aan iemand anders, ik weet niet meer wie, waarna hij snel naar voren rende. Ik zakte tegen die andere vent in elkaar, ik klampte me aan hem vast, half huilend, terwijl ik me probeerde te laten vallen en tegelijkertijd overeind probeerde te blijven. Ik wilde niet luisteren naar de geluiden achter me, maar ik móést het gesnik en gereutel wel horen toen ze hem vermoordden. Ik weet ook niet wat ze met zijn lijk deden. Ik geloof dat er een discussie ontstond of ze het op een ongeluk moesten doen lijken of dat ze het ergens op een onvindbare plek zouden dumpen. Daar zaten ze echt mee, want ze moesten zich nog minstens vierentwintig uur schuilhouden. Ik hoorde Lee's stem tijdens hun gefluisterde gesprek en ik vond het afschuwelijk dat hij zo kalm en beheerst bleef, terwijl ik dat helemaal niet was.

Maar goed, ik weet niet wat ze uiteindelijk besloten, of wat ze deden. Ik wil het ook niet weten.

Na een tijdje haalde een soldate die Bui-Tersa heette, me bij de man die op me lette weg. Ze kwam uit Oost-

Timor en was waarschijnlijk de jongste van de Nieuw-Zeelandse ploeg. Het was een rustig meisje met zwart haar, een snelle, scherpe blik en een wrang gevoel voor humor. Ze vertelde me dat haar naam Vrouw van Donderdag betekende. Het is de gewoonte op Timor om kinderen naar hun geboortedag te noemen. Ik vond het fijn dat ze op me lette. Ik wist natuurlijk wel dat ik na wat er gebeurd was niet meer met hen op expeditie mocht. Ik moest terug, besefte ik, dat stond als een paal boven water. Dus ik verzette me niet, maar liet me snel en stil over de straten leiden naar het gebied buiten Wirrawee.

In de koele, heldere nachtlucht, omgeven door ruimte, weg van de nachtmerrie waar Wirrawee in was veranderd, kreeg ik weer lucht. Ik wilde mijn excuses maken aan Bui-Tersa, me verontschuldigen tegenover alle Nieuw-Zeelanders, maar voor het eerst besefte ik dat woorden niets konden uitrichten. Het kon me niet schelen wat Andrea ervan vond, maar voor deze ene keer schoot je met praten niets op. Dus ik hield mijn mond. Ik liep gewoon als een mak schaap over de weide achter Bui-Tersa aan.

Maar algauw kreeg ik in de gaten waar we heen gingen. Toen ik daar net achter was, kreeg ik het al van Bui-Tersa te horen.

'We gaan naar jouw boerderij,' zei ze. 'Misschien laat ik je achter bij het pad waar we gisternacht terechtkwamen. Als je dat tenminste denkt aan te kunnen. Als je denkt dat je in je eentje naar de Hel kan komen...'

Ze zweeg even, zoals mensen doen als ze willen dat je hen geruststelt. Haar stem, die anders licht en luchtig was, klonk nu snel en kortaf.

'Ik red me wel.'

'Nou, dat zien we wel als we er zijn,' zei ze. 'Maar als je het wel redt, laat ik je waarschijnlijk daar achter. Iain wil dat ik morgennacht een karwei doe in de stad. Ben je in staat om ons daarheen te brengen?'

'Ja.'

Meer zeiden we niet tegen elkaar. Ze was niet onaardig, hoor, integendeel. Ze was tegen iedereen aardig. Zo zat ze nu eenmaal in elkaar. Te aardig om een guerrilla te voeren, had ik bij mezelf gedacht toen ik haar ontmoette. Maar ik had helemaal geen zin om te praten en bovendien wist ik vanaf het begin dat ze haast had. Dat begreep ik ook heel goed. Als ze me aan de voet van de Razor's Edge moest afzetten en diezelfde nacht nog terug moest naar Wirrawee, zou ze heel wat kilometers moeten afleggen.

Al vrij snel was ik sowieso te moe om maar iets te zeggen. Ik werd overspoeld door de gebeurtenissen van de afgelopen dagen. Ik was honds- en hondsmoe, zo moe was ik nog nooit geweest. Ik voelde me honderd jaar oud. Als iemand me op dat moment een loopwagentje had aangeboden, had ik dat met beide handen aangenomen.

Maar toch ploeterden we verder. We hadden geen keus, daar kwam het eigenlijk op neer. Ik kon mezelf niet uitstaan, omdat ik mezelf zo had verraden, mezelf zo in de steek had gelaten en de Nieuw-Zeelanders zo had laten zitten. Daar dacht ik alleen maar aan – niet met opzet, het gebeurde gewoon – en op een bepaalde manier hield me dat in beweging, ook al had ik allang geen energie en kracht meer. Maar toch liep ik door.

Om kwart voor vijf in de ochtend waren we bij het pad.

Bui-Tersa vroeg hoe het ging, maar weer wist ik welk antwoord ze hoopte te krijgen. Ze popelde om terug te gaan naar haar maten. Logisch. Ik zou dat ook hebben gehad als ik haar was.

Dat zou ik in ieder geval vóór deze nacht gezegd hebben. Nu was ik daar niet meer zo zeker van.

Maar in mijn eentje naar de Hel teruggaan vond ik wel prettig. Ik was weer in de vrije natuur, daar ging het om. Alleen daardoor voelde ik me iets beter, en verder niet. Het enige wat je hier kon gebeuren was dat je door een slang werd gebeten of dat het struikgewas in brand vloog. Verdwalen was niet zo erg: ik kon altijd water vinden en als je water had, kon je lange tijd in leven blijven. Ik kon hier trouwens niet eens verdwalen, want ik kende dit gebied op mijn duimpje. De afgelopen nacht had ik Wirrawee als een ziekte ervaren, maar de 'bush' was mijn medicijn.

Dus ik nam afscheid van Bui-Tersa. Ik was zo moe en voelde me zo ongelukkig over wat er was gebeurd, dat ik er niet bij nadacht wat haar te wachten stond. Het kwam geen moment in mijn hoofd op dat ik haar misschien nooit meer zou zien.

8

Kevin en Homer waren blij dat ik terug was en ik was blij om bij hen terug te zijn. Ik was Homers driftbui helemaal vergeten en hij leek eroverheen te zijn, dus deden we gewoon alsof het niet was gebeurd. Ik vertelde niet zo veel, alleen dat ik het verknald had.

Toen ging ik op zoek naar Fi.

Ze sliep, dus ik kroop het tentje in, ging naast haar liggen en viel ook in slaap.

Ik werd pas tegen twaalven wakker. Ik lag in de stikhete tent. De zon was verschoven, of de aarde. Allebei, denk ik. In ieder geval was de tent niet meer in de schaduw. Homer en ik hadden vroeger altijd enorme discussies over of het nou beter was om de ochtendzon op je tent te hebben of de middagzon. We stonden lijnrecht tegenover elkaar, zoals gewoonlijk. Homer hield van de ochtendzon, omdat je dan prettiger wakker werd. Ik vond de middag fijner, omdat het dan nog warm was in je tent als je naar bed ging.

Ik lag langzaam te bakken. Er waren een paar bromvliegen binnengekomen, die op een laag toerental boven mijn hoofd patrouilleerden. Soms vlogen ze zo langzaam dat ze stil leken te staan. Door het tentdoek heen zag ik de donkere silhouetten van tientallen andere vliegen, die buiten geduldig op het groene nylon zaten. Vliegen op de rits. Ik ergerde me er wild aan. Ik werd driftig en stompte hard tegen het tentdak, zodat ik bijna een gat in het doek maakte.

'Volgens mij is Ellen wakker,' hoorde ik Homer zeggen op zijn gebruikelijke droge, sarcastische toon. 'Bezig met je ochtendgymnastiek, Ellen?'

Tot mijn verbazing verscheen Kevin ineens in de tentopening en gaf me een kopje Tang. Dat was sinaasappelsap in poedervorm, dat hij uit Nieuw-Zeeland had meegebracht. Gemengd met water kreeg je een soort dik vruchtensap. Maf eigenlijk, omdat het water uit de beek waarschijnlijk het friste water op de hele wereld was, maar hij wilde het zo graag hebben en was bereid het mee te nemen, en aangezien we hier niet zo veel invoerbeperkingen hadden als in Nieuw-Zeeland, was het best een goed idee. En nadat hij zijn best had gedaan om het ons land binnen te brengen, hielpen wij het mee opdrinken.

Lief van hem om me ontbijt op bed te brengen. Daarmee bedoelde hij: Wat er ook is gebeurd, we staan achter je. Zo zat onze relatie in elkaar, met z'n vijven, ook al was die soms een ietsiepietsie gespannen.

Ik besefte dat ik uiteindelijk met mijn billen bloot moest en moest vertellen wat er was gebeurd. Ze waren natuurlijk razend nieuwsgierig. Dat was ik ook geweest, in hun plaats. Dus ik dacht verbeten: vooruit dan maar, en ik kroop de tent uit, terwijl ik oppaste dat ik mijn kopje Tang rechthield. Ik liep naar de plek waar ze zaten, in de schaduw beneden, waar Chris begraven was.

Ik vertelde alles zonder omwegen, zonder er doekjes om te winden.

Ze reageerden heel rustig. Dat had ik ook eigenlijk wel gedacht. Ze waren ongeveer de enige mensen op de wereld, samen met mijn ouders, van wie ik zo'n reactie had verwacht. Hoe is die uitdrukking ook weer? 'In nood leert men zijn vrienden kennen.' Ik ga heus niet sentimenteel worden op m'n oude dag, maar we hadden echt een goede vriendschap met z'n vijven. Dat stond vast.

Daarna kroop de dag een beetje sloom voort. Die situatie was typerend voor deze oorlog, typerend voor ons dan: een beetje zitten wachten, een beetje rondhangen, de tijd doden met allerlei saaie, domme dingen. Fi en ik ruimden het kampterrein op en toen gingen we met onze voeten in het water van de beek zitten en praatten over koetjes en kalfjes.

We spraken met geen woord over de oorlog. Na vannacht voelde ik me te schuldig om over de oorlog te willen praten.

Bovendien was het allemaal gewoon veel te eng. Er waren zo veel dingen om bang voor te zijn, dat ik niet wist waar ik moest beginnen. We maakten ons het meest zorgen over onze families. Toen we gevangengenomen werden en naar de gevangenis van Stratton werden gebracht, zagen de soldaten toen een verband tussen ons en onze families, die nog steeds op het jaarmarktterrein werden vastgehouden? Of hadden ze het te druk, waren ze niet goed genoeg georganiseerd, waren ze te veel afgeleid door de bombardementen? Kevin was de enige die een valse naam kon opgeven. Majoor Harvey kende de rest van ons, dus we konden hem niet voor de gek houden. Kevin had hij nooit gekend, dus die had daar gebruik van gemaakt door te zeggen dat hij Chris was. Harvey wist dat er in de Hel nog een lid van de groep zat, en de ouders van Chris waren in België, dus dat was een slimme zet van Kevin. Hadden wij dat ook maar kunnen doen.

Fi en ik praatten dus over oppervlakkige, domme dingen als kleren en jongens en vriendinnen van school. Het hielp maar een heel klein beetje om me af te leiden van de gebeurtenissen in Wirrawee, maar het was beter dan te zitten piekeren. Fi kamde mijn haar terwijl we praatten. Ik was verbaasd toen ze bekende dat ze een van de soldaten leuk vond, een grote vent met zwart haar die Mike heette, die volgens mij een Maori was of van Samoa kwam. Ze vond hem dus écht leuk, hè. Ze vond hem niet gewoon lief, ze wilde verkering met hem. Ik zag ons als kinderen en hen als volwassenen, en dat waren ze natuurlijk ook, maar door Fi besefte ik dat ze niet veel ouder waren dan wij. Fi kennende dacht ik niet dat ze werk van Mike zou maken, maar ik begon me wel af te vragen of er nog anderen bij waren die ik zelf leuk zou vinden. Een paar van hen waren best knap. Toen dacht ik: ja, hoor, die zijn zeker geïnteresseerd in jou, Ellen, na jouw geweldige optreden vannacht.

Dus die gedachte zette ik meteen overboord.

We spraken af dat we naar Wombegonoo zouden gaan als het donker was. Aan de oostkant was een plek waarvandaan je goed zicht had op Wirrawee. Aan het begin van de invasie was er 's nachts niet veel te zien geweest, maar nu de boel zo verlicht was, zou dat wel anders zijn.

Ik was bang voor wat we te zien zouden krijgen, maar toch wilde ik heel graag gaan. We hoopten op een ontiegelijk groot vuurwerk. Het nieuwe vliegveld lag daar zo mooi te wachten tot het opgeblazen zou worden, en de Nieuw-Zeelanders wisten precies wat ze deden, dus ik dacht dat het allemaal wel zou lukken. Ik was zenuwachtig, maar wel optimistisch. Ik had geen zin om vuurgevechten mee te maken of vliegtuigen te zien die opstegen en bommen lieten vallen of wat voor vijandelijke tegenacties dan ook. Als dat namelijk gebeurde, zou ik mezelf daar de schuld van geven, dan zou ik denken dat die ramp was gebeurd omdat ik me niet had kunnen beheersen.

In de schemering vertrokken we uit de Hel en namen het smalle slingerpad, zo dun als een schoenveter, naar de top. Het was er onverwacht koud na een reeks warme nachten. We gingen in een kluitje bij elkaar zitten, met z'n vieren. Ik was benieuwd hoe het met Lee ging, of hij veilig was, of hij alleen was en wat hij allemaal gedacht had. Ik schaamde me echt dood dat ik me zo had laten gaan, nog meer dan op het moment zelf. Maar dat kon ik nu niet oplossen, niet daadwerkelijk, bedoel ik. Ik zei er dan ook niets over tegen de anderen, maar ik bezwoer mezelf dat ik het ooit zou goedmaken.

Pap vertelde een keer dat hij de pickup naar Bill Burchett had gebracht, omdat de voorruit was gebroken na een aanrijding met een kangoeroe, en dat hij Bill had gevraagd om de ruit te repareren.

'Repareren gaat niet meer,' antwoordde Bill, 'maar ik kan wel een nieuwe ruit inzetten.'

Nou, in die situatie was ik ook. Ik kon het gebeurde niet goedmaken, ik kon alleen proberen iets nieuws te verzinnen waar ze wat aan hadden. De volgende keer zou ik niet gillen.

Als er een volgende keer kwam, natuurlijk.

Maar goed, daar zaten we dus. Het was een herrie om ons heen, zoals altijd. Er landde een uil in een boom rechts van me, die daarna plotseling met veel gefladder weer wegvloog. Er vielen met veel geraas steentjes naar beneden, zodat we allemaal gespannen het donker in tuurden. Dat soort geluiden hadden we voor de invasie nauwelijks opgemerkt, maar nu was het genoeg om meteen naar kalmeringspillen te grijpen. Een opossum krijste naar een andere en er schudden bladeren heftig heen en weer, toen er één een boom in vluchtte.

Het is een vreemde tijd, 's nachts. Alles wat bij daglicht mooi of zacht is, is bij nacht griezelig. Je twijfelt aan alles. Je hebt andere gedachten.

Ik had veel tijd om over dat soort dingen na te denken, omdat er absoluut niets gebeurde in Wirrawee, voorzover we konden zien. We bleven tot halfvier zitten, verkleumd en stijf. Af en toe dommelden we wel even weg, maar er bleef altijd iemand wakker. Er gebeurde niets.

Het was niet zo'n ramp. Iain had ons gewaarschuwd dat het zo zou kunnen gaan. Uit eigen ervaring wisten we wat er allemaal mis kon gaan. Iain en Ursula hadden het rampenplan aan ons verteld. Als het in de eerste nacht niet lukte, zouden ze het de volgende nacht proberen. En de volgende. Na drie mislukkingen zouden ze teruggaan naar de Hel of ons een bericht sturen. Als we na vier nachten niets van hen hadden gehoord, konden we ervan uitgaan dat er iets fout was gegaan. We moesten dan de reserveradio gebruiken om contact te maken met kolonel Finley om te regelen dat we werden opgehaald.

Over die mogelijkheid wilden we liever niet nadenken. Omdat die jongens zo bekwaam waren, omdat ze naar succes roken zoals mijn moeder naar Chanel No. 5 geurde als ze met pap aan de boemel ging, hadden we daar niet lang bij stilgestaan.

Maar na de tweede nacht gingen we er misschien toch wat meer over nadenken. Want er gebeurde weer niets. Uilen vlogen af en aan, wilde honden jankten, we zagen om een uur of twaalf een slang op een kaal stuk rots, wat zelfs in een warme nacht zoals toen zelden voorkwam, maar in de buurt van Wirrawee gebeurde helemaal niets.

Om halfvier sjokten we weer naar de Hel terug en begonnen ons een beetje nerveus te voelen en een beetje misselijk.

Ik voelde me heel vaak misselijk. Ik kon het maar niet uit mijn hoofd zetten dat er iets was misgegaan, omdat ik naar die soldaat had gegild. Je hoefde niet veel fantasie te hebben om te bedenken wat er allemaal voor vreselijks zou kunnen gebeuren. In gedachten zag ik hoe de Nieuw-Zeelanders het lijk van de man wegsleepten, dat ze overvallen werden door een passerende patrouille en daarna zag ik hun lichamen vallen terwijl de schoten de nachtelijke stilte verstoorden.

Het had geen zin om de anderen daarmee lastig te vallen, omdat die met de beste wil van de wereld niets anders konden doen dan mompelen: 'Welnee, dat verbeeld je je maar, Ellen', of: 'Maak je niet dik, het gaat heus wel goed.'

Dus ik hing de hele dag met een radeloos gevoel rond.

De derde nacht had ik het gevoel dat ik weer zou gaan gillen, deze keer van spanning en verveling. Ik staarde naar Wirrawee en wilde dat de boel ontplofte, ik wenste dat het gebeurde, omdat ik zeker wist dat als ik het maar vurig genoeg wenste, de vlammen plotseling zouden oplaaien en de heuvels zouden echoën van het gerommel van een enorme explosie. Wat zouden we dan uit ons dak gaan! We zouden opstaan en elkaar omhelzen en een krijgsdans doen en als een gek naar de Hel terugrennen om een feestmaaltijd te bereiden voor de helden die thuiskwamen.

Maar er gebeurde niets.

Het drong nu tot ons door dat er een probleem was.

Niemand zei een woord toen we naar de Hel terugliepen. We gingen naar onze tent en kropen in onze slaapzak en probeerden wat slaap in te halen. Ik weet niet hoe het de anderen verging, maar ik deed bijna geen oog dicht. Fi's ademhaling klonk anders dan de geluiden die ze normaal in haar slaap maakt.

Ik lag een paar uur te zweten en toen gaf ik het op. Ik gleed de tent uit en het eerste wat ik zag was Homer, die met een stok bij het uitgedoofde vuur zat en steeds door de as porde op een soort wanhopige, doelloze manier.

Ik ging naast hem zitten, maar we zwegen wel een halfuur.

Toen Homer begon te praten, schrok ik erg. Het was

zo lang stil geweest, dat ik bijna vergeten was dat hij er zat.
'We moeten ze gaan zoeken,' zei hij.
'Weet ik.'
Ik had hetzelfde gedacht, maar ik had het niet hardop durven zeggen. Het was beangstigend en tegelijkertijd een opluchting toen hij dat zo plompverloren zei.
'Mee eens,' zei Kevin in zijn tent.
'Ik ook,' klonk Fi's zachte stem.
Ik moest bijna lachen. Het was zo grappig om ze te horen meepraten, terwijl we niet eens wisten dat ze meeluisterden.
'Kunnen er hier geen privé-gesprekken meer gevoerd worden?' klaagde Homer.
'Geef ze nog één nacht om terug te komen,' zei Kevin, die niet op Homers opmerking inging.
'Ja, en dan staan ze vannacht ineens voor onze neus,' zei ik.
'Wat zeggen we tegen kolonel Finley als dat niet gebeurt?' vroeg Fi vanuit onze tent.
'Dat zien we dan wel weer,' zei Homer.
'Hij wil vast graag dat we terugkomen,' zei Kevin.
Diep in mijn hart wist ik dat Kevin er heimelijk naar verlangde om terug te gaan, daarom zei hij dat, maar wat gaf het? Ooit dacht ik dat Kevin een beetje zwak was, maar nu had ik iedereen laten zien dat ik dat ook was, dus kon ik moeilijk kritiek op hem hebben. Maar hoe groter de angst, hoe groter de moed, ja toch? Ik bedoel, als je nooit bang bent, is het geen kunst om de held uit te hangen, maar Kevin was heel vaak bang en deed toch dappere dingen, dus is hij dan geen grotere held?

'Dat is dan jammer voor de kolonel,' zei Homer.

Daar had niemand van terug.

Ik raakte gefrustreerd door dat futloze gehang, dus liep ik langs de beek omhoog naar de ruïne van de kluizenaarshut. Zelfs met een terreinwagen kon je er niet komen en ik had alleen mijn tien tenen, maar ik plaste door het water met mijn hoofd gebogen om onder de bomen en kruipers te blijven. De hut was natuurlijk niets veranderd. Donker, koel en leeg. Het vochtige hout raakte geleidelijk aan vermolmd, pissebedden, duizendpoten en oorwurmen verborgen zich in de vochtige, rottende delen. Ik haalde het ijzeren kistje te voorschijn, het kistje dat Lee en ik maanden geleden hadden gevonden, en las de inhoud weer langzaam door. Wat leefden die mensen in een vreemde wereld! Wat een strenge regels en vaste gewoonten. Ik moest denken aan zulke boeken als *Emma* en *Persuasion*, ook al was die wereld van baljurken, hofmakerij en trouwen om geld en macht zeer ver verwijderd van de wereld van de kluizenaar, die bomen en struiken moest wegkappen, branden moest bedwingen en slangen en droogte moest bestrijden.

Het stond ook ver van onze wereld af, waarin de belangrijkste vraag voor stelletjes was of ze bij het eerste afspraakje meteen moesten tongen.

In vroeger tijden werden veel huwelijken door de ouders geregeld. De kinderen hadden niets te vertellen. Dat stelde me voor de vraag: als mijn vader en moeder mij hadden uitgehuwelijkt, aan wie hadden ze dat dan gedaan? Homer, denk ik, maar alleen omdat ze hem beter kenden dan andere jongens. En verder was het zakelijk gezien gunstig geweest om onze twee boerderijen samen te voegen. Dan had je een flink stuk land en konden we concurreren met de grote bedrijven, die langzamerhand de beste landerijen opkochten in het gebied rond Wirrawee.

'Nou doe ik 't wéér,' dacht ik kwaad. Vergeten dat al die dingen helemaal niet meer golden, dat dit land niet meer van ons was, dat andere mensen onze weiden beheerden. Boos kauwde ik op de knokkel van mijn wijsvinger. Hoe hadden we dit zomaar kunnen laten gebeuren? Waar was het fout gegaan? Wat hadden we anders moeten doen?

Nou ja, misschien waren we een beetje lui geweest. Niet lui dat je de hele dag in je nest blijft liggen. We hadden behoorlijk hard gewerkt op onze boerderij, dat wist ik heus wel, en bijna iedereen die ik kende werkte zich krom. Het is een wonder dat er nog mensen rechtop liepen bij ons. Nee, we waren lui geweest met ons hoofd. We gebruikten onze hersens minder goed dan onze lichamen. Als er over lastige kwesties moest worden nagedacht, gingen we naar buiten om het waterpeil in de tanks te controleren of de druk in de perspomp op te voeren of de terreinwagen een beurt te geven. Als we mochten kiezen tussen een sensatieblad of een artikel over politiek of economie lezen, hoef je niet gestudeerd te hebben om de uitslag te raden. We keken naar tekenfilms in plaats van het journaal. Maar nu kregen we dat op ons brood. Op de een of andere manier leek lichamelijke arbeid veel minder zwaar dan geestelijke. Misschien omdat er meestal een grens is aan lichamelijk werk. Je wist hoe diep het gat moest worden dat je ging graven of hoeveel schapen je moest ontsmetten of hoeveel hekpalen je moest snijden. Maar geestelijk werk ging altijd maar door. Als je eenmaal begon, kwam je in oneindige getallen terecht en oneindige getallen zijn ontzettend groot.

In de tweede hadden we mevrouw Kawolski voor Engels en in dat hele jaar zei ze alleen maar dingen die je zo weer kon vergeten. Sterker nog, ik weet niets meer van wat ze me allemaal heeft geleerd, behalve één ding. Zomaar ineens zei ze op een ochtend: 'Kennis is macht.' Ik weet niet waarom ze dat zei. Ik weet alleen nog dat ik toen dacht: 'Wauw, dat is eigenlijk heel erg waar.'

Soms ligt het aan je stemming, denk ik. Op de ene dag praat je leraar over de zin van het leven en je gaapt en kijkt op je horloge en je probeert te raden over hoeveel seconden de bel zal gaan. Maar op een andere dag zegt een lerares iets erg voor de hand liggends of iets wat je al duizend keer eerder hebt gehoord, maar dan denk je: 'Jezus, dat is ontzettend waar, ze heeft gelijk, verandering van spijs doet eten.'

Of iets dergelijks.

Telkens wanneer ik in de kluizenaarshut was, raakte ik in een diepzinnige, serieuze stemming, waarin ik over dingen nadacht waar ik me normaal nooit mee bezighield, hoewel er niets diepzinnigs of serieus was aan wat ik daarna deed. Ik haalde mijn pen te voorschijn en schreef een boodschap voor Lee op een stukje gladgeschuurd hout boven het raamkozijn. Ik schreef: 'Lieve Lee, ik hou van je en ik wil met je gaan. Kom naar de fietsenschuur.'

Dat was een beetje een grapje, omdat de fietsenschuur op de middelbare school van Wirrawee de plek was waar je heenging als je het echt serieus meende. Bloedserieus dus. Tijdens de lunchpauze was de fietsenschuur voor boven de achttien. Dat maakte veel grappen los over fietsen. Zelfs met mijn laatste vriendje, Steve, was ik nog niet in de lunchpauze in de fietsenschuur geweest. We meenden het best serieus. Maar je ging niet naar de fietsenschuur als je je zorgen maakte om je reputatie, en mijn reputatie wilde ik niet vergooien. Wat natuurlijk nog een reden is om van mezelf te walgen over wat ik met Adam in Nieuw-Zeeland had uitgespookt.

Maar goed, als je dus tegen iemand zei: 'Kom naar de fietsenschuur', dan bedoelde je: 'Je mag me hebben', of: 'Zullen we het doen?'

Nadat ik de boodschap had opgeschreven, ging ik buiten voor de hut zitten in het enige streepje zon dat door de dichte begroeiing heen kon glippen. Het zonlicht knipperde met het gewieg van de takken boven me in het zachte windje. Toen ik daar een tijdje had gezeten, drong het tot me door dat ik me in mijn hele leven nog niet zo alleen had gevoeld. Fi, Homer en Kevin waren maar een paar honderd meter van me vandaan, op de open plek, maar dat was niet genoeg. Ik wilde omringd zijn door iedereen die ik ooit had gekend en van wie ik had gehouden. Ik wilde in hun armen gewiegd worden. Maar ik weet niet eens of dat wel genoeg zou zijn. Diep in mijn hart wist ik dat een deel van mij altijd alleen zou blijven: dat je van je geboorte tot je dood, en nog daarna, iets bezat dat van jou was, en van jou alleen. Het was een beangstigende gedachte dat ook ik zo'n eenzaam deeltje bezat, maar ik denk dat het ook iets met volwassen worden te maken had, dat je besefte: goed, ik hoor bij een familie, ik heb een stoot vrienden, maar dat is niet alles. Ik bestond ook onafhankelijk van de mensen om me heen, die van me hielden. Het was een eenzame gedachte, maar niet per se een nare.

De kluizenaarshut had een sterke uitstraling. De andere keren dat ik er was, had ik dat niet zo beseft. Sterk omdat hij er altijd was, dat ook, maar dat bedoel ik niet. Zijn kracht bestond uit de ervaringen van de man die er had geleefd. Op de een of andere manier raakte hij door zijn geïsoleerdheid geleidelijk aan zijn zwakheden, zijn kwetsbaarheid kwijt. Vlak voor de invasie had ik met de steel van een bijl piketpaaltjes in de grond geslagen om de bomen te beschermen. Op onze boerderij worden bomen niet alleen beschermd tegen konijnen, maar ook tegen schapen en kangoeroes. Die suffe boombeschermers van karton of plastic vinden we niks. Wij gebruiken kippengaas dat tot aan mijn oksels komt. Ik was dus die paaltjes in de grond aan het slaan toen ik ineens missloeg, zodat de steel van de bijl afbrak. Het kortste gedeelte van de afgebroken steel zat muurvast in het blad vast. Geen ramp, dat gebeurt zo vaak. Dus ik deed wat ik altijd doe: ik gooide hem in het kachelfornuis om het afgebroken hout te verbranden en de volgende morgen viste ik, voordat ik het vuur opporde, er het metalen blad uit.

Die herinnering kwam bij me boven toen ik op dat verwaarloosde, warme stukje grond zat bij de beek. De herinnering aan het nutteloze, versplinterde hout dat verbrand werd, tot alleen het stevige, harde blad van de bijl nog over was. Ik hoopte dat de gebeurtenis met de soldaat in Wirrawee de nutteloze, zwakke delen van mij had verbrand en dat alleen de sterke delen waren overgebleven. Sterk genoeg voor wat er komen ging.

9

We hadden geen doordacht plan. We wisten alleen zeker dat we niet zonder Lee konden teruggaan, en niet te vergeten de Nieuw-Zeelanders. Toen ze de vierde nacht nog niet terug waren, belden we kolonel Finley op de reserveradio. Het was zaterdagochtend, tien voor zes onze tijd. Kolonel Finleys stem was even kalm, vast en beheerst als altijd. Maar ik kende hem inmiddels wel: ik hoorde de spanning erdoorheen. Hij wist dat er iets verschrikkelijk fout was gegaan.

Hij zei dat we tot woensdag moesten afwachten en hem dan weer bellen. Hij hoopte dat de vermiste soldaten toch nog zouden opduiken. Hij zei: 'Als ze dan nog niet terug zijn, halen we jullie daar weg.'

Maar ik vroeg me af of hij niet iets anders in zijn hoofd had. Door alle storing en ruis heen, zei hij wel: 'Blijf waar je bent, bemoei je er niet mee', maar dat klonk niet erg overtuigend. De soldaten hadden voor hem veel meer nut dan wij. Ik kon de gedachte maar niet van me afzetten dat als we iets konden doen, bijvoorbeeld uitzoeken wat er was gebeurd of zelfs de Nieuw-Zeelanders te hulp komen, dat de kolonel ons dat niet echt zou verbieden. En als ons daarbij iets verschrikkelijks zou overkomen, nou, dan was hij natuurlijk erg ontdaan, ik wil hem niet als een onmens afschilderen, maar dat risico zou hij bereid zijn te nemen.

Dus begonnen we risico's te nemen.

Het eerste risico was bij daglicht op pad gaan. Als die mensen in de problemen zaten, konden we zeker niet in de Hel blijven wachten tot het een maanloze nacht was of een mooie avond of een lang weekend. We waren al bepakt – alleen lichte spullen – en we liepen snel langs de Kleermakerssteek, waarbij we de richel vermeden zodat we niet tegen de horizon afstaken. God, wat gingen we snel. Er was geen tijd om na te denken. Fi liep voor de verandering eens voorop en die zette er flink de pas in. Kevin liep achter haar, dan ik, dan Homer. We renden, glibberend en glijdend over de losse steentjes. Ik kreeg een stuk of vijf keer takken in mijn gezicht, die Kevin achter zich liet zwiepen, totdat ik mijn geduld verloor en tegen hem schreeuwde: 'Kijk een beetje uit, ja?'

Toen we bij het zandpad kwamen, ging Fi meteen als een speer. Heuvelafwaarts met bagage op je rug is geen lolletje: je verdraait je enkels als je op stenen stuit, want je hebt geen tijd om te kijken waar je loopt, je dijen doen zeer omdat je ze de hele tijd als rem gebruikt en je voelt elk stukje van je rug waar de bepakking niet helemaal spoort met je lichaamsvorm. We hijgden en zweetten en hapten naar lucht. We waren niet zo voorzichtig als Iain en de Nieuw-Zeelanders, omdat we zeker wisten dat de kolonisten hier nog niet waren, hoe ver ze zich ook over het land verspreid hadden. Nog niet, en waarschijnlijk nooit. Ik nam het Iain en Ursula natuurlijk niet kwalijk dat ze zo voorzichtig waren, maar wij kenden het land en zij niet.

Aan het eind van het pad hielden we eindelijk stil. Fi

bracht ons naar een open plek die we al een paar keer eerder hadden gebruikt. We ploften snel neer om zo lang mogelijk van deze rustpauze te genieten en probeerden op adem te komen.

'Vanaf hier moeten we oppassen,' zei ik, nogal overbodig.

'Ga jij nu maar voorop, Ellen,' zei Fi. 'Dit is jouw terrein.'

'Wás,' zei ik. Ik had me stiekem afgevraagd of ze nog wel wilden dat ik de leiding nam.

Na tien minuten rust leidde ik hen door het gebied, terwijl ik de drooggevallen greppels telde, zodat ik precies wist waar we waren. Toen ik dacht dat we bijna uit het struikgewas zouden raken, in de buurt van de boerderij van de familie Leonard, sloeg ik rechtsaf, in de richting van de weg. Het was misschien een beetje gevaarlijk, maar we hadden niet veel keus. Als we in de struiken waren gebleven, hadden we een enorme omweg gemaakt. We waren zo ongerust over Lee en de Nieuw-Zeelanders dat we geen tijd hadden voor omwegen, vonden we. En we raakten snel moe. We hadden bijna niet geslapen en we sjouwden in hoog tempo over moeilijk begaanbaar terrein. Ik wist dat er bomen stonden langs dit stuk weg, dus ik dacht dat we daar wel onder konden blijven en genoeg beschutting krijgen als we goed oppasten. Heel erg goed.

Er was niet veel verkeer. We moesten ons drie keer verstoppen toen we een auto hoorden aankomen. De eerste was een vrachtwagen met oplegger vol schapen, net als vroeger. De tweede was een personenauto, een blauwe Falcon, die ik niet herkende. De derde was onmiskenbaar een legertruck, zo'n echt transportvoertuig, olijfgroen en kaki geschilderd, bestuurd door een soldaat. Er zat zeildoek over de achterkant, dus we konden niet zien wat hij vervoerde.

Het land zag er niet zo verwaarloosd uit als in de herfst. Ik had een tijdje gedacht dat het zo bergafwaarts ging dat het misschien niet meer te redden was. Maar sindsdien leek er een beetje beter voor gezorgd te worden. Zo kwamen we bijvoorbeeld langs een weide met een kudde pasgeschoren merinosschapen en een andere die weelderig was begroeid met koolzaad dat misschien al over een maand geoogst kon worden. Er was allerlei onkruid opgeschoten, steekbrem, distels en bramen en een groot veld sint-janskruid, maar dat was niet zo ongewoon. Het leven is een voortdurende strijd tegen onkruid.

Tegen de middag waren we op een van de gevaarlijkste plekken van onze tocht. De boerderij van de familie Shannon is maar vijf kilometer van Wirrawee. Er was geen degelijke beschutting op de weg, dus we moesten weer door de weiden lopen. Er stond een rij bomen langs de omheining, die ons wel een beetje bescherming zou kunnen geven. Die rij hield aan de voet van de heuvel op, maar de omheining ging de heuvel op en eroverheen, als een enorme rits. De heuvel was nog steeds dicht begroeid. Er waren veel struiken, met nog meer bosjes erachter. Daarom wilden we er natuurlijk zo graag heen. Als we eenmaal daarboven waren, dachten we, zouden we gemakkelijk een paar kilometer dichter bij het stadje kunnen komen.

De heuvel was onderaan een en al rots, een klein fort, door de natuur geschapen. Rechts van ons was de boerderij, een slordige verzameling gebouwen waar meneer

Shannon nooit tevreden over was. In de afgelopen vijf jaar had hij minstens drie gebouwen verplaatst, maar dat had niets geholpen: het was alleen nog maar rommeliger geworden. Dat kwam vooral doordat hij een van de schuren veel te dicht bij het woonhuis had gezet, zodat het huis een beetje in het niet viel.

Aan de vele auto's te zien, die in en om de machineschuur geparkeerd stonden, woonden er nu een heleboel mensen. We hadden gemerkt dat deze mensen met veel grotere aantallen bij elkaar gingen zitten dan wij. Waar wij met één gezin in een huis woonden, leken zij wel met vier of vijf gezinnen te wonen. Misschien was dat wel redelijk, ik weet het niet. Misschien kon het land meer mensen aan dan wij erop hadden gezet. De braakliggende stukken langs de wegen, de lange weiden zouden ook wel gauw gebruikt gaan worden.

Maar dat kon in een tijd van droogte, wanneer het gras behoorlijk belangrijk was, wel eens een probleem vormen.

We slopen heel langzaam en heel voorzichtig in de schaduw van de bomen. Bij elke stap waren we op gevaar bedacht. We liepen een voor een, met een grote ruimte ertussen. Ik ging voorop, tussen de bomen door, en tussen de struiken als er geen handige stammen stonden. Ik probeerde maar steeds die laatste keer, toen ik een soldaat van de vijand had gezien, uit mijn hoofd te zetten, en probeerde er ook niet aan te denken dat ik misschien weer zou flippen.

Maar het leek erop dat er niemand in de buurt was. Onder aan het kleine fort van stenen wachtte ik op de anderen. Ik keek niet naar hen, terwijl ze stilletjes over het dunne lint van struiken slopen, maar tuurde de weiden en de boerderij af, op zoek naar de minste of geringste beweging van iets anders dan schapen, konijnen, eksters of haviken.

Het zag er behoorlijk vredig uit.

Kevin kwam als eerste bij me, toen Homer, daarna Fi. Nog steeds bleef alles rustig.

Ik stond op, een beetje stijf van het hurken achter een rots, die zo groot was als mijn bureau thuis. Ik ging de anderen voor door de wirwar van granieten blokken, met Kevin als waakhond achteraan om te kijken of er niets achter ons gebeurde.

Ik liep recht een kleine krater in, een soort openluchttheater: een groene kom omgeven door grote keien.

Ik liep recht de misschien wel grootste verrassing sinds het begin van de oorlog in.

In de krater was een groep kinderen. Het waren er wel tien, ik had geen tijd om te tellen. Ze waren verdiept in een spel, ik weet ook niet wat, maar er kwamen wapens bij kijken, geloof ik, omdat sommige kinderen stokken in hun hand hadden die ze op anderen gericht hielden, en een paar andere kinderen waren omwikkeld met touw, alsof zij de gevangenen waren. Een groot aantal had een sjerp om: gerafelde groene stroken over hun magere lichamen. Zogenaamd als uniform, denk ik. De meesten hadden honkbalpetjes op.

Ik was weggelopen, als ze me niet meteen in de gaten hadden gekregen. Alles en iedereen bleef als verstijfd staan. Er viel een heel lange stilte. Mijn hart leek extra hard te bonzen, zo hard dat het voelde alsof het mijn borst uit zou springen. Ik staarde naar de kinderen en zij staarden naar mij. Achter me vloekte Homer zachtjes.

'Wegwezen,' fluisterde hij. 'Snel, voordat ze begrijpen wat er aan de hand is.'

Maar dat hadden ze al begrepen, dat wist ik zeker. Er raasden allerlei mogelijkheden door mijn hoofd, de gedachten gierden als kookaburra-gekrijs door mijn hersens. Wat konden we doen? Hen gevangennemen? Dacht het niet. Het waren er te veel. Hen overbluffen? Hun spelletje meespelen en vriendelijk proberen te zijn, alsof we van de prins geen kwaad wisten? Daar leken de kinderen te oud en te wijs voor. Ze liepen al van ons weg, met angstige gezichten. Hen bedreigen? Ik zag dat het gezicht van een klein meisje begon te betrekken. Haar mond ging open als een zwart gat en ze begon te huilen. En toen was het te laat. Plotseling liepen ze alle kanten uit, gillend, maar met één doel voor ogen: naar huis. 'Kom terug!' hoorde ik Fi wanhopig roepen, alsof ze het gewoon tegen stoute kindertjes op het strand had.

Het drong niet helemaal tot ons door dat we nu in levensgevaar verkeerden vanwege een stel kinderen. Nou ja, het drong wel tot ons door, maar we reageerden veel langzamer dan als het een stel volwassenen was geweest. We renden de heuvel weer op, struikelend en hijgend. Ik hoorde Kevin achter me vreemde snikgeluiden maken. We renden zo'n zestig of tachtig meter naar boven, zoiets, voordat we stilhielden en omkeken naar de boerderij om te zien wat er gebeurde.

Ik hoopte niets. Misschien geloofden de volwassenen de kinderen niet. Misschien hadden ze het te druk. Misschien waren ze aan het werk en was er nog niemand thuis. Maar ik zag het ergste wat er kon gebeuren, precies waar ik zo bang voor was geweest. Sommige kinderen waren al bij de boerderij, terwijl ze de longen uit hun lijf schreeuwden. Ik keek toe hoe volwassenen als mieren uit een nest kwamen krioelen, wanneer je er met je teen in hebt zitten poeren. Zelfs vanuit de verte zagen ze er kwaad en agressief uit. Ik wist bijna zeker dat een paar van hen een geweer hadden. In dit onvriendelijke land hadden ze natuurlijk altijd een geweer bij de hand. Even later wist ik zeker dat ze geweren hadden, omdat ze op één knie neerhurkten en de geweren aan hun schouder zetten toen ze ons zagen.

'Rennen!' schreeuwde ik tegen de anderen.

De volwassenen waren een eind van ons vandaan, maar een goed gemikt schot vanuit de verte kon evenveel schade doen als een makkelijk schot van dichtbij.

Kreunend en zwetend ploeterden we de heuvel op. De bepakking op mijn rug leek wel een bochel, en dan een van lood. Toen we bijna bij de top waren, bedacht ik ineens iets. Hoewel ik niet durfde stil te staan, wist ik toch dat ik het moest zeggen. Ik draaide me naar hen om. Ik zag alleen de kruin van hun bezwete hoofden.

'Als we bij de top zijn,' hijgde ik, 'buk dan, ga niet staan, en ren dan door.'

Ik was trots op mezelf dat ik daaraan dacht. En trots dat ik het risico had genomen om stil te staan en het te zeggen. Mensen krijgen wel voor mindere heldendaden een oorlogsonderscheiding. Maar Homer bromde alleen maar: 'Denk je soms dat we achterlijk zijn?' en ze renden met zijn drieën door alsof ze een loodzware crosscountrywedstrijd deden.

Als ik een stimulans had moeten hebben om door te gaan, dan was het toen. Een nijdig gefluit, een soort hoge krekeltoon met turbo, gierde langs me. Toen nog een keer, een eindje verder. Het maakt niet uit hoe moe je bent, maar als er op je geschoten wordt, dan wil je wel. Ik draaide me om en sjouwde het laatste stukje heuvel op, waarbij ik mijn benen liet pompen alsof er batterijen in zaten. Homer en ik kwamen tegelijk op de top aan. Ik wierp mezelf over de rand, maar draaide me meteen om, zodat ik wist wat er gebeurde.

Kevin en Fi kwamen hijgend, wanhopig, met starende ogen over de top en renden me voorbij. Aan de voet van de heuvel verzamelden zich de eerste volwassenen. Vier van hen liepen al de heuvel op, maar op hetzelfde moment dat ik hen even kon zien, bleven ze staan en draaiden zich als één man om, alsof ze het gerepeteerd hadden, en begonnen tegen de mensen achter hen te schreeuwen. Ik kon wel raden wat er gebeurd was. Ten minste een van de mannen met geweren was doorgegaan met schieten, nadat hun eigen mensen hen gepasseerd waren. Geen wonder dat ze bleven staan, maar ik was verrukt. Nu hadden ze eens een keer een koekje van eigen deeg gekregen.

Ik kon niet blijven kijken. Fi riep me al. Ik kwam weer overeind en rende achter hen aan. Ze liepen snel naar het begroeide deel. Ik liep zo hard ik kon. Het terrein bestond alleen uit dun opgaand hout, groepjes bomen, veel enkele bomen en stugge, gele graspollen. Maar er waren ook sappige weiden, grote groene stukken, bewaterd door bronnen.

Homer liep nu voorop en bracht ons naar het enige

dichtbegroeide stuk. Ik was er niet zo zeker van of dat wel een goed idee was.

Ik gilde naar hen: ‘Stop! Wacht even!’

Ze hadden niet zo’n zin om te stoppen, maar ze hielden stil en keken over hun schouder om te kijken wat ik wilde. Ik haalde hen in, maar ik hijgde zo hard en was zo ontzettend bang, dat ik nauwelijks iets kon uitbrengen.

‘Wacht even,’ zei ik weer. ‘Als we daarheen gaan, ligt dat te veel voor de hand. Daar zullen ze het eerst gaan zoeken.’

Ik zag de twijfel, de besluiteloosheid over hun gezicht trekken.

‘Maar ergens anders is geen enkele beschutting,’ zei Homer.

‘Als we daarheen gaan, zitten we in de val.’

‘Waar moeten we dan heen?’

‘We moeten zo ver mogelijk hiervandaan komen. Ze zullen heus niet meteen een zoektocht ondernemen. Maar als ze dat wel doen, moeten we kilometers maken.’

Ze spraken me niet tegen. Daar was geen tijd voor. Ik nam weer de leiding en rende door licht struikgewas, terwijl ik de hele tijd naar een idee zocht, een aanwijzing waar we heen moesten of wat we moesten doen. Het lag niet voor het oprapen. Het was van dat typische, spaarzaam begroeide terrein. De ene honderd meter was precies hetzelfde als de volgende honderd meter. Ik berekende dat we in ieder geval een minuut de tijd hadden, misschien wel twee. Maar wat maakte het uit? Ze waren nu natuurlijk helikopters en soldaten aan het oproepen. En het vliegveld was zo dichtbij dat ze hier in een ommezien zouden zijn.

Ze zouden dit hele gebied in een halfuur, of nog minder, kunnen omsingelen. Het had geen zin om een plek te zoeken waar we maar een paar minuten veilig zouden zijn. We moesten een plek zien te vinden waar we veilig waren zolang de zoektocht duurde, een hele dag misschien, of desnoods twee of drie dagen.

We kwamen bij een hek en klommen er met moeite overheen. Het was weer hetzelfde soort terrein, maar met een kleine troep paarden, die tussen de bomen stond te grazen. Ze keken verschrikt op, maar wel nieuwsgierig. Ze renden niet weg, zoals je zou verwachten. Twee paarden deden zelfs een stap in onze richting. Ik voelde een golf van genegenheid voor hen opkomen, een golf van verlangen om stil te staan en ze over hun neus te aaien en ze aan mijn hand te laten knabbelen. Maar moest je ons nou zien: we renden als misdadigers door ons eigen land, we renden weg van een kogelregen, we renden voor ons leven.

In een film zou er een geheime grot geweest zijn waar we ons in hadden kunnen verschuilen. Of Sam en kolonel Finley waren ons in een helikopter komen redden. Maar bij ons ging dat niet zo gemakkelijk. Ik was radeloos. Wat er ook gebeurde, ik wilde niet weer gevangengenomen worden. En die hevige angst maakte dat ik snel en koortsachtig kon nadenken. Er schoot een herinnering door me heen, als een dia op een scherm. Het was iets wat mijn oom Bob jaren geleden zei toen oma besloot dat ze de boerderij zou verlaten en een huis in Stratton ging kopen. Oom Bob, een aannemer, kwam naar het huis kijken waar ze een oogje op had. Ik liep achter hem aan, terwijl hij het inspecteerde. Hij keek de hele tijd omhoog. 'Waar kijkt u naar, oom Bob?' vroeg ik. Hij keek me even aan. 'Mensen kijken nooit verder dan hun neus lang is,' zei hij. 'Als dit huis slecht is gebouwd, kan je dat zien door omhoog te kijken. Degene die het gebouwd heeft is wel zo slim geweest om het er op ooghoogte knap te laten uitzien.'

Daar was ik zwaar van onder de indruk. Ik geloof dat hij dat ook tegen pap heeft gezegd, omdat mijn vader het een paar maanden later tegen mij zei, toen hij een opossumhol dichtmaakte.

Ik had hun les ter harte genomen en als ik verstoppertje speelde, verstopte ik me soms in een boom. Niemand vond me ooit. Uiteindelijk deed ik het niet meer, omdat er gewoon helemaal niks aan was.

Ik keek naar de harde grond en de karige begroeiing zonder kreupelhout, het altijd ondoordringbare struikgewas en het door de paarden kortgegraasde gras en bedacht dat de woorden van oom Bob misschien wel ons enige houvast zouden kunnen zijn. We sjokten door, steeds langzamer en vermoeider.

Ik riep over mijn schouder: 'We moeten ons boven in een boom verstoppen.'

Niemand antwoordde, dus ik dacht dat ze het misschien niet gehoord hadden. Weer riep ik: 'We moeten een boom zoeken.'

Deze keer antwoordde Homer: 'Maar als ze ons in een boom ontdekken, zijn we erbij.'

Zijn stem klonk schor. Ik wist dat hij de uitputting nabij was. Dat waren we allemaal.

In de verte hoorde ik een snorrend, brommend, zoemend geluid. Dat kende ik maar al te goed.

'De helikopters komen eraan,' schreeuwde ik.

Ik rende naar links, naar een groepje bomen. Ik keek niet eens over mijn schouder om te zien of ze wel achter me aankwamen. Ik ging er gewoon van uit dat ze dat deden. Toen we bij de eerste bomen waren, zag ik een glimp van de wieken van een helikopter in de verte. Ik rende naar een boom die er makkelijk beklimbaar uitzag en ook een dichte kruin had. Met de helikopters in mijn gedachten riep ik naar de anderen: 'Zoek er een met veel bladeren bovenop.'

Ik wist dat ze dat gehoord hadden, omdat Fi omhoogkeek en zich bedacht over de boom waar ze naartoe rende. In plaats daarvan ging ze naar de volgende.

Ik begon te klimmen, maar ik had niet genoeg houvast. Ik gaf het op, net als Fi, en rende naar een andere boom. Voor me zag ik Homer worstelen om naar boven te komen, ik zag Fi halverwege haar nieuwe boom en Kevin bij de ene boom wegrennen en een betere proberen.

Mijn tweede keus was beter, maar tegen die tijd maakte het niet meer uit. Het moest lukken. Ik moest boven in die boom komen, want ik had geen keus meer. Mijn bepakking was zwaarder dan ooit, ikzelf was vermoeider en banger dan ooit, maar met de doodsangst op de hielen klom ik naar boven. De gespikkelde, witte stam voelde koel aan, de lichtgroene bladeren veegden langs mijn gezicht, de takken hielden me. Hoger en hoger klom ik. Drie keer moest ik heel hoog grijpen, maar dat lukte. Al was mijn schouder uit de kom geschoten, dan nog had ik mijn armen uitgestrekt.

Het geluid van de helikopter werd sterker, maar ik dacht dat ik achter ons geschreeuw hoorde. Ik keek niet meer hoe het met de anderen ging, ik dacht niet eens meer aan hen. Het enige waar ik mee bezig was, was mijn eigen huid redden door boven in die boom te komen en me te verbergen in dat veilige holletje van bladeren. Angst maakt je egoïstisch. Toen zat ik er ineens in, ik voelde me opgenomen in dat frisse, lichte groen en toen pas merkte ik dat ik naar adem hapte. Het geluid van de helikopter was nu een gebrul geworden, nog maar honderd meter van ons vandaan of zo. Ik klampte me aan de boom vast, alsof mijn leven ervan afhing. Ik was blij dat ik de groen met bruine camouflagekleren aanhad, die we nu altijd droegen. De bladeren waren wel lekker dik, maar de takken waren dun en met mijn bepakking was ik behoorlijk zwaar. Ik was bang dat de takken onder mijn gewicht zouden bezwijken. Ik was bang dat de mannen in de helikopter me zouden zien. Ik was bang dat de mannen op de grond me zouden zien. Ik snikte, terwijl ik half naar adem probeerde te happen en half huilde, ik wist niet precies wat ik deed. Ik probeerde de snikken zo goed mogelijk in te houden, zodat ik het gevoel kreeg dat ik stikte, dat mijn longen zouden barsten. Maar ik wist dat ik geen keus had.

Toen werden de bladeren om me heen geteisterd door een machtige wind, een tornado. De bladeren gingen wild heen en weer, mijn haar waaide alle kanten op, mijn kleren bolden op en vanaf de grond steeg een wolk van stof en takjes op. Het gebrul van de helikopter hamerde in mijn oren. Mijn ogen waren stijf dicht, tegen het stof, maar ook van pure angst. Ik was bang dat de helikopter mijn hoofd eraf zou blazen, dat hij zo laag vloog dat ik erdoor onthoofd zou worden.

De boom werd weer rustig. De wind nam af, maar ik kon nog steeds nauwelijks horen. Ik was doof geworden van het gebrul. Voorzichtig deed ik mijn ogen open, opgelucht dat mijn hoofd er nog aan zat. Ik keek even omlaag, nog voorzichtiger, en zag iets dat nog veel angstaanjagender was dan de helikopter. Recht onder mijn boom stond een man.

10

Hij had een zwarte muts op en een kaki hemd aan. Meer zag ik niet. Misschien was het een soldatenuniform, maar dat wist ik niet zeker. Niet dat het veel uitmaakte. Hij was de vijand, daar kwam het op neer. Als soldaat was hij misschien gevaarlijker dan een boer. Maar dat deed er niet veel toe. Als hij een wapen had, was hij levensgevaarlijk. Als hij dat niet had, was hij nog altijd groter dan ik en bovendien kon hij waarschijnlijk binnen enkele seconden hulp krijgen.

Mijn leven hing af van zijn intelligentie. Als hij omhoogkeek en me zag, was ik er geweest. Deed hij dat niet, dan leefde ik misschien iets langer. In wanhoop begon ik te schatten hoe hoog ik zat. Als ik pakweg een meter opschoof, kon ik recht naar beneden springen. En als ik me een beetje meer naar links liet vallen en niet als een baksteen naar beneden zou komen, zou ik boven op hem terechtkomen. Wat zou er dan met me gebeuren? Ik had geen idee. Ik zou het waarschijnlijk wel overleven, maar dan met een hoop gebroken botten. Wat zou er met hem gebeuren? Daar had ik ook geen idee van, maar ik dacht wel dat hij er niet zo goed vanaf zou komen. Ik nam in koelen bloede een besluit: als hij me ziet, laat ik me vallen. Alles beter dan weer gevangengenomen te worden.

Alles beter dan gedood te worden zonder eerst te hebben gevochten.

Maar zou ik het durven als het moment aanbrak? Zou ik het echt kunnen? Mezelf uit een vijftien meter hoge boom laten vallen? Zou ik mijn instincten kunnen overwinnen en zoiets griezeligs durven doen?

Ik huiverde van angst toen ik dit allemaal overdacht, maar tegelijk hamerde ik er steeds bij mezelf op dat ik aan iets anders moest denken. Waarom? Om de idiote reden dat ik ervan overtuigd was dat hij mijn gedachten zou kunnen raden, als ik steeds aan hem bleef denken. Dat mijn gedachten zo sterk waren dat hij wel energiegolven door zijn hersens móést krijgen, zodat hij zijn hoofd zou omdraaien, het langzaam in zijn nek zou leggen en omhoog zou kijken, door de takken heen, door de bladeren heen, recht in mijn ogen.

Misschien was dat ook zo gegaan, als hij niet plotseling werd afgeleid. Er kwam een vrouw in een geel T-shirt en een zwarte spijkerbroek naar de man toe. Haar gezicht kon ik beter zien. Ze zweette erg en keek angstig. Ze sprak op luide toon, terwijl ze achter zich wees. Haar brede, rode gezicht was een soort spiegel van het mijne, in ieder geval net zo angstig. De man deed een paar stappen naar voren. Hij had een grijze spijkerbroek aan, maar ik denk niet dat het een uniform was. Hij zei iets wat ik niet kon verstaan. Ik zag dat hij ook hijgde en zweette, zijn hemd plakte op zijn rug. Ze ratelde maar door in een razend tempo. Ze liepen een eindje weg.

Ik had het gevoel dat ze de strijd misschien al aan het opgeven waren. Ik klampte me aan die hoopvolle gedachte vast. Maar als dat al het plan was, duurde dat maar even. Bijna tegelijkertijd hoorde ik een andere man iets schreeuwen. Het tweetal bleef staan en keek naar links. Toen draaiden ze zich om met hun gezicht naar de nieuwkomer.

Hem kon ik ook goed zien. En ik werd heel erg bang. Want ik zag meteen dat we nu met echte profs te maken hadden.

Deze man was een jaar of dertig, met een glad gezicht en scherpe ogen, en hij had een officiersuniform aan. Hij had twee geweren bij zich en gaf er een aan de andere man. Het was een akelig zwart ding met een korte loop en een groot magazijn. Hij wees met uitgestrekte arm naar de bomen in de verte, in de richting die wij eerst waren opgegaan. De grote zweetplek onder zijn arm was het enige bewijs dat hij gespannen was. De man en de vrouw sjokten weg in de richting die hij had aangewezen. Het was duidelijk dat hun dat bevolen was.

Maar de officier bleef op dezelfde plek staan. Hij veegde zijn voorhoofd af met zijn bezwete arm en toen haalde hij een sigaret uit een verfrommeld pakje in zijn borstzak. Hij stak hem aan met een lucifer uit een scheurboekje, zo'n slap geval dat nooit meteen afgaat. Het kostte hem inderdaad wat moeite. Hij moest hem een stuk of vier keer afstrijken.

Terwijl hij dat deed, keek ik even vluchtig naar de andere bomen. Er bewoog niets, geen teken van Fi of de jongens. Dat had ik natuurlijk ook niet verwacht, maar toch was het een enorme opluchting. Ik voelde me zwaar verantwoordelijk voor hen. Ik had bedacht dat we in een boom moesten klimmen. Mijn leven was toch al een chaos, maar als het fout ging, kon ik het verder wel schudden. Niet omdat ík dan zou doodgaan. Maar omdat mijn vrienden zouden doodgaan, door mijn schuld.

De rook van de sigaret kringelde langs de boom omhoog.

> Smoke curls up around the old gum tree trunk
> Silver moon makes the wet leaves glisten.

Hoe vaak had ik dat niet op de basisschool van Wirrawee gezongen? De rookpluimpjes gleden nu langzaam langs me en de geur van tabak verdrong de vertrouwde geuren van de natuur. Het was best een lekkere lucht. Onder andere omstandigheden had ik het wel aangenaam gevonden.

Ik knipperde toen ik een vleugje rook in mijn oog kreeg. Ik moest oppassen dat die niet in mijn neus kwam, want dan moest ik misschien niezen. Dat zou een absolute ramp zijn. Ik keek weer naar de man beneden. Hij zat nu op zijn hurken, met zijn rug tegen de boom. Hoe vaak had ik mijn vader niet in die houding gezien? Wat leken mensen toch op elkaar, ondanks het verschil in kleding en huidskleur. Maar deze man deed iets wat ik mijn vader nooit had zien doen. De man hield achteloos de brandende sigarettenpeuk tegen een stuk schors en keek verveeld toe hoe er een zuiltje witte rook van de schors opsteeg.

'Achterlijke idioot!' wilde ik schreeuwen. 'Doe die sigaret uit!'

Ik klom bijna de boom uit om hem uit zijn hand te rukken. Alles wees erop dat we midden in een lange, droge periode zaten. De kans op brand was al groot. En nu zat die idioot met lucifers te spelen. Hij wist toch wel beter, op zijn leeftijd? Elk vijfjarig plattelandskind weet dat je bij hevige droogte beter met gelatinedynamiet kan spelen dan met lucifers. Ik had hiervoor al zo gezweet, maar nu brak het zweet me opnieuw uit.

Een andere man, een onderdeurtje in legeruniform, kwam op een drafje naar de open plek. De officier keek hem aan en knikte toen naar de sigaret en de schors. Hij zei iets met een kort lachje en hoewel ik zijn taal niet kende, wist ik precies wat hij zei. Hij zei: 'Als we ze niet vinden, kunnen we ze altijd uitroken.'

Ik was nu zo verschrikkelijk bang dat ik bijna uit de boom viel. Als die mafkezen brand gingen stichten, zaten we écht goed in de nesten en was er geen uitweg. Dan was het: óf blijven zitten en levend verbranden óf naar beneden springen en doodgeschoten worden. Ik wist gewoon niet zeker of de officier het serieus meende. Als hij het meende, kon ik alleen maar bedenken: Die kerels weten bij god niet wat ze aanrichten. Ik voelde paniek opkomen en merkte dat ik niet meer helder kon denken.

Het onderdeurtje draafde weer weg. Ik weet niet precies wat hij kwam doen, maar ik denk dat hij kwam melden dat hij ons niet kon vinden of zoiets. Ik bleef natuurlijk zitten waar ik zat, al werd ik heel stijf en kreeg ik overal pijn, omdat ik aan het afkoelen was van onze wilde vlucht.

Ik wilde me vreselijk graag bewegen, maar het zag ernaar uit dat dat voorlopig niet kon.

Ik had het die dag vaak bij het verkeerde eind gehad, maar wat dat laatste betreft had ik gelijk. Pakweg drie uur later kreeg ik pas de gelegenheid om me te bewegen. De officier liep een paar keer zo ver weg dat ik hem niet meer kon zien, maar ik durfde me niet te bewegen. Wie weet stond hij aan de andere kant van de boom, waar ik de grond helemaal niet kon zien. De helikopter vloog nog vier keer langs, één keer weer heel dichtbij, de andere keren iets verder. Ik ging dan plat liggen en dook in elkaar als een konijn, wanneer er een havik overvliegt.

Het enige leuke was dat de paarden voorbijkwamen. Ik had op dat moment tijd om goed naar ze te kijken. Het waren er zeven en ze leken niet erg onder de indruk door wat er in hun weide gebeurde. Ze zagen er ook goed verzorgd uit, ze zaten goed in het vlees, een beetje té, en hun haren waren geborsteld. Ze glansden zoals paarden in goede conditie doen. Ze bleven af en toe stilstaan om even te knabbelen, maar algauw waren ze verdwenen.

Inmiddels waren mijn armen en benen en alle botten in mijn lichaam doortrokken van een afschuwelijk zeurende pijn. Ik had kramp in mijn benen. Ik snakte naar beweging. Eindelijk kreeg ik even de kans. Er kwam een hele groep mensen aanlopen, twee aan twee. Het waren er zo'n tien bij elkaar. Ik kon hen niet zien, maar ik hoorde hen wel praten. Ze maakten vrij veel herrie.

Ze brachten verslag uit, denk ik, of misschien bespraken ze de tactiek. Het kon me niet schelen wat ze deden, maar toen de eersten er waren, liep de officier snel op hen af. Er was geen helikopter te bekennen. Ik greep de kans om mijn benen te strekken, daarna mijn armen en mijn hoofd heen en weer te bewegen. Ik trok mijn schouders op en liet ze weer vallen en draaide een paar keer met mijn billen.

Toen ik mijn benen weer strekte, kwam ik met mijn rechterscheenbeen tegen een groot stuk losse schors aan.

Ik greep ernaar, maar te laat.

Te laat, dacht ik wanhopig. En tot overmaat van ramp stootte ik terwijl ik naar de schors greep een lang stuk dood hout los, dat samen met de schors en nog een paar takjes, bladeren en dood spul naar beneden viel, terwijl ik machteloos toekeek.

Ik stond op het punt te gillen. Ik stond op het punt te springen. Ik snikte hardop, omdat het allemaal zo erg en zo oneerlijk was. Ik wist niet wat ik moest doen, naar welke kant ik op moest. Ik kreeg een ontzettend naar gevoel in mijn buik. De rommel viel maar door, botste tijdens het vallen tegen takken en het leek wel alsof ik in slowmotion naar mijn eigen dood keek, terwijl ik er helemaal niets aan kon doen. En omdat ik zo gericht was op de regen van hout, had ik niet eens gemerkt dat het razende gebrul van de helikopter weer in mijn oren beukte. Maar ik merkte wel dat er een nieuwe tornado van stof en afval door de bomen woedde, toen de helikopter voor de zesde keer langzaam over de boomtoppen scheerde.

Mijn kleine waterval van schors en takken werd in deze stofwolk niet opgemerkt. Die helikopter, die mij zo graag wilde vinden en vermoorden, redde mijn leven.

Toen het tot me doordrong dat ze me niet achterna kwamen, dat er niemand onder aan de boom door de bladeren stond te schieten, klampte ik me aan de tak vast waar ik tegenaan lag en bad vol overgave tot God. Ik vroeg me zelfs af of ergens in de hemel Robyn een oogje in het zeil hield. Dat zou me niets verbazen. Ik weet niet of iedereen in zijn leven een beschermengel heeft, maar ik dacht dat ik er nu wel eentje had.

Het duurde even voordat ik me weer bewust was van de situatie beneden me. Een halfuur lang had ik er niet zo over nagedacht. Maar geleidelijk aan begon het me te dagen dat onze problemen nog niet van de baan waren. We verkeerden nog steeds in levensgevaar. Het was laat in de middag en de zon scheen door de boomtoppen met zijn laatste krachten, voordat hij zich achter de horizon terugtrok. Ik zag geen mens op de open plek, maar daar kon ik natuurlijk niet van uitgaan. Mijn armen en benen waren pijnlijker dan ooit en ik moest ook ontzettend nodig plassen. Maar ik durfde me niet te bewegen, na wat er de laatste keer was gebeurd. Ik keek weer naar de andere bomen of ik Fi, Homer en Kevin zag en was benieuwd hoe het met hen ging in hun nestje en of ze net zo bang waren als ik. Ik wou dat ik samen met een van hen in een boom zat.

Links van me hoorde ik een gefluit, een scherp, schril geluid van iemand die twee vingers in zijn mond stak. Ik tuurde de heuvel tegenover me af, maar kon niet zien wie het was. Toen klonk het nog een keer rechts van me, ik hoorde het echoën over het plateau. Het was duidelijk een soort signaal en er werd op geantwoord, want na een tijdje zag ik een aantal mensen langzaam naar een plek vlak bij ons lopen. Ze hadden een vergadering, denk ik, omdat ik hun stemmen op de wind hoorde. Nu eens leek het alsof ze ruzie hadden, dan weer klonk er een stem die blijkbaar bevelen gaf. Ik wist niet wat er aan de hand was. De helikopter hoorde ik niet meer, dus dat was mooi.

Het duurde eeuwen voordat de zon onderging. Altijd

in deze tijd van het jaar. De hele situatie deed me denken aan een oude, schokkerige film, waarin je flitsen ziet van de handeling en dan lange tijd niets anders dan grijze puntjes. Je moest dan uit de stukjes die je wel kon zien het verhaal opmaken. Het was geen giswerk, je moest je hersens gebruiken, je intelligentie aanspreken, en kennis was macht, dus hoe meer kennis je bezat, hoe machtiger je werd.

Natuurlijk ging het niet in de eerste plaats om macht. Het ging erom dat je het verdiende om in leven te blijven.

Ik hield nog een uur de wacht, totdat het te donker werd. In die tijd zag ik alleen één persoon. Het was een vrouw, die langzaam de open plek op kwam en om zich heen keek. Ze hield een modern uitziend geweer in de aanslag. Ik dacht dat ze alleen was, maar toen ze bijna uit het gezicht verdwenen was, zei ze iets tegen iemand... geloof ik. Ik was er bijna zeker van dat ze een beetje naar een kant helde en iets zei. Het was moeilijk te zien in het schemerdonker. Misschien praatte ze tegen de paarden, want die kwamen even later voor de tweede keer aan slenteren, op zoek naar malser gras misschien, en bleven om de paar meter staan om te grazen.

En weer hoorde ik de helikopter. Zelfs twee, een kwartier lang. Allebei waren ze nu verder weg, op één duikvlucht na, zo dichtbij dat ik weer het gevoel kreeg of ze met hun geraas zowat boven mijn hoofd vlogen.

Maar ik zag ze niet. Ik voelde en hoorde ze wel, en dat was al genoeg. Maar het zoeken leek bij het vallen van de avond op te houden. Ik denk dat ze een kordon om het gebied trokken, misschien patrouilles erdoorheen stuurden en in de vroege ochtend weer met volle energie zouden gaan zoeken.

Mijn blaas stond op knappen en ik dacht niet dat ik het nog veel langer kon uithouden. Zodra het donker was, wist ik dat ik het risico moest nemen en uit de boom moest klimmen. Ik bad dat er niemand beneden was, geen soldaten op de loer met geweren in de hand en een wolfachtige uitdrukking van genot op hun gezicht. Ik bewoog even langzaam en weloverwogen als een koala, en ook even geluidloos, centimeter voor centimeter omlaag, terwijl ik voorzichtig met mijn voeten naar houvast tastte en bij elke stap omlaag stopte en luisterde.

Het engst waren de laatste drie meter. Ik voelde me erg kwetsbaar. Ik kon me op geen enkele manier verweren en dit was het moment waarop ik het beste te zien was. Ik kon dodelijk in mijn rug geraakt worden zonder ook maar het gezicht van de schutter te zien. Ik probeerde er niet aan te denken hoe dat zou voelen, maar ik had het me al vaak genoeg voorgesteld. Ik stelde me voor dat het zo'n klap was dat mijn hele lichaam in shock zou raken: het zou zich zo snel en plotseling afsluiten dat ik eigenlijk niet zo veel pijn zou hebben, het zou in een paar seconden voorbij zijn. Dat was de enige troost die ik mezelf kon voorhouden.

Toen ik de grond raakte, liet ik me meteen vallen en draaide me met een ruk om, zodat ik de open plek kon overzien. Maar mijn bepakking stootte tegen de stam van de boom, waardoor ik opzijviel. Ook ondervond ik de gevolgen van uren te hebben stilgezeten, zodat ik met moeite overeind kwam. Daardoor kreeg ik helemaal geen goed overzicht. Ik moest me inspannen om rechtop te blijven. Zoals verwacht was ik geen atletische Tarzan, maar nog steeds een onhandige koala. Er was niets veranderd.

Toen ik in evenwicht wist te blijven, kroop ik op mijn hurken verder om goed zicht te hebben op de open plek. Een paar minuten vergat ik mijn blaas helemaal. Vlak daarvoor had ik dat niet voor mogelijk gehouden, maar zo werkt angst nu eenmaal, denk ik.

Er heerste totale rust op de open plek. Tien seconden, Ten minste. Toen hoorde ik een geluid. Het was een typisch bosgeluid, het geluid van een andere koala of een opossum die tegen de avond uit een boom komt om te gaan jagen. Maar dit was geen opossum. Het moest een menselijke opossum zijn, een Fi- of een Kevin- of een Homer-opossum. Maar ik wachtte niet tot ik wist wie het was. Ik had iets belangrijkers aan mijn hoofd. Ik frunnikte aan de knopen van mijn spijkerbroek en hoopte dat ik ze op tijd zou loskrijgen.

Het was op het nippertje, maar het lukte.

Pas toen, en dat duurde even, nam ik de moeite om te kijken wie er uit de boom klom. Diegene was bijna beneden. Ik hoopte alleen maar dat ik niet zo veel lawaai had gemaakt als hij of zij. Ik sloop erheen, zo stil mogelijk. Het was Homer. Ik wilde hem omhelzen, maar hij ging er niet op in. Hij had hetzelfde aan zijn hoofd als ik daarnet. Pas toen hij daarmee klaar was, wilde hij me wel omarmen.

Toen hoorde ik Kevin en Fi ook naar beneden komen. Homer en ik hielden onze ogen op het ons omringende donker gericht en hoopten vurig dat we geen fatale beweging zouden zien.

Herenigd spraken we even fluisterend met elkaar. We fluisterden zo zacht en zo kort, dat de hele conversatie me aan vlinders deed denken die heel even, heel licht van blad tot blad fladderen.

'We moeten hier weg,' hijgde Fi in mijn oor.

'Weet ik. Maar misschien zijn er patrouilles.'

'We moeten het risico nemen,' zei Homer met zijn lage, schorre stem. 'Morgen is het hier te link.'

Kevin zei niets. Het enige andere commentaar kwam van mij, en dat was overbodig.

'Als jullie maar heel stil doen.'

Hun boze blikken nam ik hun niet kwalijk.

11

Haalde ik wel adem? Ik wist het niet zeker. Ik legde mijn hand op mijn hart om het te controleren. Ik dacht dat ik iets voelde, dus ik bleef in het donker turen. Had ik maar kattenogen. Had ik maar felle koplampen in plaats van ogen. Was ik maar thuis, een jaar geleden, terug van het klaarmaken van de schuur voor het schapen scheren de volgende dag, waarna ik meteen doorliep naar de douche.

Maar dit was zo'n moment dat ik hard voor mezelf moest zijn. Strikt en streng. Ik zette die sentimentele, zwakke gedachten rigoureus uit mijn hoofd en tuurde nog geconcentreerder het donker in. Als er ook maar iets bewoog, wilde ik dat gezien hebben voordat de vijand mij zag. Homer en Fi, rechts en links van me, en Kevin een eindje verderop deden hetzelfde.

We hadden een tactiek uitgestippeld. Tien passen lopen, dan stilstaan, daarna het groene licht van de anderen voordat je weer verderging. Je moest een duidelijk handsignaal van de anderen krijgen voordat je doorging. Als ze stil bleven staan, ging je ervan uit dat ze iets hadden gezien.

Dus toen ik mijn zoveelste tien passen had genomen, stilstond, naar Fi keek en haar doodstil zag staan, voelde ik mijn gezicht warm en tintelend worden. Nu wist ik zeker dat ik ademhaalde. Ik bleef ook stokstijf staan, deels van de schrik, deels om Homer te laten weten dat er iets aan de hand was.

Ik zag hem niet echt stoppen, maar ik voelde dat hij dat wel had gedaan.

Ik draaide me heel rustig en langzaam om, zodat ik beter zicht had op wat Fi had gezien. Dat was moeilijk natuurlijk, omdat het zo donker was. Ik tuurde zo ingespannen, dat ik het gevoel kreeg dat mijn ogen er stuk van zouden gaan.

Maar ik zag helemaal niets. Mijn oren gaven me de oplossing. Het geknerp van voeten op ruige grond. Ik had dat nu al een paar keer gehoord in deze oorlog en iedere keer had ik beseft dat het dodelijke voetstappen zouden kunnen zijn. Ik dacht maar steeds dat het een beetje zou wennen om voortdurend de dood in de ogen te kijken, maar dat was niet zo.

We bleven als standbeelden staan. We hadden geen keus. We konden niet wegrennen en we hadden geen wapens, dus we konden niet aanvallen. Het was een verlammend gevoel. Ik weet niet of Homer of Kevin de patrouille ook zagen, maar Fi en ik wel. Drie schimmige figuren, die langzaam voorbijliepen. Hun hoofden bewogen van links naar rechts, ze hadden hun geweren in de aanslag. Ze waren niet zo ontspannen en nonchalant als sommige andere patrouilles die we op een andere tijd, op een andere plaats waren tegengekomen.

We stonden nog steeds stil. Ik denk dat ze op een gegeven moment aan de grens van hun territorium waren gekomen, want vijf minuten later kwamen ze terug, even stil, behoedzaam en levensgevaarlijk als daarvoor.

Toen ze in het donker verdwenen waren, verdwenen wij in tegenovergestelde richting. Het was vreemd, maar we deden dat door middel van osmose of telepathie of zo. We liepen gewoon alle vier dezelfde kant uit, zonder dat we ook maar één gebaar of woord nodig hadden.

We bleven in die richting lopen. Dezelfde langzame, voorzichtige strategie. We staken weer het open grasland over. Ik kreeg de schrik van mijn leven toen de paarden met een plotseling zacht geschuifel van hun hoeven in het donker opdoemden. Deze keer waren ze heel vriendelijk en verdrongen zich om ons heen, op zoek naar suiker, haver of aandacht. Ik werd er heel bang van en keek in paniek om me heen, en ik hoopte maar dat we niet door iemand beslopen werden die de paarden als afleiding gebruikte. Maar er was niemand.

We duwden de paarden weg en gingen verder. We liepen een heel eind, steeds tien passen achter elkaar, en voor het eerst durfde ik weer een heel klein beetje hoop te koesteren. Misschien hadden ze het opgegeven. Misschien hadden ze niet genoeg mensen om het hele gebied te beschermen, en waren we dwars door hun stelling gebroken. Misschien…

Toen zag ik dat Homer stokstijf bleef staan, net als Fi een uur daarvoor.

Weer stopte ik, trillend, misselijk van woede en angst. We konden niet de hele tijd de dans ontspringen. Deze keer of de volgende keer of de daaropvolgende zou het geluk ons in de steek laten. Dat had ik ervaren na onze aanval op Cobbler's Bay. Zouden we deze keer gevangengenomen of gedood worden? Maakte het eigenlijk uit wanneer het gebeurde, als het toch zou gebeuren? Want dat stond vast.

Ik zag de patrouille niet die Homer had gehoord, maar na tien minuten begon hij zich langzaam en stil terug te trekken.

In het midden van de grasvlakte ontmoetten we elkaar. Alleen daar leek het veilig. We kropen bij elkaar en praatten op een zachte fluistertoon. Drie van ons, tenminste. Fi huilde alleen maar, zonder geluid te maken. De afschuwelijke, onophoudelijke spanning was haar te veel geworden.

De enige die nog een beetje kon nadenken, was Homer. En hij had maar één gedachte in zijn hoofd. Daar was hij niet vanaf te brengen.

'We moeten hier weg,' zei hij. 'We moeten vannacht nog weg. Morgen mogen we hier absoluut niet meer zijn. Anders zijn we er geweest.'

Daar schoten we niet veel mee op. Hij had gelijk, maar hij wist niet hoe het verder moest. We bleven stil en ellendig op een kluitje staan, zonder dat we ook maar één idee hadden. Achter ons stonden de paarden, ook op een kluitje. Zij zagen er ook niet zo gelukkig uit. Misschien vonden ze het vervelend dat we geen aandacht voor ze hadden.

Voorzover ik me herinner, kwamen Kevin en ik tegelijk op hetzelfde idee.

'De paarden,' zei ik.

'De paarden, verdomme!' riep Kevin plotseling uit.

Homer begreep meteen wat we bedoelden. Fi keek niet-begrijpend, maar ze was nog steeds stilletjes aan het huilen en vond het misschien moeilijk om helder na te denken.

'De paarden?' vroeg ze, haar mond verwrongen van verdriet. Ik zag de witte streep van haar litteken.

'We nemen de paarden om hier weg te komen,' fluisterde Homer. 'Dat bedoel je toch?'

'In volle galop,' zei ik knikkend.

Mijn hart bonsde van opwinding en hoop, en vanwege mijn oude vijand: angst. Het was een waanzinnig idee, wild, gestoord en misschien onmogelijk, maar we hadden niets anders, geen ander ontsnappingsplan.

En toch... Er waren zo veel problemen, zo veel gevaren. In volle galop rijden op paarden die je niet kende, in het donker, door bos, door een vuurlinie. Eén tak in je gezicht en je had nog geluk als je er met veelvoudige breuken in je gezicht en je schedel afkwam. Eén hoef in een konijnenhol en je vloog recht in de dichtstbijzijnde boom of je landde voor de voeten van een soldaat die, in mijn verbeelding, zijn geweer al aan de schouder zette. Eén boom op de verkeerde plaats en het paard sloeg er met vijftig kilometer per uur tegen te pletter en dan waren hij en ik net zo morsdood als wanneer we met een motor tegen een betonnen muur waren geklapt. Geen helmen, geen teugels, geen zadel. Als het paard schichtig was of weigerde of bokte, of bleef staan als hij een soldaat zag of geweerschoten hoorde...

'We doen het,' zei ik, maar ik gruwde van het snikje in mijn stem.

Er was één troost. Fi, die evenveel van het boerenleven wist als van de geschiedenis van de luxaflex, kon geweldig goed paardrijden. Ze had les gehad van Daphne Morrisett, en Daphne was de trots van Wirrawee, omdat ze de Three Day Event had gereden op de Olympische Spelen. De meesten van ons konden Daphne als lerares niet betalen, maar Fi's ouders waren erg bezig met dingen als tennislessen, pianolessen, paardrijlessen. Fi bleek een natuurtalent te zijn, die veel trofeeën op de ponyclub won. Daphne zei dat Fi haar aan zichzelf deed denken op die leeftijd, en dat was een groot compliment.

Hoewel we dus echt verschrikkelijk groot gevaar liepen, gold dat misschien het minst voor Fi. We konden ons gewoon met onze eigen sores bezighouden. We hoefden ons niet steeds zorgen over Fi te maken, die snel van slag leek te zijn.

De paarden knikten en dansten toen we naar ze toeliepen. Zo doen paarden nou eenmaal. Dat heb ik nou altijd zo leuk van ze gevonden. Hun zachte neuzen porden en wroetten in onze zakken. Zacht, en daarboven zo verrassend sterk en hard. Weer werd ik eraan herinnerd hoeveel kracht ze hebben.

Maar niet genoeg kracht om een kogel tegen te houden.

We kozen er elk een uit. De mijne was een vospaard, een ruin, een beetje te dik, zoals allemaal. Ik liet hem een tijdje aan mijn handen snuffelen, om hem de kans te geven aan me te wennen. Ik wreef over zijn neus en nek en daarna streelde ik over zijn flank. Ik voelde de spanning, de trilling in zijn spieren. Het waren boerenpaarden, gewend aan zwaar werk, aan moeilijke opdrachten en druk heen en weer gerij. De vos had mijn stemming opgepikt en begon al nerveus te worden.

Ik dacht dat ik maar beter kon doorgaan en hem proberen kalm te houden. Homer hield hem bij zijn nek vast, terwijl Fi me erop hielp. Dat was moeilijk zonder stijgbeugels. Voor één keer lag het voor de hand dat ik het eerst ging van ons vieren, omdat ik de kleinste was en waarschijnlijk de slechtste ruiter. Ik schoof over zijn nek naar voren en probeerde mijn evenwicht te vinden. Het paard trilde en probeerde met zijn hoofd te schudden. Ik denk dat er al lang niet meer iemand op zijn rug had gezeten.

'Ze worden altijd nerveus als je zonder zadel op ze gaat zitten,' zei Fi.

Zodra Homer en Fi het paard loslieten, draafde het inderdaad snel weg. Maar het ging steeds opzij, totdat ik het tot staan kon krijgen door in zijn oor te vloeken en het hard te schoppen. Kevin klom met behulp van Fi en Homer net zo op zijn paard als ik. Maar hij deed het niet erg elegant. Hij bleef even languit op de rug van het paard liggen, terwijl hij zich overeind probeerde te hijsen, met zijn gezicht naar voren. Hij zat op een bruine ruin, die nijdig in handgalop ging, terwijl Homer zijn hoofd nog vasthield. Maar toen Kevin eenmaal rechtop zat en Homer het paard losliet, leek het wat kalmer te worden.

Ik maakte me zorgen dat we te veel herrie maakten, maar wat konden we eraan doen?

Niets.

Fi hielp Homer op een grote, zwarte merrie, die meteen in snelle draf een rondje met hem maakte. De paarden werden nu echt heel opgewonden. Dat was gunstig, maar ook ongunstig voor ons. Ze moesten met vliegende vaart kunnen draven, maar we wilden niet afgeworpen worden. Fi besteeg als laatste haar paard. Zonder hulp zou het wel lastig zijn, dacht ik, maar ze praatte aan een stuk door tegen het dier. Het schudde zijn hoofd heen en weer en steigerde, maar leek wel naar haar te luisteren. Ze leidde het naar een boomstronk en stapte daarop, terwijl ze zachtjes tegen het paard bleef praten. Toen sprong ze snel en behendig op zijn rug en bleef moeiteloos zitten. Om niet goed van te worden.

Nu waren we klaar voor onze eerste, en misschien laatste rit samen. Er schoot een beeld door mijn hoofd over de Vier Ruiters van de Apocalyps. Wie waren dat in godsnaam? Ik had geen idee, maar ik stelde me voor dat we zulke personen waren: vier ruiters die naar het einde van de wereld reden.

Terwijl we de paarden maar net in bedwang konden houden, probeerden we te besluiten waar we heen zouden gaan. De route die we kozen was op een bepaalde manier de zwaarste: naar Wirrawee. Maar zoals zo vaak in deze oorlog, hadden we ook nu weer weinig keus. Terug naar de boerderij van de familie Shannon was niet mogelijk, omdat we dan heuvelafwaarts reden, en dat was met zo'n snelheid en in het donker gewoon veel te link. Links en rechts van ons was te dichte begroeiing. We wilden niet de stad binnenstormen, maar we waren er nog zo'n tweeëneenhalve kilometer vandaan. We zouden dus kunnen afstijgen voordat we ineens in Barker Street voor een stoplicht moesten stoppen.

We wilden natuurlijk heel graag naar Wirrawee. Het was alleen de vraag hoe we daar moesten komen en wanneer.

Maar goed, dat was nog het minste probleem. Door het kordon van patrouilles heenkomen, langs die gewapende, levensgevaarlijke soldaten: dat was het enige waar we aan konden denken. Vergeleken daarbij viel elk probleem in het niet.

Het moedeloze gevoel in mijn buik zei me dat het tijd was om te gaan. We draaiden de hoofden van de paarden zo goed mogelijk in de juiste richting, naar het kalere gedeelte van het plateau. Ik wierp Fi een zenuwachtig lachje toe, maar ze was te druk bezig om haar paard in bedwang te houden en sowieso te ver weg om mijn gezichtsuitdrukking te kunnen zien. Ik probeerde te berekenen hoeveel tijd we nog hadden voordat we de soldaten hadden ingehaald: waarschijnlijk anderhalve minuut of zo, twee minuten op z'n hoogst. Het hing ervan af hoe snel de paarden waren, hoe traag ze waren geworden van maanden mals gras en weinig lichaamsbeweging, hoe weigerachtig ze zouden zijn om 's nachts door het bos te galopperen. Maar aan de andere kant waren ze helemaal opgeladen en stonden te trappelen. Het was van levensbelang dat we de patrouilles in volle galop tegemoet zouden rijden. En dan kwam natuurlijk de grootste test: hoe de paarden zouden reageren als er op hen geschoten werd. Ik wist vagelijk dat politiepaarden gedrild werden door papieren zakken naast hun hoofd te laten knallen, om ze te wennen aan hevige schrik en harde geluiden. Onze paarden maakten de indruk dat ze helemaal gek zouden worden als er een geweer bij ze afging.

Homer keek over zijn schouder naar ons. Ik hoorde dat hij fluisterend 'Klaar?' vroeg.

Ik knikte en zei schor: 'Ja.' Mijn mond en keel waren ineens zo droog dat het leek alsof mijn tong opzwol en mijn hele mond vulde. Ik keek niet naar de anderen, maar ik denk dat ze ook ja hadden gezegd, omdat Homer zich omdraaide en zijn paard in de zij schopte. En weg waren we.

Het was ongelooflijk: het vreemdste gevoel van mijn hele leven, doodeng, maar op een idiote manier ook ontzettend opwindend. Mijn paard schoot opzij toen we vertrokken, ik geloof niet dat hij het leuk vond wat er gebeurde. Toen ik hem weer op het rechte spoor had, waren de anderen me vijf lengtes voor. En ze gingen ook steeds harder. De paarden begrepen algauw wat de bedoeling was. Misschien hadden ze er al lang naar gesnakt om eens lekker voluit te gaan. Hoe dan ook, ik was verbijsterd over hun snelheid. Binnen een paar seconden draafden we door de nacht, het zweet koelde al af op mijn gezicht, de brede lijven van de andere paarden voor me uit, met vliegende staarten, hun drie berijders ineengedoken op hun rug, met hun hoofd naar beneden, die zich net als ik vastklampten alsof hun leven ervan afhing. Het was echt onwezenlijk, en wat er vooral zo onwezenlijk aan was, was de stilte. Behalve het snelle geklop van de hoeven en het hevige gehijg van de paarden hoorde je helemaal niets.

De eerste tweehonderd meter waren we op open terrein. Het grootste gevaar daar waren konijnenholen. Terwijl ik de anderen probeerde in te halen, stuurde ik mijn paard een beetje naar rechts. Al snel zou het beeld opdoemen dat ik niet wilde, maar dat ik vroeg of laat wel móést zien: het stikdonkere stuk bos met alleen maar schaduwen. Ik had het gevoel dat we lemmingen waren die naar de rand van de afgrond renden. Er was geen afgrond, hoopte ik, maar wel wachtten ons dood en vernietiging. Het was een dwaze gedachte dat we in volle vaart dat pikkedonker in zouden kunnen rijden, en daar levend uit zouden komen. Dit was zelfmoord.

Plotseling was het er. Ik haalde diep adem toen we erin stormden. Het leek op een rit die ik een keer in Wild World, een pretpark, had gemaakt, in de zogenaamde Supper Chiller. Toen had ik ook diep ademgehaald. We waren op het topje van een loodrechte helling en het wagentje waar we in zaten zou bijna zeker steil naar beneden vallen en in duizenden stukjes uiteenslaan.

In dit bos verwachtte ik dat we tegen dikke bomen en rotsen en struiken te pletter zouden slaan en in duizenden stukjes uiteenvallen.

De paarden schudden wild met hun hoofden, maar ze minderden geen vaart. Paarden kunnen soms behoorlijk wild zijn. Ik weet nog dat er in Wirrawee crosscountrywedstrijden werden gehouden, die georganiseerd werden door de middelbare school. Ik deed niet mee, maar ik meldde me als scheidsrechter, zodat ik niet naar school hoefde. Ik werd bij een hek gepost bij het land van de familie Murdoch, om ervoor te zorgen dat de deelnemers de afslag niet misten. Bij de boerderij van de Murdochs hadden ze omheinde ruimten voor het vee en daar stond een jong veulen in dat ze net hadden gekocht. Naarmate er steeds meer hardlopers langskwamen, werd het dier steeds nerveuzer. Het begon heen en weer te galopperen, steeds sneller, steeds wilder. Algauw stormde het in volle galop naar de omheining, maar stopte net op tijd. Het veulentje was zo opgefokt dat ik me zorgen ging maken. Ik rende naar de boerderij om de familie te waarschuwen, maar toen ik nog vijftig meter van het hek was, rende het veulen met volle kracht tegen de omheining. Het vergat gewoon te stoppen, denk ik. Het was al dood toen ik bij hem kwam. Gebroken nek. Dat vergeet ik nooit meer. Het was een prachtig paard. De oude Tammie Murdoch was er kapot van. Ze heeft nooit meer hardlopers op haar terrein toegelaten, hoewel het natuurlijk hun schuld niet was.

Maar goed, het paard waar ik op reed ging ook niet langzamer lopen. Het ging met volle kracht vooruit. De rit was nu niet meer opwindend, maar werd een absolute nachtmerrie. Ik ging plat tegen zijn nek liggen, maar probeerde tegelijkertijd mijn voorhoofd omhoog te houden, om nog een beetje te kunnen zien waar we tegenaan zouden botsen. Ik wilde het eerst zien, voordat ik ertegen tot moes werd geslagen. Het maakte allemaal een hels kabaal. Links van me hoorde ik alleen maar gekraak en geraas terwijl de andere drie door het struikgewas denderden. Zo te horen gingen ze nog even hard. Ik gilde toen er een lage tak over me heen zwiepte, die me op een centimeter na miste. Tegelijkertijd maakte het paard een enorme slinger, zodat ik er bijna afviel. Toen de stam van een jong boompje langs mijn voet scheerde, was ik blij dat hij die slinger had gemaakt.

Ik keek weer even vooruit en deze keer gilde ik het uit. Ik voelde me volkomen machteloos. Ik wist zeker dat mijn laatste uur geslagen had. Een paar meter voor me stond een groepje eucalyptusbomen, middelhoog, dicht bij elkaar, voorzover ik dat in het donker kon zien. Ik kon alleen maar mijn hoofd buigen, het in de manen van het paard begraven en wachten op de klap.

Die klap kwam ook. Een lage tak, stevig en hard, kwam tegen mijn schouderbladen en daarna nog een keer tegen mijn billen. Nog nooit ben ik zo hard geslagen.

Ik klampte me vast. Het paard blies en stoomde. Ik werd gegeseld door takken. Maar toch gaf ik het paard een trap in zijn ribben om het aan te sporen. Ik wist dat we niet mochten stoppen. De pijn in mijn lijf was verschrikkelijk, alsof ik op mijn rug was geslagen met een telegraafpaal, maar ik besefte dat de pijn van een kogel erger zou zijn. Daarna werd ik geranseld door bladeren en lichte takken. We draafden door een ander, dunner groepje bomen. Ik had het gevoel dat mijn haar van mijn schedel werd getrokken. Ik wilde er ter plekke de brui aan geven en het paard laten stoppen, maar ik wist dat het dier dat nu niet meer kon. Het was op hol geslagen en zou pas stoppen als het erbij neerviel. Ik hijgde van pijn en angst. Ik hoorde de anderen niet meer. Ik had geen idee hoe het met hen ging.

Toen veranderde de situatie. Ik voelde het, niet zozeer aan het feit dat de bladeren me niet meer afranselden, maar omdat de lucht anders aanvoelde. Het was koeler. Er was meer van. Ik durfde weer even op te kijken. Links meende ik Homer of Kevin iets te horen roepen. Maar dat moest ik juist niet hebben. Hier was meer licht en meer ruimte, en dus zag ik precies wat zij ook hadden gezien.

Het waren drie soldaten. Ze reageerden snel. Te snel. Ze hadden ons natuurlijk horen aankomen. Waarschijnlijk wisten ze niet precies wat er aan de hand was, maar door het geraas van de paarden stonden ze op scherp. Twee van hen knielden neer en legden aan. De derde wilde zeker liever blijven staan, maar ook zij had haar geweer bijna in de aanslag.

Weer schopte ik het paard wanhopig in zijn ribben. Het schoot naar voren. Het was een goed paard. Snel. Met een beetje training zou het helemaal goed zijn geweest. Ik denk dat het wel iets van een volbloed in zich had. Arme, mooie vos. Hij had pech dat hij mij die nacht was tegengekomen.

Ik hoorde de schoten niet eens. Het was anders dan de andere keren. Eén schot zag ik, tenminste, ik zag een vuurflits opschieten van de soldaat die bijna recht voor me was, iets naar rechts. Ik weet niet hoeveel schoten hij afvuurde. Maar ik weet wél dat ik het paard recht op hem af stuurde en hem omver reed.

Ik probeer er niet dramatisch over te doen. Soms voel ik dat ik mijn buik vol heb van emoties en dan sluit ik mezelf af en probeer helemaal niets te voelen. Ik weet niet of het werkt, ik weet niet of het goed voor me is (Andrea vindt vast van niet), maar dat is het enige wat ik kan doen, dat weet ik zeker.

Dus ik reed over die man heen. Het paard steigerde even toen we op hem afreden, maar het aarzelde niet echt. Het ging toch al veel te snel om nog te kunnen stoppen of uit te wijken. De man bewoog nauwelijks. Hij probeerde nog een schot af te vuren. Op een bepaalde manier deed hij precies wat hij moest doen, vanuit hem gezien dan. Als hij dat laatste schot had kunnen afvuren, wist hij zeker dat hij het paard zou raken. En dat deed hij ook, al besefte ik het niet op dat moment. Maar wat de man misschien niet besefte, was dat het paard zo hard rende dat niets het kon tegenhouden. Het zou net zoiets zijn als dat je een vrachtwagen van vijfentwintig ton zou willen tegenhouden waarvan de remkabel stuk is. Voorzover ik weet was het paard misschien al dood voordat het de man raakte. Ik denk eigenlijk van wel. Het sprongetje dat het maakte vlak voordat het tegen hem aan denderde, was waarschijnlijk het moment waarop het doodging.

Ik sloot mijn ogen en schreeuwde toen we over de soldaat heen reden. Godzijdank zag ik zijn gezicht niet. Daarna had ik andere zorgen aan mijn hoofd toen het paard door zijn knieën zakte. Wat ging dat dier hard neer! Het sloeg met een angstaanjagende klap tegen de grond. Toen het neerging, besefte ik nog steeds niet dat het dood was. Ik dacht dat het alleen maar gestruikeld was en viel. Maar tegelijkertijd was ik aan het bedenken waar ik me moest laten vallen om niet verpletterd te worden. Want toen het dier tegen de grond kletterde, begon het te rollen. Toen pas drong het tot me door dat het dood moest zijn. Er kwam iets ongelooflijk levenloos over hem. Plotseling was het niet meer dan een enorm dood gewicht. Maar ik had geen tijd om daar lang bij stil te staan. Hij rolde naar rechts en ik wierp me naar links. Ik hoefde in ieder geval niet bang te zijn dat ik verstrikt zou raken in stijgbeugels. Dat was het voordeel als je zonder tuig reed.

Door de val werd de lucht uit mijn longen gestoten. Ik bleef met pijn in mijn maag en happend naar adem liggen, terwijl ik fluitende geluidjes maakte. Een eind links van me hoorde ik geweerschoten, wat betekende dat er in ieder geval nog één soldaat in actie was. Toen ik weer wat op adem was gekomen, een beetje maar, ging ik op handen en voeten staan. Mijn rug en mijn billen deden ook zeer. Maar dat negeerde ik en ik ging op mijn knieën zitten. Ik keek naar links. De enige levende persoon die ik zag was Fi, die haar paard omdraaide. Ik kon niet bedenken hoe ze daar gekomen was. Ze stond met haar rug naar me toe en probeerde haar paard te laten keren, maar ze kon me niet zien. Misschien had het paard geweigerd of zoiets toen het de soldaten zag.

Ik denk niet dat iemand anders dat paard in bedwang had kunnen houden. Het dier gedroeg zich behoorlijk wild. Maar Fi kreeg het onder controle, zonder tuig. Ze kwamen in galop op me af. Ik besefte dat ze minder dan tien meter langs de plek zouden komen waar ik knielde.

Nooit eerder had ik Fi om hulp gevraagd. Niet op die manier. Niet zo'n wanhopige kreet om hulp waarmee ik zei: Ik wil dat je je leven voor me waagt. Zoiets had ik nog nooit van haar gevraagd. Maar ik was te veel in paniek om iets anders te verzinnen. Ik hoorde nog steeds om de paar seconden geweren afgaan, al denk ik niet dat ze op Fi gericht waren. Homer en Kevin waren nergens te bekennen. Maar op dat moment kon ik alleen maar aan mezelf denken. Ik wilde niet op mijn knieën achterblijven in dit onbekende stukje bos en dan doodgaan. Ik wilde niet alleen sterven. Zo moedig als Robyn was ik niet.

Dus ik riep zo hard ik kon: 'Fi! Fi! Help me, alsjeblieft!'

Toen ik het zei, voelde ik me meteen schuldig. Ik wist dat ik Fi aan een enorm gevaar blootstelde. Maar ik dank God dat ze me hoorde. Mijn paard was van een helling gegleden en lag achter een gevallen boomstam, dus ik denk niet dat ze het zag.

Maar mij hoorde ze wel. Ze keerde haar paard zo goed mogelijk om en dwong het vaart te minderen, wat niet makkelijk was. Ik wankelde naar de plek waar ze het paard langzamer liet lopen en het probeerde over te halen om helemaal stil te staan. Ik zocht naar een stronk vanwaar ik op het paard kon klimmen. Op dat moment voelde ik, eerder dan ik het zag, dat er iets bewoog rechts van me, bijna achter me. Ik draaide me om en in het schemerige licht zag ik vaag een soldaat. Ik dacht dat het schieten zojuist was opgehouden, maar ik had het niet echt bewust gemerkt. Maar zodra ik die man zag, schoot het door me heen: ja, wat raar, het schieten is net opgehouden en deze kerel is sowieso te dichtbij, dus hij kan het niet geweest zijn.

De soldaat was er beroerd aan toe. Hij liep een beetje als ik, wankelend op zijn benen, alleen had hij een geweer en ik niet. Met moeite hees hij het geweer op zijn schouder, zodat ik me in het vage deel van mijn hersens dat nog wel werkte, realiseerde dat hij gewond was en niet goed functioneerde. Maar je hoeft natuurlijk ook niet zo erg goed te functioneren als je een geweer hebt. Hij had zijn ogen op Fi gericht en als hij haar had gepakt, zou ik wel aan de beurt zijn, dacht ik. Ik besefte in wat voor groot gevaar ik Fi had gebracht. Ik kon niets doen. De man was te ver van me vandaan. Fi stond nu met haar rug naar hem toe, dus zij kon ook niets doen. Ze stond op het punt om van achteren doodgeschoten te worden. Die vent zou beslist raak schieten: wat voor verwondingen hij ook had, zo'n makkelijk doelwit was niet te missen.

Ik schreeuwde naar Fi, hoewel het zinloos was, maar net als met zo veel andere dingen die je instinctief doet, hoeft het geen zin te hebben. Ze gilde alleen maar tegen me: 'Opschieten, opschieten!' Ze had besloten dat het geen zin had om nerveus te worden over wat er achter haar gebeurde. Dat was dapper. Ik kreeg daardoor een peut om in actie te komen, ook al wist ik zeker dat we allebei het loodje zouden leggen. Het leek beter om dood te gaan terwijl je iets deed dan het bijltje erbij neer te gooien. Dus ik wankelde naar de boomstronk, terwijl ik naar de soldaat keek en op een idiote manier mijn handen naar hem uitstrekte, alsof die de kogels konden tegenhouden.

En toen zag ik Homer.

Die stomme Homer, dat ik aan hem mijn leven te danken heb! Maar het is wel zo. Hij is niet de beste ruiter van de wereld, maar hij is niet slecht en op de een of andere manier had hij zijn paard onder controle. Hij reed van achteren op die kerel in, met een rotvaart. De soldaat hoorde hem pas op het laatst en wilde zich omdraaien. Hij was al een keer geraakt en zodra hij Homer hoorde, moest hij beseft hebben dat het hopeloos was, omdat hij niet eens probéérde om zijn geweer te pakken, maar het gewoon weggooide. En meteen daarna werd hij vertrapt onder de hoeven van het paard. Het is een angstaanjagend gezicht, een vreselijk gezicht. Een paard dat vijftig kilometer per uur loopt, zo'n kolos, met zulke keiharde hoeven… Ik geloof dat die kerel een hoef in zijn gezicht kreeg en ik denk wel dat hij op slag dood was, maar dat weet ik niet zeker. We verspilden geen tijd om dat uit te zoeken.

Homers paard struikelde en ik bleef staan en dwong het overeind te komen, doodsbang dat het nog een keer zou vallen. Maar het vond zijn evenwicht terug. Het helde een beetje opzij en deed een paar wankele stappen, maar toen ging het weer. Homer stuurde het de kant op die we wilden gaan, in de richting van Wirrawee. Ik bleef niet meer staan toekijken. Ik rende naar de boomstronk en klom ontzettend klunzig op het paard achter Fi. Het was moeilijk omdat we onze bepakking nog op hadden, en ik moest me dan ook aan Fi's bepakking vasthouden en verder naar achteren zitten dan ik normaal zou doen.

Fi wachtte niet al te lang tot ik goed zat. Ze keerde het paard en plotseling schoten we vooruit. Het was nu precies andersom, want nu wilden we niet dat de paarden in volle galop gingen, maar ze waren veel te opgewonden en wilden nog steeds als een gek galopperen. Zoals ik al zei kunnen ze behoorlijk gestoord zijn, paarden. Ze zijn niet zo verstandig als schapen.

We reden achter Homer aan, die achter Kevin aan reed, hoopten we, en na een tijdje kalmeerden de paarden wat, vooral omdat ze doodop waren van al dat idiote gedraaf, denk ik. Voordat ze kalmeerden beleefden we nog een paar hachelijke momenten, waarbij we takken moesten ontwijken en ons in allerlei bochten wringen om boomstammen te vermijden. Maar eindelijk kwamen we bij een hek en toen we zo ver mogelijk naar links keken, zagen we nog net een opening, en bij die opening stond Kevin op ons te wachten.

12

De paarden hijgden en waren erg van streek. Ze hadden ontzettend op hun lazer gehad. Het paard van Kevin hinkte en dat van Homer had twee ontvelde benen, waar het bloed langs omlaag druppelde en het had een akelige scheurwond in zijn flank. Die moest eigenlijk gehecht worden, maar de kans dat we een dierenarts zouden kunnen vinden voor dat arme dier was even groot als dat we bij McDonald's zouden kunnen ontbijten.

We besloten ze achter te laten. We waren nu heel dicht bij Wirrawee en we konden het niet riskeren om zo veel lawaai te maken. Ik vond het vervelend om de dieren in zo'n toestand achter te laten, maar misschien werden ze verzorgd door hun nieuwe bazen, als die hen 's ochtends vonden. Ze hadden wel pech dat ze ons waren tegengekomen, vannacht. Niet alleen hadden ze er genadeloos van langs gehad, maar ze hadden ook nog een vriend verloren.

Dat vond ik rot voor ze, dat ze een vriend hadden verloren.

Maar we lieten hen daar achter met z'n drieën, op een kluitje, geschokt, in de steek gelaten, met pijn. Hun hoofden waren gebogen. Ik zou het heel goed kunnen begrijpen als ze hierna geen mens meer vertrouwden. Ik gaf Fi's paard een dankbaar klopje op zijn neus, maar ik geloof niet dat het hem veel deed.

We liepen zo snel als we konden naar Wirrawee. We waren zelf ook behoorlijk van streek en hadden overal pijn, maar er was geen tijd om daarbij stil te staan. Toen we nog maar vijfhonderd meter hadden gelopen, hoorden we onwelkome geluiden achter ons. Eerst een geweerschot, toen een fluitje, of misschien twee fluitjes, hard, doordringend en lang. Terwijl we snel doorliepen, hielden we onze oren gespitst op nog andere geluiden. Die waren er niet. Maar we wisten dat de jacht geopend was, en hoe!

Hoewel we volkomen uitgeput waren, gingen we nog sneller lopen, waarbij we zo vaak mogelijk een stukje renden. Ik probeerde uit te knobbelen waar we Wirrawee binnen zouden komen. Ergens in de buurt van Coachman's Lane, dacht ik. Ik vroeg het niet aan de anderen. Ik durfde niet te praten, deels omdat het te gevaarlijk was, maar ook omdat ze allemaal zo kwetsbaar waren. Hun gevoelens waren zó van hun gezicht af te lezen. Ze zagen er allemaal hetzelfde uit: starende blik, die nergens op gericht was, trillende lippen, diepe fronsen. We zagen er niet echt florissant uit.

Sneller en sneller gingen we. Het was geen gewoon lopen meer, maar half snelwandelen, half rennen. Er klonk nog een fluitje achter ons, maar nu dichterbij, dus wij ervandoor. We maakten de meeste kans door zo snel mogelijk Wirrawee te bereiken, want als we lang achterna werden gezeten in het bos, zouden we het tegen hen afleggen. We hadden geen energie, geen snelheid, geen puf meer. Eenmaal in Wirrawee zouden we hun misschien te slim af kunnen zijn.

Toen Wirrawee in zicht kwam, handelden we grotendeels automatisch. Ik had het bijna goed wat de straat betreft: het was een wijk vlak bij Coachman's Lane met veel kronkelstraatjes met namen als Sunrise Crescent. Ik weet niet hoe de straat heette waar we terechtkwamen. We kwamen het lage kreupelhout uit bij een paar huizen die onlangs gebouwd waren op grote stukken grond van een hectare of groter. Er was haast geen beschutting. De huizen waren zo nieuw dat de bomen die de eigenaren hadden geplant niet boven mij uitkwamen. Het leek één grote grasvlakte, en verder niets. Vroeger, in vredestijd, zag je de eigenaren op hun zitmaaiertjes rondjes rijden om hun huis.

Maar we hadden nu natuurlijk niets aan al dat gras.

We verspreidden ons, klommen een voor een over het eerste hek en begonnen voorzichtig over het terrein te lopen. Het was een crèmekleurig stenen huis, best groot, met een grindoprit en een schommel in de achtertuin. Er brandde geen licht en omdat het aan de rand van de stad stond, waren er gelukkig geen straatlantaarns. Maar achter ons klonk weer een keihard gefluit en op hetzelfde moment zagen we in de straat koplampen naar ons toekomen. Het konden twee auto's zijn, maar ook drie.

'Wegwezen,' zei Homer.

Ik moest er weer aan denken dat Lee had gezegd dat dit de meest gebruikte zin was in films. Plotseling verlangde ik hevig naar Lee, ik wilde hem zien, hem aanraken, zijn hand vasthouden. Ooit zou ik mijn gevoelens voor hem op een rijtje zetten, maar niet nu, nu ik het bos uit rende in de vroege ochtend, met soldaten uit twee richtingen achter ons aan, zodat we snel afgesneden zouden worden.

We renden een andere kant op, naar het oosten. Eerst dacht ik dat Homer dat lukraak deed, maar toen besefte ik dat hij van de grote wegen af ging, zodat alle achtervolgers ons alleen te voet konden opjagen. Dat hielp een beetje, maar niet veel, omdat we zo moe waren dat we weinig energie over hadden om ons te laten opjagen. Het was een erg warme nacht en het zweet droop in straaltjes van ons af. Tot overmaat van ramp gingen we nu heuvelopwaarts, wat echt ontzettend zwaar was.

Wonderlijk genoeg hadden we allemaal nog onze bepakking, maar daar gingen we, zoals altijd, langzamer door. Maar goed, die soldaten moesten hun geweer dragen, de stakkers.

We ploeterden door tot we bij een uitloper waren en sjouwden naar een heuveltje. Plotseling wist ik waar we waren. Een uitkijkpost in Wirrawee slaat eigenlijk nergens op, omdat er niet veel uit te kijken valt. Maar de Rotary Club had er jaren geleden eentje gebouwd. We kwamen nu bij de achterkant van de uitkijkpost. Ik was er ooit een keer geweest, maar ik kon me er niet veel meer van herinneren. Er liep een grindweg heen en er was een *cairn*, een kegelvormige steenhoop van zwarte, aan elkaar gemetselde keien met een plaquette bovenop. Als toeristenattractie stelde het niets voor.

Het duurde nog vijf minuten voordat we er waren, ook al was het niet ver. We gingen zo langzaam dat we net zo goed pas op de plaats hadden kunnen maken. De uitkijkpost was niet anders dan ik dacht: de cairn, een paar picknicktafels en een gasbarbecue. Verder niets, voorzover ik dat in het maanlicht kon zien.

We waren afgepeigerd. Als we geweren hadden gehad, waren we daar ter plekke blijven staan en hadden een regen van kogels afgevuurd op de achtervolgers zodra ze de heuvel op kwamen. Het was er een goede plek voor, omdat we daar beschutting hadden gehad en zij niet. We hadden ze daar kunnen neerschieten en daarna in het bos verdwijnen.

Maar zo zou het niet gaan. We waren niet gewapend. Toch moesten we actie ondernemen. Het was duidelijk dat we niet veel verder meer konden. We hadden de grens van ons uithoudingsvermogen bereikt. Ik keek naar de anderen en zij keken naar mij. Ze zagen er verschrikkelijk uit: verwilderd, angstig, uitgeput. Ik wist waar ze naar verlangden: nog zo'n idee als dat van de paarden. Heel even was ik zwaar geïrriteerd: waarom wachtten ze tot ik iets bedacht? Konden ze zelf dan niks bedenken?

Maar tot mijn verbazing kwam ik toen met een idee. Het kwam door een combinatie van dingen: het woord 'afgevuurd' dat nog in mijn hoofd zat van toen ik bedacht dat we een regen van kogels zouden afvuren op de vijand, de herinnering aan de officier die met zijn sigaret speelde toen ik in die boom verstopt zat, de herinneringen aan al die waarschuwingen die ik als kind had gekregen over lucifers en brand.

Normaal gesproken was het lastig om 's nachts in nat gras een vuur te maken, maar het was een warme, droge nacht en er stak een felle wind op. Er waaide ook een warme, droge wind over de heuvel. Als iemand nog de brandwaarschuwing bediende op de weg naar de stad, zou die nu op 'gevaar' staan. Niet op 'extreem gevaar', maar hoog genoeg als je bedacht dat het nog vroeg in het seizoen was.

We hadden natuurlijk allemaal lucifers bij ons. Dat was gewoon een van de dingen die je inpakte, ook al maakten we nu niet zo veel vuurtjes om op te koken. Toen de anderen zagen dat ik het doosje uit een zijvakje haalde, begrepen ze al snel wat de bedoeling was. Ik hurkte neer, deed mijn hand om de lucifer en streek hem af. Op deze hoge plek, waar de regen meteen naar beneden liep, knisperde het gras van dorheid. Het kostte me vier lucifers om het aan te steken, maar toen het eenmaal vlam vatte, mijn god, toen brandde het als een tierelier. De vlammen laaiden meteen zo hoog op dat ik een stap achteruit moest doen om niet mijn wenkbrauwen te verschroeien. Ik keek naar de anderen. Kevin had al een mooie fik gemaakt. Homer wapperde tegen een vlammetje dat ongeveer zo groot was als het luciferdoosje en Fi was nog driftig in haar bepakking naar haar lucifers aan het zoeken.

Maar het vuur dat ik had aangestoken begon al te razen. Ik voelde me schuldig toen ik ernaar keek, omdat ik eraan moest denken wat mijn vader nu tegen me zou zeggen. Hij zou het natuurlijk wel begrijpen, maar het voelde echt heel raar om dit te doen. De vlammen schoten snel heen en weer, als muizen die in de machineschuur alle kanten op rennen als je binnenkomt.

Ik deed een pas naar voren, door de vlammen heen, en tuurde over de heuvel naar beneden. Er schemerde wat grijs licht in de lucht en ik zag vaag een paar soldaten. Ik schrok me dood dat ze zo dichtbij waren. Ze waren onder aan de heuvel en kwamen snel naar boven. Zwarte stipjes als vlooien op een hondenbuik. Ze wisten waarschijnlijk dat we niet gewapend waren. Ze namen niet eens de moeite om omhoog te kijken. Ze waren vastbesloten. Ik wist dat we het niet zouden overleven als we gepakt werden. Ik dacht dat het er dik in zat dat ze ons ter plekke zouden doodschieten, na wat we die soldaten in het bos hadden aangedaan. Terwijl ik naar hen keek, klopte mijn hart in mijn keel uit angst dat een van hen me zou zien. Mij of het vuur, of allebei. Toen een van de soldaten opkeek, schreeuwde hij iets tegen zijn kameraden. Ik kon het niet verstaan, maar ik zag hem wijzen. Hij wees recht op mij, dat wist ik zeker. Ze bleven opeens stokstijf staan. Achter me schreeuwde Homer: 'Ga terug, Ellen!' Toen ik me omdraaide, begreep ik waarom. De vlammen laaiden bijna overal middelhoog op en ze verspreidden enorm veel hitte. De wind werd steeds sterker. Met enige moeite vond ik een opening tussen de vlammen om terug te komen. Toen ik dat deed, rende ik langs de heuvel om te zien wat de soldaten deden. Ik hoorde iemand achter me en ik keek om. Het was Fi. Ze zei niets, ze grijnsde alleen met haar beroete, bezwete gezicht. We bleven naast een grote, oude eucalyptusboom staan. 'Daar zijn ze,' zei ik, wijzend.

Ze waren nog een meter of vijftig doorgelopen, maar toen stopten ze weer. Ik begreep heel goed waarom. De brand was inmiddels in een vuurzee veranderd, die langs de heuvel omlaag woedde. Ik denk dat ze niet zo goed wisten wat een bosbrand kan aanrichten, maar ik wist dat maar al te goed. Ik wist niet veel, maar dát wist ik wel. Een brand met de wind mee, in droog gras of struikgewas, gaat zo snel als een oplegger op volle snelheid. Hij raast als een Santa Gertrudis-stier met een schot hagel uit een windbuks in zijn achterste, als een kudde koeien in een tijd van droogte, als ze je zien binnenrijden met een lading hooi achter op de wagen. Er is niets griezeliger dan dat. Op een vreemde manier ook opwindend, maar in ieder geval angstaanjagend.

Plotseling ging het loos. Er was een hevige windvlaag, de vlammen antwoordden met een gebrul en werden in één klap twee keer zo hoog. De soldaten op de heuvel gingen een paar passen achteruit. Ik dacht: jullie zullen wat sneller moeten lopen als jullie hier levend uit willen komen. Voor het eerst besefte ik dat ze misschien wel vast konden komen te zitten. Dat ze in de komende vijf of tien minuten konden sterven. En levend verbranden is wel heel erg gruwelijk. Ik had nachtmerries dat ik in de vlammen omkwam. Ik heb altijd gedacht dat dat de ergste manier was om dood te gaan.

Ik wilde helemaal niet dat ze zouden verbranden. Ik wilde alleen maar een muur tussen ons en hen optrekken.

Dus ik deed iets ontzettend stoms. Echt heel raar. Ik stapte uit de schaduw van de boom en zwaaide naar hen. Niet zo van: Hé, jongens, hoe gaat ie daar? maar meer van: Wegwezen, en snel ook! Fi was geschokt. Ik hoorde haar zeggen: 'Wat doe jij nou, Ellen?' maar toen drong het blijkbaar tot haar door, want ze vroeg verder niets. Na een paar minuten kwam ze ook te voorschijn en begon ook te zwaaien, al geloof ik niet dat ze dat van harte deed.

De soldaten waren in de war. Ze kwamen samen op het heuveltje. Toen ze mij zo wild zagen zwaaien, richtte een van hen zelfs zijn geweer op me, maar toen zei iemand iets, geloof ik, want hij deed het meteen weer omlaag en toen draaiden ze zich allemaal om en renden terug naar beneden. Ook toen dacht ik niet dat ze het zouden halen. Vuur kan iemand te snel af zijn, met gemak. En dit vuur ging als een gek. Hete rookwolken schoten fel de lucht in, zwarte, grijze, witte. Takjes, bladeren, schors gingen erin mee. Recht beneden ons stond een boom plotseling in lichterlaaie. Aan de voet van de heuvel, vijftig meter onder het vuur, veranderde de kruin van een andere boom ook ineens in een vuurbol. Toen ik dat zag, besefte ik dat deze brand echt groot werd. Als een brand eenmaal op dreef is, is hij niet meer te stuiten. Ik begon me zorgen te maken over Wirrawee. Als we de hele stad platbrandden, zouden ze ons dat niet in dank afnemen. Met Fi achter me aan rende ik naar de uitkijkpost terug. Door de rook kon je Wirrawee bijna niet zien, maar kennelijk was er nog geen reactie. De stad sliep door. Over een paar minuten zou er wel iets gebeuren, dacht ik, nu de stad dreigde overvallen te worden door een gigantische bosbrand. Als ze de brandweerwagens maar paraat hadden, was er verder niets aan de hand. Aan de rand van de stad kon een bosbrand niet veel aanrichten – daar was een natuurlijke brandlaan – en er zat waarschijnlijk nog genoeg water in het reservoir, omdat de winter nog maar net voorbij was.

Homer en Kevin kwamen naar ons toe. Er lag een brede grijns op hun gezicht. Ik heb altijd al gedacht dat alle jongens in hun hart pyromanen zijn. Ze zijn gek op fikkies stoken.

Maar Fi en ik hadden ook lol gehad toen we vorige zomer de brug van Wirrawee in de hens hadden gezet, dat is waar.

'Wat vind je?' zei Kevin. 'Zullen we ze een beetje gaan stangen?'

'Waar moeten we dan heen, volgens jou?' vroeg ik.

Homer kwam ertussen. 'De stad in,' zei hij, tot mijn verbazing.

'De stad in?'

'Ja. En ik zal je zeggen waarom. Omdat dat het laatste is wat ze verwachten. En ook omdat we Lee en de Nieuw-Zeelanders nog steeds niet hebben gevonden, en als jullie nog een beetje geheugen over hebben, zullen jullie je herinneren dat dat de voornaamste reden was dat we uit de Hel zijn weggegaan.'

Daar had ik niet van terug.

'Hoe dan?' vroeg Fi, waarmee ze bedoelde via welke kant we Wirrawee moesten binnenkomen.

'Over de weg,' zei Homer. 'Dan steken we het rugbyveld over en gaan we op tussen de huizen van Honey Street.'

We hoorden loeiende sirenes in de verte. Ergens had ik dat niet verwacht. Sirenes op brandweerauto's leken bij het goede, oude leven te horen, maar niet bij deze nieuwe wereld. Maar door de sirenes beseften we dat we maar beter snel konden wegwezen, voordat ons eigen hachje in gevaar kwam. Als de hele stad op de been was, hadden ze ook de manschappen om weer achter ons aan te gaan.

We renden half gebukt over de zandweg, met een grote ruimte tussen elk persoon. Dat soort dingen deden we zonder overleg. Het waren gewoon vanzelfsprekende elementaire dingen die we deden om te overleven.

Bij het rugbyveld sloegen de anderen rechtsaf, over het

witte hekje, en liepen een voor een voor langs de tribune. Ik kon me niet bedwingen en bleef even staan om naar de brand te kijken. Het was ongelooflijk. De heuvel stond van onder tot boven in brand. Het gebrul van de vlammen was oorverdovend. Het klonk als een orkaan. De huizen aan de overkant van de straat hadden een rode gloed, alsof de zon onderging. Door het rode licht en het lawaai kwamen de mensen hun huizen uit. Zodra ik dat zag, rende ik naar de anderen om hen te waarschuwen. Ik had gedacht dat iedereen zo afgeleid zou zijn door de brand, dat we konden gaan en staan waar we wilden. Maar het zou juist heel link zijn op straat, omdat iedereen buiten was.

Weer overlegden we snel. Die gesprekken leken steeds sneller te gaan, misschien omdat we nu zo aan elkaar gewend waren, zo op één lijn zaten, dat we meestal meteen wisten wat de ander dacht. We besloten snel om naar de andere kant van het rugbyterrein te gaan, waar we een eind van de huizen vandaan konden blijven.

Voorzichtig liepen we erheen. Het was een hachelijke onderneming, die heel lang duurde. We moesten schuren en bomen als beschutting gebruiken en een paar keer moesten we helemaal terug naar het hek. Toen we eindelijk aan de overkant waren, konden we kiezen. Er was een gebouwtje met toiletten, er was een afgesloten opslagschuur en achter de gebouwen, voorbij het hek, was struikgewas.

We kozen voor de toiletten. Het had iets aangenaams om weer in een gebouw te zijn, ook al was het voor toiletten bestemd. De jongens wilden natuurlijk met alle geweld dat we in het mannentoilet gingen zitten. Ik heb geen idee waarom het zo belangrijk voor ze was, maar goed.

Misschien dachten ze dat het in de 'dames' te meisjesachtig was. Ze moesten eens weten. Er was niets meisjesachtigs aan de spreuken die op de muren bij ons waren geschreven.

Maar zodra we binnen waren, voelde ik me meteen niet meer op mijn gemak. Na nog een halfuurtje was ik helemaal claustrofobisch. We zaten als ratten in de val als we hier bleven. Als er soldaten kwamen, was er geen ontsnapping mogelijk. En dat beviel me niks.

Ik zei tegen de anderen: 'We gaan.'

Ze spraken me niet tegen. Ik denk dat ze hetzelfde voelden. We gingen behoedzaam naar buiten, voor het geval iemand keek, maar zo te zien was er niemand. Iedereen zou wel helpen blussen of hun eigen huis helpen redden.

Oeps. Als ik 'hun eigen huis' zeg, heb ik het over de huizen die ze van ons hebben afgepikt.

Eén ding beseften we algauw: ze hadden de brand absoluut niet onder controle. De lucht zag zwart van de rook en asdeeltjes zweefden voorbij. Zodra we buiten waren, begon Fi te hoesten. In de verte zagen we zo nu en dan vlammen oplaaien. Ik liep stilletjes naar de weg en zag dat een man zijn huis – het huis dat hij had gestolen – met een tuinslang besproeide, maar de druk in zijn slang was natuurlijk heel laag. Een paar kinderen stonden op straat naar de brand te kijken. Verder zag ik niemand. Ik maakte me wel zorgen om wat we hadden gedaan, maar ik dacht nog steeds dat ze de stad zouden kunnen redden. Ik liep naar de anderen terug en vertelde wat ik had gezien. We wisten echt niet wat we moesten doen. Als we verder gingen, liepen we het risico dat we gepakt werden. Als we niet verder gingen, liepen we ook het risico dat we gepakt werden. Wie weet werden we overvallen door het vuur, als de wind even van richting veranderde.

Uiteindelijk besloten we verder te gaan.

'Als we het niet doen,' zei ik, 'vinden ze ons hier meteen. En als het vuur eenmaal bedwongen is, gaan ze ons zoeken.'

'Ja,' zei Kevin, 'daar kan je donder op zeggen.'

Dus gingen we weer op pad. Op een bepaalde manier denk ik dat dit de gevaarlijkste tocht was tot nu toe. Om door de stad te lopen, terwijl iedereen buiten was en ons bloed wel kon drinken, was ontzettend link. Maar ik was ervan overtuigd dat we geen keus hadden.

De rook hielp een beetje, maar verder niets. We liepen naar de plek die we allemaal goed kenden, een plek waarvan we bijna zeker wisten dat er niemand was: de middelbare school van Wirrawee.

We kwamen er via allerlei rare omwegen. Ongelooflijk, hoe snel het leven in Wirrawee weer z'n normale gang had gekregen. Er waren nu een heleboel mensen. Ik weet niet hoeveel huizen bewoond waren, maar het waren er vreselijk veel. Ik hoopte alleen maar dat de scholen nog niet begonnen waren, maar we zagen niet veel kinderen.

We moesten heel voorzichtig zijn. Elke honderd meter was anders. Bij het ene huis liepen we geruisloos achter langs een hek, bij het volgende kropen we op onze buik door een tuin en in de garage van meneer Pott wachtten we een halfuur op twee kerels die buiten over de brand praatten, dat denk ik tenminste. Soms was het bijna om te lachen, maar het was ook doodeng. Het enige makkelijke stuk was een halve kilometer lopen langs de beekbedding.

Pas om een uur of één in de middag kwamen we bij Sherlock Road.

Het was niet zo moeilijk om op het schoolplein te komen. Er staan maar een paar huizen bij de school. Blijkbaar was er niemand, maar daar mochten we natuurlijk niet van uitgaan. We deden er dan ook heel lang over om er te komen. De brand was nu wel onder controle, voorzover we wisten. Maar aan de ene kant was dat ongunstig: want nu hadden ze weer tijd om ons te gaan zoeken. De school was in ieder geval verlaten. Het leek alsof er al jaren niemand meer was geweest.

We snakten naar rust, maar er was nog één probleem: hoe moesten we het gebouw binnenkomen. Het klinkt simpel, maar we moesten het doen op een manier die niet voor de hand lag. Ik bedoel, het had geen zin om een deur in te trappen, omdat dat opgemerkt zou worden. We gingen naar het vierkante binnenpleintje, waar we ons in ieder geval beter voelden. Het was vanaf de weg niet te zien. De varens waren allemaal dood, heel zielig, en er waaide een heleboel rommel op, maar voor de rest voelden we er ons een beetje veiliger.

Uiteindelijk moesten we wel een raam inslaan. Als er een alarm afging, waren we meteen weg, maar dat gebeurde niet. In vredestijd waren er wel alarms geweest, maar kennelijk werkten ze niet meer.

Toen we eenmaal binnen waren, ruimden we het glas op en daarna vonden we hardboard en plakband, waarmee we het raam dichtmaakten. We hoopten dat een voorbijganger zou denken dat het raam lang geleden kapot was gegaan.

Fi bood aan om de wacht te houden, wat ontzettend lief van haar was. De rest van ons kon eindelijk wat slaap inhalen.

13

We hadden misschien wel het enige gebouw in Wirrawee gevonden dat zo goed als onaangeroerd was gebleven. Een paar dingen in het kantoor waren weggehaald, maar verder was er niets beschadigd. Ik kreeg steeds sterker het gevoel dat er al heel lang niemand was geweest. Dat kwam niet door het stof of door de stilte. Het kwam door de afwezigheid van mensen: als je door de verlaten gangen liep, wist je dat gewoon.

En het kwam ook door hoe het er rook, denk ik, hoewel ik dat toen niet besefte. Iedereen heeft zijn eigen geur. Blinde mensen ruiken blijkbaar wie er in een kamer is geweest. Ik wist dat mijn vader in de wc was geweest aan de lucht die hij achterliet. Adembenemend. Als je die lucht in een flesje stopte en het als zenuwgas zou loslaten, hadden we al na een week de oorlog gewonnen.

Met mijn geweldige inzicht moest ik natuurlijk weer de enige kamer in de hele school uitkiezen waar het niet stil was. En dat terwijl ik zo ontzettend graag wilde slapen. Het was de ziekenboeg, waar twee bedden stonden. Ik ging in het ene liggen en Kevin in het andere. Maar er moet een kier tussen het raam en het kozijn hebben gezeten, want de wind floot en huilde door het gat op een steeds andere toon. Het was een doodgriezelig geluid. Het klonk als verdwaalde monsters die huilen in de nacht en met hun spookachtige stemmen je smeken om gered te worden. Alleen waren ze al dood en huilden ze vanuit hun graf. Op een gegeven moment hield het even op en dan dacht ik: mooi zo, nou kan ik eindelijk slapen, maar juist op dat moment begon het weer. Het werkte ook niet echt mee dat de zwarte rook van de brand langsdreef, zodat de hele omgeving, hoewel het nu minder was, de sfeer had van een tafereel uit de hel.

Dus veel slapen was er niet bij. Maar ik denk dat dat vooral kwam doordat ik zo bang was. Ik vond het heel erg gevaarlijk om bij klaarlichte dag in Wirrawee te proberen in slaap te komen. Ik kon natuurlijk wel honderd gegronde redenen bedenken waarom er niets zou gebeuren. Er was hier al eeuwen niemand meer geweest, ze waren allemaal druk bezig om de brand te blussen, ze dachten vast dat we het bos in waren gegaan…

Goed dan, drie gegronde redenen waarom ons niets zou kunnen gebeuren. En goede redenen ook. Maar niet genoeg. Ik was nog steeds zo gespannen als een veer en staarde door het raam naar de hete, zwarte rook.

Ik kreeg in de gaten dat er nog een reden was waarom ik niet kon slapen. De rit op de paarden door het bos, het overrijden van de soldaten, oog in oog met de dood: dat was allemaal nog maar twaalf uur geleden gebeurd. En dat gold voor alles in deze oorlog: er was geen tijd om te reageren, geen kans om over dingen na te denken, om de logica ervan te zien of ze in een kader te plaatsen.

Als je de zin van de dingen niet inziet, heb je een probleem.

Ik wist natuurlijk wel wat de zin was van de afgelopen nacht: ik wist dat ik die dingen had gedaan, omdat ik in leven wilde blijven. Dat was niet zo moeilijk. Maar ik wilde er meer achter zoeken. Als ik zei dat mijn leven belangrijker was dan dat van een ander, dat het niet erg was als iemand anders doodging en niet ik, moest ik zeker weten dat dat goed was. Het ligt in de aard van de mensen om hun leven kost wat kost te behouden. Niet alleen in de aard van de mensen. In de aard van alles wat leeft, punt. Ik heb gezien wat een in de val geraakte kangoeroe honden kan aandoen als ze te dichtbij komen. Maar als God me een verstand, een geweten en een fantasie had gegeven waarmee ik me in iemand anders kon inleven, dan wilde hij toch zeker dat ik ze ook gebruikte? Dat ik niet alleen dingen deed zonder erover na te denken wat ze betekenden? Ik ben geen kangoeroe.

Dus ik dacht erover na – en dat doe ik nog steeds – of het wel goed was.

Wat God me ook had geschonken was verantwoordelijkheidsgevoel. Soms wou ik dat ik dat niet had. Reuze bedankt, God. Want als je dat hebt, zit je er namelijk aan vast. Als ik iets ingrijpends doe, wat in mijn ogen verkeerd is, kan ik dat niet zomaar van me af laten glijden. Ik wist dat ik iemand had vermoord, misschien wel meer dan één. *Ik* had dat gedaan, ik alleen en niemand anders.

Dus ik moest eraan geloven. Die soldaten waren vannacht omgekomen. En het paard. Weer had ik de beslissing genomen dat mijn leven meer waard was dan dat van hen. Ik kende die mensen niet eens. Het waren vreemden voor me.

Zat hier een plan achter? Verdiende ik het om te leven en verdienden die vreemden het om te sterven? Was het een test die ik moest doorstaan? Moest ik verder leven en een medicijn tegen kanker ontdekken of zo? Stel dat een van die soldaten over tien jaar het leger zou verlaten en een medicijn tegen kanker zou ontdekken? Alleen zou dat niet meer gebeuren, omdat ik hem had vermoord.

Dat bedoel ik nou als ik zeg dat ik de logica probeerde te zien van de waanzin die zich om mij heen afspeelde.

In plaats van zinvolheid kreeg ik alleen maar dat griezelige gegier van de wind en de verstikkende rook en de hitte van een vuur dat ik zelf had aangestoken.

Aan het eind van de middag was de brand kennelijk bedwongen. Alles was met as bedekt en het schoolplein was bestrooid met een zwart poeder, als suiker op een cake, alleen in de verkeerde kleur.

De brandlucht, die onmiskenbare schroeilucht drong tot in alle hoeken en gaten door. Hij ging in onze kleren zitten en wiste geleidelijk aan alle andere geuren uit: de muffe lucht van de school, de zweetlucht van Homer en Kevin, en zelfs van Fi en mij, en de weeë geur van de dode opossum die in kamer A23 tussen de plafondtegels was gevallen.

Toen de school langzaam in donker werd gehuld, begonnen we ons een beetje rustiger te voelen. We dachten dat het niet erg waarschijnlijk was dat ze ons vannacht zouden gaan zoeken. Ze hadden zelf al genoeg aan hun hoofd, met de schade die de brand had aangericht. In het donker is het trouwens lastig zoeken. En misschien waren ze ook wel bang voor óns. We hadden immers laten zien dat we behoorlijk desperaat waren. Ik schrok de laatste tijd nogal vaak van mezelf, dus ik zou het best begrijpen dat ze bang voor me waren. Nee, ik denk niet dat ze bij nacht naar ons op zoek zouden gaan.

Ik hield de wacht en ging toen met Fi praten. Ze was niet een, twee, drie te vinden. Het was een raar gevoel om door de lange, lege schoolgangen te lopen. Ik had de school natuurlijk nog nooit zo meegemaakt, niet veel mensen, trouwens. We waren in een A-vleugel. Mijn voetstappen echoden door het gebouw. Ik liep langs het kantoor, het tekenlokaal, de wc's, de computerkamer, daarna langs de gewone klaslokalen. De hele wereld zou verdwenen kunnen zijn zonder dat ik dat zou weten. Zo leeg was het er. Zo alleen was ik misschien nooit eerder geweest, want dit was een gebouw voor honderden leerlingen en leraren, dus het had een nog verlatener sfeer dan de kluizenaarshut.

Helemaal aan het eind vond ik Fi. Of zij vond mij, eigenlijk. Ze was in A22. Ze riep me toen ik aan het eind van de gang was, anders had ik niet geweten dat ze daar was. Ik geloof dat ze eigenlijk zwaar depressief was, wat ik ook bijna was, maar deze keer maakten we elkaar niet depressief, zoals je zou verwachten.

'Dit was mijn favoriete klas,' zei ze.

'Waarom?'

Zo bijzonder was het er niet. Omdat de invasie tijdens de zomervakantie had plaatsgevonden, zagen de klassen er nog saaier uit dan normaal. Geen opstellen of foto's op de muren, geen teksten op de schoolborden, geen rondslingerende boeken. Op het prikbord, naast het lichtknopje, hing een rampenplan en daartegenover een poster met een gedicht van Emily Dickinson. Maar de poster was in de ene hoek gescheurd en iemand had onderaan iets geschreven met een viltstift. Aan de ventilator aan het plafond hing nog een zielig stukje roze kerstslinger. Toen ze hier nog geen jaar geleden Kerstmis vierden, hadden ze er geen idee van dat hun hele wereld op zijn kop zou komen te staan.

'Dit was het lokaal Engels,' legde Fi uit.

'Wie had jij voor Engels?'

'Meneer Rudd.'

'O ja, die heb ik nooit gehad.'

'Hij was fantastisch. Ik hoop dat het goed met hem gaat.'

'Ik wou dat ik hem als leraar had gehad. Iedereen liep altijd te juichen over zijn lessen. Hij was Amerikaan, hè?'

'Nee, Ier.'

Fi, die op de grond lag, kwam ineens tot leven. Ze sprong overeind en begon een imitatie van meneer Rudd te doen.

'Fiona, het spijt me zeer, maar we zijn maar zonder jou begonnen. Het valt me op dat je altijd te laat in mijn les komt, dus ik vroeg me af of we de stof misschien iets interessanter voor je kunnen maken. Wil je niet hier komen zitten? Dit is onze VIP-ruimte. Zal ik je jas even aannemen? Wil je iets drinken? Is die stoel wel comfortabel genoeg? Hier, neem die van mij maar. Nee, nee, echt, maak je alsjeblieft niet druk, het is helemaal geen moeite.'

Fi kon voor geen meter iemand imiteren, maar ik moest toch lachen.

'Sarcastische man, zo te horen,' klaagde ik.

'Hmm, niet echt. Hij kon het wel zijn, denk ik, maar het was bij hem nooit zo venijnig als bij andere leraren.'

'In de tweede had ik maatschappijleer in dit lokaal,' zei

ik. 'Bij mevrouw Barlow. Het was best leuk. We hadden een keer een Japanse Dag, en toen hebben we allemaal Japans eten gemaakt en origami gedaan en zo. Leuk, hoor.'

'O ja, dat weet ik nog. En op Bastille-Dag hebben we Frans gekookt. Mevrouw Barlow kon dat heel goed. We noemden haar Ba-ba. Stomme bijnaam.'

'Weet je nog dat we die barbecue hadden in de derde klas? Het was toch de derde? En dat je toen rauwe worstjes op je bord kreeg van de jongens? Ik ben toen bijna ter plekke vegetarisch geworden. En toen gingen ze met eten smijten.'

'Dat weet ik nog, ja. Mijn moeder heeft toen geklaagd bij de leraren. Mijn uniform zat onder het vet en de tomatensaus. Meneer Muir kreeg er last mee, omdat hij geen orde kon houden.'

'Dat was een ramp, die man, toch? Was jij erbij toen hij ging huilen?'

'Nee, maar ik heb er wel over gehoord.'

'Het was afschuwelijk. Ik wist niet of ik hem moest uitlachen of medelijden met hem moest hebben. Het was Homers schuld, hè. Die zat 'm echt te stangen. Hij ging maar door. Al die grappen over hoe dik hij was. Hij heeft 'm een paar keer recht in z'n gezicht voor "papzak" uitgescholden en daarna deed hij net alsof hij het tegen Davo had. Die keer dat Muir moest huilen, had Homer hem gevraagd: "Meneer Muir, eet u om te leven of leeft u om te eten?"'

Fi zag er verdrietig uit. Ze was zo lief en aardig dat ze er niet tegen kon als ze hoorde dat iemand, zelfs een leraar, gepest werd. Ik wou dat ik iets van haar liefheid had. Met de helft zou ik al tevreden zijn.

Het was nu donker in de klas, maar we bleven herinneringen ophalen aan de goede en de slechte tijden die we in dit gebouw, op deze school hadden gekend.

'Besef je wel dat we meer dan twee derde van ons leven op school hebben gezeten?' zei ik tegen Fi.

'O ja? Jemig. Nou, twee derde van die tijd wou ik altijd dat ik ergens anders was. Maar nu zou ik er alles voor overhebben om hier weer te zijn en Theatersport te doen.'

'Hadden jullie Theatersport? O, vandaar. Wij deden nooit zoiets leuks. Alleen maar duffe dictees en grammatica. Het enige leuke waren spreekbeurten. Bryony vertelde over haar zusje, die dacht dat schapenkeutels rozijntjes waren en ze probeerde op te eten. En we moesten een keer onze lievelingsprenten meebrengen en vertellen waarom we die zo mooi vonden. Heel raar, want Homer kwam met een schilderij van waterlelies aanzetten en zei dat hij ernaar keek als hij gestresst was en als hij er dan een halfuur naar had gekeken, was hij weer helemaal kalm. We wisten niet hoe we het hadden. Dat was de enige keer dat ik Homer uit zijn rol van macho zag vallen op school. Verder bracht niemand een schilderij mee: ze hadden alleen maar foto's bij zich van hun rugbyteams en zo.'

'Ik dacht dat je dat bedoelde met "lievelingsprenten",' zei Fi.

'Hmm, ik heb alleen een saaie oude foto laten zien van mij als ik Mirrimbah Buckley Park show.'

'Mirrimbah Buckley Park?' vroeg Fi.

'Vroeger hadden we een schapenfokkerij,' legde ik uit. 'Mijn grootouders waren ermee begonnen en pap nam het over. Maar uiteindelijk werd het pap te veel. Het was keihard werken en de concurrentie was moordend. Sommige mensen deden de vreemdste dingen om in de publiciteit te komen. Ze organiseerden grote veilingen en lieten klanten per vliegtuig overkomen. Pap had helemaal geen zin in die toestanden. We konden het trouwens niet eens betalen. Bovendien wilde mijn vader meer diversiteit. Hij verkocht het bedrijf aan de familie Lucas. Maar toen we het nog wel hadden, deed ik wel eens een show met de schapen. Mirrimbah Buckley Park was onze beste fokram. Hij haalde de eerste prijs op de Stratton Merino Show en de derde prijs op de Nationale Merino Tentoonstelling. Hij bracht een hoop geld op. Oma was razend op pap dat hij de fokkerij had verkocht, maar pap had het allang besloten, alleen had hij het oma niet verteld. Toen hij het dan eindelijk vertelde, had het een soort broeikaseffect. Oma weigerde maandenlang met pap te praten. Ik begreep haar wel. Ze hadden zich uit de naad gewerkt om dat bedrijf op poten te zetten en als pap het overneemt, verkoopt hij de boel. Het leuke is dat we met de Charolais koeien ook aan dat commerciële circus moesten meedoen, dus je bent altijd de klos.'

Ik zag dat Fi niet luisterde. Ze staarde uit het raam.

'Wat is er?' vroeg ik.

'Ik zag iets bewegen,' zei ze.

14

We doken tegelijk naar de grond. Ik lag met mijn gezicht in het stoffige tapijt. Mijn hart bonkte zo hard dat ik bijna werd opgetild. Maar daar dacht ik niet lang over na. Fi kroop al naar de deur en ik ging achter haar aan. Toen we in de gang waren, renden we voorovergebogen om onder de ramen te blijven snel en geluidloos naar de ziekenboeg. Ik wist dat Homer de wacht hield en ik dacht wel dat Kevin in een van de bedden lag te dommelen.

Ik had wel genoeg tijd om me te ergeren aan Homer. Ik vond dat hij had moeten zien dat er iemand buiten was. We hadden de plek van degene die de wacht hield zo ingericht dat hij of zij in de ontvangstruimte zou zitten, waar je van drie kanten goed zicht had op het schoolterrein. Maar je moest om de scheidingswand heen kijken om de vierde kant te kunnen zien. Ik vroeg me dan ook af of Homer niet een beetje had zitten slapen.

Maar ik bleek hem onderschat te hebben. Toen we de gang door renden, kwamen we de twee jongens tegen, die, ook voorovergebogen, naar ons op zoek waren.

'Wat hebben jullie gezien?' fluisterde Homer gespannen.

'Eén iemand, geloof ik,' zei Fi. 'Als het al iemand was.'

'Ik zag er maar één,' zei Homer. 'Maar het was zeker iemand. Hij sloop bij de kantine rond.'

We zaten gehurkt op de grond. Je kon de angst ruiken. Omdat we in een groepje bijeenzaten, in een kring, leek de angst zich in het midden samen te bundelen. Het was net een concreet ding dat je kon vastpakken.

'Laten we maar naar de andere kant gaan,' zei Kevin. 'Kijken of daar iemand is.'

'Als dat zo is,' zei Homer, 'kunnen we niet ontsnappen zonder herrie te maken. We hebben het raam dichtgemaakt, weet je nog, en verder hebben alle ramen een dievenslot.'

Plotseling drong het tot me door wat een val we voor onszelf hadden gemaakt. Ik tintelde over mijn hele lichaam.

'We gaan er toch heen,' fluisterde ik. 'Als we denken dat daar niemand is, moeten we misschien een raam kapotmaken en 'm smeren.'

Ik had het gevoel dat we beter iets konden ondernemen dan hier doodsbang blijven zitten.

Nog steeds voorovergebogen renden we naar de andere kant van het gebouw. Buiten was het nu stikdonker. Dat was het enige lichtpuntje. Maar als ze ons omsingeld hadden, maakte dat ook niets meer uit.

Om aan de andere kant te komen, moesten we de lerarenkamer door. Dat was vreemd om te doen. Het voelde nog steeds als verboden terrein. Er waren twee klapdeuren, die we voorzichtig openduwden en daarna liepen we om de tafeltennistafels heen naar de ramen. Er was geen maan te zien en het was buiten zo donker dat we geen hand voor ogen zagen.

'Wat denk jij?' zei Homer zachtjes tegen me.

'Geen idee. Maar we moeten iets doen, en niet gewoon afwachten tot ze komen.'

'Misschien weten ze niet eens dat we hier zijn. Als we proberen weg te komen, trekt dat juist de aandacht.'

'Ja, zou kunnen. Maar het is zo raar dat ze hier zijn.' Ik was moe en had moeite om mijn gedachten helder te formuleren. Rechts van me maakte Kevin gevaarlijk harde, schrapende geluiden met iets, maar ik wilde hem niet tegenhouden, omdat ik aannam dat hij een raam probeerde open te maken. We moesten risico's nemen. Ik probeerde me te concentreren op wat ik tegen Homer wilde zeggen. 'Ze gaan heus niet elk gebouw in de stad inspecteren, tenzij ze een miljoen soldaten hebben. Bovendien zouden ze dan in het bos zoeken. Ze zouden nooit speciaal hiernaartoe komen als ze niet zeker wisten dat we hier waren.'

Homer zweeg.

'Misschien is het gewoon een kind dat aan het spelen is,' zei ik hoopvol.

Homer schudde zijn hoofd. 'Ik zag alleen zijn schaduw, maar die was te lang voor een kind.'

Er klonk een geknars van Kevins raam. Ik kon mezelf niet bedwingen. 'Hou 's op,' siste ik nijdig.

Kevin kroop naar ons toe. Hij negeerde mijn commentaar. 'Ik heb 't opengekregen,' zei hij. 'Ik ga wel naar buiten als jullie dat willen.'

Af en toe stond ik versteld van Kevins heldengedrag. Ik moest mezelf steeds voorhouden dat ik hem niet tekort moest doen. Op het moment dat ik hem een beetje een lul begon te vinden, deed hij weer zóiets.

Misschien had ík moeten aanbieden om naar buiten te gaan. Maar dat deed ik niet. Om eerlijk te zijn kwam het me m'n strot uit dat ik zo veel moest doen. Cobbler's Bay had me bijna de das om gedaan. Ik denk dat het me veel meer had geraakt dan ik besefte. Dat het me heel diep vanbinnen had veranderd. En dat ik het daarom nu zo moeilijk had. Ik weet dat de gevangenis het ergste was, dat dat me het meest had aangegrepen, en dat Robyn en Chris dood waren gegaan en wat er met Carrie was gebeurd, en de invasie op zich... jemig, zo kan ik nog wel even doorgaan. Maar dat wachten in die container, en dan denken dat je na de explosie gedood zal worden, daarna die soldaten met je vrienden in Baloney Creek en wat ik ze moest aandoen: op de een of andere manier had me dat zo verschrikkelijk afschuwelijk aangegrepen dat ik daar nu nog van ondersteboven was.

Dus toen Kevin zich als vrijwilliger opwierp, hield ik mooi m'n mond.

We liepen naar het raam dat hij had opengemaakt. Buiten leek het toch niet zo heel donker.

'Niemand te zien,' fluisterde Fi.

Het raam was nog niet ver genoeg open. Fi had er maar net door gekund, maar Kevin kon het wel vergeten. Ik ging met mijn vinger over het kozijn. Het hout was behoorlijk verrot. Ik zag en voelde waar het hout was versplinterd door het openwrikken. Voorzichtig duwde ik het nog een centimeter of dertig omhoog. Ik deed dat vanaf de onderkant, en het kraakte en piepte.

'Pas nou toch op,' mopperde Kevin, op dezelfde nijdige toon die ik een paar minuten eerder tegen hem had opgezet.

Maar toen ik het raam ver genoeg had opgeduwd, aarzelde hij geen moment. Hij kroop meteen over de vensterbank, dook snel omlaag en verdween onder het raam. Eén afschuwelijk moment dacht ik dat hij misschien beschoten was, omdat hij zo snel naar de grond dook, maar er had geen schot geklonken, dus ik dacht dat het dan wel goed zou zijn. En ja, een paar seconden later zag ik hem door het donker rennen, voorovergebogen, zigzaggend.

Het was heel dapper van hem, echt heel dapper.

Toen bleef het zes of acht minuten stil. We spanden alle zenuwen, loerden, luisterden, snuffelden, zochten naar aanwijzingen om erachter te komen wat er aan de hand was.

Na een tijdje fluisterde Homer: 'Ik heb er genoeg van. Ik ga achter hem aan.'

Fi en ik zeiden tegelijk: 'Nee, Homer, doe dat alsjeblieft niet.'

'Wacht even,' zei ik nog. 'Als hem iets is overkomen, ben jij straks ook de klos.'

Dat hoefde ik geen twee keer te zeggen.

Dus wachtten we af. Nog eens vijf minuten, zoiets. Toen hoorde ik een geluid dat ik het minst van alles verwachtte, een zo onwaarschijnlijk geluid dat ik dacht dat ik eindelijk geflipt was. Of als ik niet geflipt was, dat Kevin dan helemaal geflipt was. Of ik verbeeldde me dingen, óf Kevin had zojuist daar ergens in het donker gelachen.

Ik keek Homer verbluft aan. Kevin had een lach die je, als je die eenmaal had gehoord, nooit meer vergat. Als je een balkende ezel met een ratelend machinegeweer kruiste, kwam je in de buurt. Die lach kan je niet zo makkelijk nadoen. Maar ik hoorde iemand lachen, dat staat vast, en het was onmiskenbaar de lach van Kevin.

Ik durfde een eindje overeind te komen, zodat ik het schoolplein wat beter kon overzien. Het was erg frustrerend om niets te kunnen zien. Maar even later zag ik uit de duisternis van de bomen twee gedaanten naar het gebouw lopen. Een van hen was Kevin.

En de andere was Lee.

Terwijl ik alle veiligheidsmaatregelen die we onszelf hadden opgelegd in één ogenblik overboord gooide, wrong ik mezelf door het raam en rende naar hem toe. Ik wilde me in zijn armen werpen, zoals je mensen altijd in films ziet doen als ze herenigd worden en zoals ik dat met Kevin had gedaan. Maar toen ik op hem af rende, besefte ik dat hij er slecht aan toe was. Hij lachte tegen me, maar hij vertrok meer de spieren in zijn gezicht dan dat hij echt lachte. Zijn kin trilde en zijn hoofd was gebogen. Hij liep heel langzaam. Maar Kevin grijnsde als een klein jongetje dat op drie verjaardagspartijtjes achter elkaar met stoelendans had gewonnen. Hij had zijn leven gewaagd door in het donker naar buiten te gaan en nu kon hij zijn geluk niet op, denk ik.

'Gaat het wel?' vroeg ik aan Lee, omdat ik gewoon niets beters kon verzinnen dan zo'n stomme vraag te stellen.

'Ik zou wel iets lusten,' zei hij.

We kwamen bij het raam. Homer hing over het kozijn en keek Lee stralend aan, maar ik zei: 'Haal wat te eten.'

Zijn glimlach verdween snel en hij ook. Even later hoorde ik de deuren van de lerarenkamer open en dicht klappen.

Fi en ik hielpen Lee door het raam naar binnen. Hij was erg zwak. Toen we hem binnen hadden gehaald, ging hij op een bankje zitten, maar hij bedacht zich en ging op de vloer liggen. Ik rende de gang door om Homer te zoeken. Hij was spullen uit zijn bepakking aan het halen. We hadden proviand uit Nieuw-Zeeland bij ons, grotendeels gevriesdroogd voedsel in kleine aluminium pakjes. Het was ongelooflijk licht en bevatte echt een redelijke maaltijd. Geurige Rijst vond ik het lekkerst. Maar je moest het eerst weken en dan koken, en ik wist niet of dat hier kon. Ik wist niet eens of we stroom hadden. Omdat ik niet wilde wachten tot we dat allemaal hadden uitgezocht, pakte ik wat muesli van Homer, het laatste beetje sinaasappelsappoeder van Kevin en bracht dat naar de gootsteen in de lerarenkamer. Er was nog stromend water, dus kon ik het sap makkelijk mengen en dat over de muesli gieten.

Ik had ergens gehoord, ik weet niet meer waar, dat het slecht is om je vol te proppen als je heel lang niets hebt gegeten. Ik weet nu pas weer waar ik dat had gehoord. Het was een verhaal uit de Tweede Wereldoorlog van gevangenen aan de Birma-spoorlijn. Toen de oorlog voorbij was en de Amerikanen hen kwamen redden, hadden sommige gevangenen zich blijkbaar overeten, met dodelijke afloop. Nou ja, hoe oneerlijk kan het leven zijn?

Op dat moment dacht ik niet aan het verhaal, maar ik had wel het gevoel dat het geen goed idee was om Lee vol te stoppen. Dus ik voerde hem een paar lepels en zei toen dat hij pas over een uur weer wat mocht eten. Dat viel niet in goede aarde, maar ik hield voet bij stuk, gesteund door Homer en Fi.

Terwijl ik Lee te eten gaf, maakte Kevin het raam weer dicht en deed het op slot. Maar hij deed het dievenslot er niet op. Ik voelde me iets veiliger nu ik wist dat we ten minste één ontsnappingsweg hadden. Daarna konden we eindelijk de vragen aan Lee stellen die op onze tong brandden.

'Wat is er gebeurd, Lee?' vroeg Homer, die naast hem op de grond ging zitten. 'Waar zijn Iain en Ursula en de anderen?'

Lee haalde zijn schouders op. 'Dat weet ik niet,' zei hij. Hij sprak heel traag, alsof praten hem veel moeite kostte. 'Ik heb geen flauw idee. Nadat ze op verkenning waren uitgeweest, moest ik me verbergen in het struikgewas buiten de stad, voorbij de kerk, weet je wel, de Church of Christ. Ze zeiden dat ze me na de aanval zouden oppikken en dat we dan als de bliksem zouden teruggaan naar de Hel. Dus ik wachtte en wachtte, maar ze kwamen niet.'

Wij wachtten ook tot Lee verder zou gaan, maar dat deed hij niet.

'En toen?' vroeg ik na een tijdje.

Lee haalde weer zijn schouders op. 'Dat is het nou juist: er gebeurde niets.'

'Niets?'

'Ik wachtte de hele nacht. Ik maakte me niet zo veel zorgen, want als er een probleem was, zeiden ze, zouden ze me komen ophalen of ze zouden de hele dag in de stad blijven. Ik moest me verschuilen in het bos en hen de volgende nacht treffen. Maar de volgende nacht ging het net zo: niets.'

'Dat is alles?' vroeg Homer. 'Bedoel je dat je absoluut niet weet wat er met hen is gebeurd?'

Hij klonk kwaad, alsof het Lee's schuld was.

Lee knikte alleen maar en sloot zijn ogen. Hij praatte door met zijn ogen dicht. 'Er was niet één aanwijzing,' zei hij. Er zat ongeveer een minuut tussen elk woord. Hij klonk oud en vermoeid. Hij had tenslotte zes dagen alleen rondgezworven in Wirrawee. 'Geen enkele aanwijzing,' zei hij. 'Geen lawaai van het vliegveld, geen rondrennende soldaten, geen geschut. Ik weet niet wat er aan de hand is. Ik weet wel dat er iets mis is gegaan. Mag ik nog iets eten, Ellen?'

Ik gaf hem een stuk of zes lepels muesli. 'Je moet wat uitrusten,' zei ik. 'Als je de ziekenboeg kan halen, dan staat daar een lekker bed klaar.'

'Hier is ook goed,' zei hij. 'Ik wil slapen, dat is waar. Ik heb niet zo veel slaap gehad de laatste dagen. Maar ik heb nog meer te vertellen.'

'Kom mee naar de ziekenboeg,' zei ik, 'dan vertel je het daar.'

Ondanks zijn tegenstribbelen dwongen we hem te lopen. Hij kwam er op eigen kracht en daarna stopten we hem in bed en ik trok zijn schoenen uit. 'Poe,' zei ik. 'Wat een stank.'

Ik probeerde hem aan het lachen te maken, maar dat was verspilde moeite. Hij was al vertrokken.

15

Laat Kevin maar schuiven. En laat mevrouw Gilchrist maar schuiven. Je weet het nooit met schooldirectrices. Kevin kreeg het lumineuze idee om in haar kantoor te snuffelen, en raad eens wat hij in de onderste la van de archiefkast vond? Haar hoogstpersoonlijke drankvoorraad! Er stond een halve fles cognac, driekwart fles sherry dry en een paar blikjes gingerale.

'Kassa!' gilde Kevin, die grijnzend in de lerarenkamer terugkwam met de trofeeën boven zijn hoofd.

We installeerden ons in de lerarenkamer, omdat die de lekkerste stoelen had. Laat de leraren maar schuiven.

Fi had de wacht, maar we vonden dat ze één glaasje mocht zonder al te veel risico te lopen. Lee lag diep te slapen. We beseften dat we iets voor hem moesten overlaten en misschien nog een paar glazen voor Fi, dus we maakten ons al een beetje zorgen wat er voor ons overbleef.

Maar toch leek het erop dat we een klein feestje konden bouwen. Homer haalde glazen uit de keuken. Ongelooflijk hoe goed de jongens in catering zijn als er drank bij komt kijken.

Kevin schonk sherry in en daarna leunde hij achterover in zijn stoel en hief zijn glas. 'Drinkende minderjarigen in de lerarenkamer,' zei hij. 'Dat heb ik nou altijd al gewild.'

'En mevrouw Gilchrist trakteert,' zei Homer. 'Dat maakt het nog leuker.'

'Op de goede afloop,' zei ik. 'En dat we nog lang en gelukkig mogen leven.'

'Die kans wordt steeds kleiner,' zei Homer. Maar hij zei het niet heel treurig, hij zei het lachend, alsof hij het wel aankon.

Vreemd, maar zo reageerden we allemaal, geloof ik. We zouden gedeprimeerd moeten zijn over het nieuws dat Lee ons vertelde – of het gebrek aan nieuws – omdat het nu overduidelijk was dat er iets heel erg mis was gegaan met de Nieuw-Zeelanders.

Maar dat wisten we al. Nou ja, we wisten het niet zeker, maar we hadden het wel vermoed. Dus toen Lee ons vermoeden bevestigde, werden we daar niet nóg treuriger van. We waren juist eerder ontzettend blij dat hij nog leefde en in redelijke conditie was. We waren ontzettend blij dat we hem überhaupt hadden gevonden. Natuurlijk waren we erg bezorgd over de Nieuw-Zeelanders, maar wij hadden met ons vijven een band die sterker was dan wat dan ook.

Ergens diep in mij, in de donkerste diepten, loerden twee sombere gedachten. Ik kon het niet aan om die naar buiten te brengen en ze te bekijken, maar soms, als ik heel erg depri was, staken ze even de kop op. De ene was de gedachte dat ik mijn ouders nooit meer zou zien. De andere was dat er nog iemand van ons groepje zou doodgaan.

Als er een van die twee dingen gebeurden, zou ik kapotgaan. Helemaal kapot. Ik had nooit over zelfmoord nagedacht, ook niet tijdens de ergste momenten in de gevangenis van Stratton, maar er zou een einde komen aan mijn leven, dat stond vast.

Dus hadden we iets te vieren omdat Lee terug was, en we hadden een excuus om lol te maken. Nou was het niet het wildste of leukste feestje dat ik ooit heb meegemaakt, maar het was een stuk leuker dan het laatste feest, in Wellington. Deze keer had ik lol met vrienden, met echte vrienden.

We sloegen de sherry snel achterover en toen gingen Homer en Kevin aan de cognac en de gingerale. Zonder ijs leek me dat niks en bovendien steeg de sherry me al behoorlijk naar het hoofd. Ik vond dat ik maar beter kon stoppen, vooral omdat ik over een uur de wacht moest houden. Ik dacht dat ik al zeker een promillage van 0,05 of zelfs nog meer in mijn bloed had en ik had geen zin om de wacht te houden wanneer elke boom er als een marsmannetje uitzag en de maan als een heliumballon in de lucht zweefde.

Daar kwam bij dat de laatste keer dat ik te veel had gedronken zo desastreus geëindigd was dat ik er niet zo op gebrand was om dat weer te doen.

Lee sliep aan een stuk door. Hij wilde zeker een record breken. Ik worstelde me door de wacht heen, maar het hielp niet echt dat Homer en Kevin stomlazarus werden en meer herrie maakten dan een crèche tijdens het middaghapje. Ze speelden een wild spelletje tafeltennis in de lerarenkamer, wat in het donker niet makkelijk was, en daarna zaten ze elkaar achterna in het gebouw, terwijl ze elkaar probeerden pootje te lichten en omver te gooien. Ik riep steeds dat ze hun kop moesten houden, al viel het lawaai eigenlijk best mee, maar vergeleken met het geluid dat we normaal maakten, ging dit echt te ver.

Daarna plofte Kevin op het andere bed in de ziekenboeg en viel net zo snel in slaap als Lee. Alle pogingen van Homer om hem wakker te schudden liepen op niets uit. Toen had Homer dus geen speelkameraadje meer. Hij kwam een tijdje met mij praten, maar hij was behoorlijk zat, dus er kwam niet veel verstandigs uit. Toen viel hij ineens in de stoel in slaap en hing daar als een walgelijk hoopje, terwijl hij oorverdovende snurkgeluiden maakte.

Daarna was hij niet erg gezellig.

Kevin zou de wacht houden en ik deed een lusteloze poging om hem wakker te maken, maar er was geen beweging in te krijgen en ik had geen zin om een scène te trappen. Ik liet hem liggen en zei bij mezelf dat hij het morgennacht zou goedmaken. Hij sliep twaalf uur achter elkaar, maar zodra hij wakker was, sleurde ik hem uit bed. Hij zag er vreselijk uit en stonk nog erger, dus ik weet niet zo goed hoe scherp hij kon kijken door zijn bloeddoorlopen ogen.

Lee sliep vijftien uur. We waren zijn opmerking voordat hij in slaap viel dat hij meer nieuws had, glad vergeten. Homer en Kevin hadden een te grote kater om erover na te denken en ik was het gewoon vergeten. Misschien was ik immuun geworden voor dramatische verhalen. Ik dacht dat ik ze allemaal al had gehoord.

Om een uur of twaalf 's middags hoorde ik hem woelen in het bed in de ziekenboeg. Ik ging naar binnen.

'Heb je wat te eten?' vroeg hij. 'Ik sterf van de honger.'

Deze keer kon hij de lepel zelf vasthouden, maar weer zorgde ik ervoor dat hij maar een kleine portie kreeg. Hij mopperde een beetje, net als eerst, maar hij leek er met zijn gedachten niet bij en at het eten snel op.

'Wanneer mag ik meer?' vroeg hij.

'Over een uur of zo.'

Maar het leek alsof hij bijna niet hoorde wat ik antwoordde.

'Ellen,' zei hij, 'kan je de anderen even halen?'

De toon waarop hij dat zei maakte me bang: zijn manier van doen was zo stil en ernstig.

'Is er iets?' vroeg ik.

'Haal ze nou maar, alsjeblieft.'

'Kevin houdt de wacht.'

'Waar is hij dan?'

'In de grote entreehal. Voorin, weet je wel? Je kan daar drie kanten overzien en met een beetje moeite ook de vierde. Het enige probleem is dat het voor degene die overdag de wacht houdt erg link is om te veel te bewegen. Dat valt namelijk nogal op.'

Ik praatte te veel, maar ik was nerveus geworden van Lee.

'Nou, ik ga naar het kantoor. Kevin kan me vandaar horen. Zeg tegen de anderen dat ze daar ook heen komen.'

Hij kwam met moeite overeind en hinkte naar het kantoor. Ik wilde hem helpen, maar blijkbaar was hij vastbesloten om er op eigen houtje heen te lopen. Hij was wel opgeknapt van dat lange slapen, denk ik. Snel haalde ik de anderen. Wat Lee ook te zeggen had, het zou veel uitmaken, dat voelde ik. Misschien zou het alles op zijn kop zetten.

Het irriteerde me mateloos dat ik pas na een hele minuut Homer en Fi vond. Ze zaten gewoon te praten in de gang tussen Blok A en Blok B. Maar toen ze mijn gezicht zagen, hielden ze meteen op en liepen snel met me mee naar het kantoor.

'Wat is er allemaal aan de hand?' vroeg Homer.

'Ik heb geen flauw idee.'

'Ach, kom op, Lee vertelt jou alles. Je weet het vast wel.'

'Nee, echt niet. Lee vertelt me helemaal niet alles. Dat moet jij toch weten. Waarom denk je dat eigenlijk?'

Lee zat in het kantoor op een bruine bureaustoel, aan het bureau van mevrouw Myers. Kevin stond tegen de balie geleund, waar hij Lee kon horen en tegelijk in de gaten kon houden wat er buiten gebeurde. Hij zag er nog bleek en zielig uit. Fi, Homer en ik zochten een zitplaats. Ik ging uiteindelijk op een leeg bureau zitten, dat met een dikke stoflaag bedekt was. Ik zat met mijn armen om mijn opgetrokken knieën en staarde Lee aan. Er kwam aardig wat licht door de ramen, maar het leek alsof Lee in een donkere schaduw zat. Je kon zijn donkere gezicht nauwelijks zien. Ik was benieuwd wat voor uitdrukking hij op zijn gezicht had. Voorzover ik kon zien was hij kalm.

Toen hij met zijn verhaal begon, deed hij iets wat me verbaasde. Hij pakte Fi's hand. Dat had ik niet verwacht. Ik voelde een steek van jaloezie, toen ik naar zijn lange, bruine vingers op Fi's bleke huid keek. Ik vroeg me zelfs even af of ze soms iets met elkaar hadden zonder dat ik dat wist. Maar meteen besefte ik hoe idioot dat was. Zodra Lee begon te praten, vergat ik dat hij Fi's hand vasthield. Ik was meteen in de ban van de grimmige toon in zijn stem.

'Ik zei eerder dat ik jullie iets moest vertellen. Ik weet niet zo goed wat er daarna gebeurd is – ik ben zeker in slaap gevallen, hè? Dus het spijt me dat ik het niet al gisteren heb verteld. Maar hier komt het.'

Hij leunde een beetje naar voren en schraapte zijn keel. Zijn stem, die al zo kalm was, werd nog kalmer.

'Ik weet zo'n beetje hoe het met onze families gaat.'

Iemand hield zijn adem in, stootte een kreet uit, kreunde. Ik weet niet precies wat waar vandaan kwam. Ik kreeg het gevoel alsof er een muur binnen in me omviel. Iedereen reageerde heel lichamelijk. Kevin draaide zich snel om en vergat dat hij de wacht had. In tegenstelling tot de rest had hij zijn ouders nog een keer gezien, maar dat was ook alweer een tijd geleden. Het betekende niet dat zijn familie nu veilig was. Er had hun van alles kunnen gebeuren. En dat gold voor ons allemaal.

Lee keek naar Homer. 'Jouw ouders zitten ergens tussen Wirrawee en Stratton,' zei hij. 'Het gaat wel goed met ze. Ze zitten in werkploegen, maar ik weet niet precies waar. Maar de laatste berichten zijn dat ze het goed maken. Ze zitten in verschillende ploegen, dus ik denk niet dat ze elkaar veel zien. En George is in Stratton. Die is in een van de fabrieken tewerkgesteld.'

'George in een fabriek,' zei Homer. 'Dat zal hij niet leuk vinden. En pap en mam zijn sinds hun trouwen niet meer zonder elkaar geweest.'

Maar zijn brede, bruine gezicht straalde van opluchting. Hij keek de kamer rond, alsof hij die voor het eerst zag.

'Eerst lieten ze maar één lid van de familie buiten het jaarmarktterrein en hielden de anderen gegijzeld,' zei Lee. 'Nu doen ze hetzelfde door ze in verschillende werkploegen te zetten, dus als er iemand uit de ene groep ontsnapt, kunnen ze hun familieleden in de andere groepen straffen. Slim systeem.'

Hij wendde zich tot Kevin.

'Kevin, jouw vader werkt ergens op een boerderij in het noorden. Blijkbaar gaat het prima met hem. Je moeder zit nog op het jaarmarktterrein. Daar zijn niet zo veel mensen meer, maar zij heeft samen met een paar andere vrouwen een crèche. Je broertjes zijn er ook.' Lee zweeg even. 'Ik geloof dat je moeder wel eens depressief is, begrijp je wat ik bedoel? Ik denk niet dat het zo goed met haar gaat, relatief gesproken. Lichamelijk mankeert ze niks, maar geestelijk heeft ze het zwaar, denk ik.'

Kevin trok een grimas en draaide zich weer om. Niemand wist wat hij van dat bericht vond. Ik had het gevoel dat hij niets van psychologische problemen wilde weten. Net als zo veel boerenjongens dacht hij dat je altijd flink moest zijn. Hij vond dat mannen bij hun geboorte hun traanklieren moesten afknijpen. Hij was er in Nieuw-Zeeland niet zo tuk op geweest om naar een therapeut te gaan. Eigenlijk hadden Homer en Lee het gemakkelijker geaccepteerd dan Kevin, wat ik nooit van tevoren had kunnen denken.

'Ellen,' zei Lee.

Mijn spieren spanden zich en ik voelde me misselijk
Waarom had Lee eerst tegen de twee jongens gepraat? Wa
er iets aan de hand met mijn ouders?

'Ellen, je vader wordt vastgehouden op het jaarmarkt
terrein, in een paviljoen. Het is een speciaal gebouw voo
mensen die zich nogal hebben verzet. Een soort gevange
nis, denk ik, maar dan wel heel anders dan waar wij in za
ten. Ik geloof dat hij heel lastig is geweest, Ellen, hij hee
met de bewakers gevochten en zo. Er zit een kleine groe
mannen en vrouwen, allemaal om dezelfde reden. Maar h
heeft nog een zwaardere straf gekregen, omdat hij een tan
zou hebben gesaboteerd die hij moest repareren. Geen wa
tertank, een legertank. Een miljoen dollar of meer aan hard
ware.'

Ik knikte en probeerde kalm te blijven.

'Maar gaat het wel goed met hem?'

'Nou ja, hij heeft wel wat klappen gehad, dat is zeke
Maar blijkbaar is hij in redelijke conditie, gezien de om
standigheden.'

'En mam?'

'Die zit in een huis in Hollway en doet het huishouden

'Pardon?'

Lee keek opgelaten. 'Sorry, ik wist wel dat je dat nie
zo leuk zou vinden. Maar dat doen ze nu, ze gebruike
vrouwen als huishoudster in steden en op boerderijen. Z
moeten de was doen en strijken en schoonmaken en ko
ken. Dat soort dingen. Ze zijn nu behoorlijk goed geor
ganiseerd, zoals jullie merken.'

Ik ontplofte zowat. 'Echt iets voor m'n moeder. Jezu
die wordt helemaal gek. Ze heeft een bloedhekel aan was

en en strijken, zeker als het iemand anders z'n was is. Hoe durven ze!'

Lee gaf geen antwoord, maar ging over naar Fi.

'Fi, ik denk dat jij je ouders kan ontmoeten.'

Fi werd doodsbleek, zo plotseling, dat ik dacht dat ze zou flauwvallen. Nog nooit heb ik zo snel alle kleur uit iemands gezicht zien wegtrekken. Haar hand klemde zich om die van Lee. Ik zag dat haar nagels zich in de rug van zijn hand groeven. Ze deed haar mond open, alsof ze iets wilde zeggen, maar die bleef openstaan en er kwam niets uit.

'Ze werken allebei in het districtshoofdkwartier,' legde Lee uit. 'Als mensen een speciaal talent hebben, houden ze hen soms bij elkaar. Bovendien houden ze je zusje op het jaarmarktterrein in gijzeling. Je ouders werken daar dus elke dag van acht uur 's ochtends tot zeven uur 's avonds, met computers en dossiers en zo. Administratief werk.'

Dat was logisch. Fi's ouders waren allebei jurist, dus ze waren behoorlijk slim.

'Het nieuwe hoofdkwartier zit nu in de technische school,' ging Lee verder. 'Nadat we Turner Street hadden opgeblazen moesten ze een nieuwe plek zoeken om vanuit te kunnen opereren, en de technische school is daar perfect voor. Er werken zes gevangenen en de bewaking is niet zo scherp, gedeeltelijk omdat ze voor iedereen iemand in gijzeling houden en ook – neem me niet kwalijk, Fi – omdat je ouders niet bepaald het type van een guerrillastrijder of terrorist zijn.'

Fi probeerde te grijnzen, maar dat lukte niet.

'In de middagpauze mogen ze een halfuur naar buiten,' ging Lee verder. 'Meestal gaan ze wandelen in het park. Daar kan je ze dan ontmoeten, als je wil.'

'Natúúrlijk wil ze dat,' zei ik.

Ik was blij voor Fi, maar ook jaloers op haar. Ze zou haar ouders ontmoeten. Zij zou haar ouders ontmoeten en ik niet. Het was fantastisch voor haar, we hadden allemaal van dat moment gedroomd en ernaar verlangd, dus ik werd heen en weer geslingerd tussen blijheid voor haar en schuldgevoel dat ik nog blijer had moeten zijn.

Fi zat erbij alsof ze ter plekke bevroren was. Er viel niet te zien wat er in haar omging. Ze was nog even bleek en even moest ik aan Sneeuwwitje denken, die liefde nodig had om uit haar koude, eenzame slaap te ontwaken. Ik ging naar haar toe en sloeg mijn armen om haar heen, terwijl ik tegelijk besefte dat zelfs vriendinnen soms niet kunnen helpen.

'Ellen,' fluisterde ze, 'wat zullen ze schrikken als ze mijn gezicht zien.'

Ik was zo geschokt dat ik niets kon uitbrengen. Fi's litteken liep van haar kin tot een eindje voorbij haar mond op haar rechterwang. Aan de bovenkant was het bijna niet te zien, dus het viel het meest op onder haar kin. Ik was er al aan gewend, dus ik zag het niet eens meer, maar in Nieuw-Zeeland was ik wel eens woedend geworden als ik zag dat sommige mensen er aanstoot aan namen. En met mensen bedoel ik dan jongens.

Maar ik schrok erg van die opmerking van haar in het schoolkantoor. Haar ouders zaten in de betere kringen in Wirrawee en haar moeder was gek op dure jurken, parels, klassieke muziek, dat soort dingen. Ze gaf meer geld uit aan één jurk dan mijn moeder aan tien. Als we geld over hadden, ging dat op aan een nieuwe aanhangwagen voor de veewagen, aan een computerprogramma dat de veeprijzen bijhield of aan een stel verplaatsbare hekken voor de schapen.

Ik begreep niets van Fi's reactie. Ik denk dat het haar even te veel werd. Het kwam veel te onverwacht. Dus sprak ze de eerste gedachte die er in haar hoofd opkwam uit.

Ik zei niets. Ik zat met mijn armen om haar heen, terwijl de anderen Lee opgewonden bestookten met vragen over hun families. Ik zat alleen maar te luisteren.

'Hoe ben je dit te weten gekomen?' vroeg Homer, wat natuurlijk de belangrijkste vraag was.

'Er was een grote brand ontstaan bij de uitkijkpost. Dat hebben jullie vast wel gemerkt.'

Lee begreep niet waarom we moesten lachen. Zelfs Fi glimlachte flauwtjes.

'Die hebben wij aangestoken,' zei Kevin. 'Om aan een groepje soldaten te ontkomen.'

'Echt waar? Hebben jullie met lucifers gespeeld? Jullie hebben flink wat land in de fik gezet. Heel Wirrawee is bijna in vlammen opgegaan, voorzover ik kon zien. Maar goed, tijdens die brand kwamen er hordes soldaten langs in hun vuurbestendige kleding, dus dat leek me een goed moment om verder te gaan. Ik had me op het kerkhof verstopt en daar had ik het wel gezien. Iain zei toch dat je nooit te lang op dezelfde schuilplaats moest blijven? Dus toen er niemand op straat was, sloop ik naar de school.

Daar had ik m'n zinnen op gezet. Halverwege stak ik af door het park en daar zag ik dokter Krishnananthan. Ik sprak hem aan vanuit een rododendronstruik. Hij schrok zich dood, geloof ik. Maar hij bleek hetzelfde werk te doen als jouw ouders, Fi, en hij vertelde hoe het allemaal ging en ook hoe het met alle anderen ging. Hij is bezig met een computerprogramma dat de organisatie van de gevangenen in beeld brengt, dus ik was aan het juiste adres. Hij mag alleen niet weten waar iemand zich precies bevindt, maar wel de streek waar ze werken. De bewaking is nog steeds heel streng.'

'Heb je hem gevraagd of hij iets van de Nieuw-Zeelanders wist?' vroeg Kevin.

'Ja, natuurlijk. Hij wist nergens van. Hij had niet gehoord dat er problemen in die richting waren. Maar het vliegveld regelt zijn eigen zaakjes, zei hij, dus als er iets gebeurt, hoeven de autoriteiten in de stad daar niets van te weten.'

'Wat heeft hij nog meer verteld?'

Lee keek even in de verte. Ik begreep niet helemaal waarom hij dat deed. Uiteindelijk zei hij: 'Niets bijzonders. We werden afgeleid door de brand. Dokter K. maakte zich erg ongerust. Hij was natuurlijk bang voor de soldaten, en verder dacht hij dat Wirrawee in vlammen zou opgaan. Dat was eigenlijk zijn grootste angst, denk ik. Er viel de hele tijd as op ons terwijl we met elkaar praatten. Maar goed, ik was er inmiddels behoorlijk slecht aan toe. Ik stierf van de honger en ik was doodmoe. Ik wist niet of ik in mijn eentje terug naar de Hel moest proberen te komen, of wat ik anders moest doen. Ik wist niet of julie er nog zouden zijn of dat jullie kolonel Finley hadden gebeld en terug naar Nieuw-Zeeland waren gegaan met de helikopter, of dat jullie ons zouden gaan zoeken. Als ik geen eten kon vinden, zou ik geen energie hebben om de Hel te bereiken, dacht ik, maar ik had geen idee waar ik eten moest zoeken. Dokter K. kon me niet helpen. Hij zei dat ze het eten voor de gevangenen zo streng bewaakten, dat niemand iets naar buiten kon smokkelen.'

Ik bedacht ineens iets en vroeg: 'Waar had je je in de school verstopt?'

Hij keek verbaasd. 'Ik zat in de fietsenschuur. Daar zou niemand me zoeken, dacht ik.'

Ik schaterde het uit. 'Ik ben helderziend! Ik wist het wel!'

Ik vertelde hem over de boodschap die ik in de kluizenaarshut had geschreven. Ze reageerden nogal lauw, maar ik vond het fantastisch. Ik hou van zulke bizarre dingen. Maar we waren allemaal zo gestoord van de opwinding en de zenuwen en katers en slaapgebrek dat we als kippen zonder kop door elkaar heen praatten.

Maar langzamerhand kwam er een heel ernstig gesprek op gang. Het bleek dat er drie belangrijke beslissingen moesten worden genomen. De eerste was hoe we moesten regelen dat Fi haar ouders te zien kreeg. Hoe we onszelf in veiligheid moesten brengen was de tweede. Dom genoeg dacht ik dat we het bij twee konden laten, maar Lee kwam met de derde.

Hoe we het vliegveld moesten aanvallen.

Gelukkig kwam hij daar pas mee nadat we de eerste twee besproken hadden. En dat ging van een leien dakje. Dokter K. zou Fi's ouders inlichten dat ze misschien in de buurt was, zodat ze naar haar konden uitkijken. We moesten Fi 's nachts ergens neerplanten in het park en daar zou ze zich schuilhouden tot haar ouders naar buiten mochten. Het zou een lange dag voor Fi zijn, maar dat was natuurlijk bijzaak. Het was het wachten waard.

Voor mij zou het ook een lange dag worden, omdat Fi fluisterde dat ze wilde dat ik met haar meeging, en zo'n verzoek kan je natuurlijk niet weigeren. Niet dat ik dat had gewild, hoor.

De tweede beslissing viel ons ook niet zo zwaar. We moesten woensdag kolonel Finley bellen en we vonden allemaal dat als de Nieuw-Zeelanders dan nog niet terug waren, we zonder hen naar Nieuw-Zeeland zouden terugkeren. We konden niet veel meer doen om hen te vinden.

Toen kwam de derde kwestie, als een donderslag bij heldere hemel. We werden er allemaal door overrompeld, niet alleen ik.

'We moeten die vliegbasis aanpakken,' zei Lee.

Hij zei het plompverloren, kalm en onaangedaan. Maar heel vastbesloten. Er viel een verbijsterde stilte.

'Dat kunnen we niet,' zei Kevin na een tijdje.

'Dat kunnen we wel.'

'Als zes Nieuw-Zeelanders, met al hun training en goede uitrusting, dat niet kunnen, wat kunnen wij dan uitrichten? Niks, nul komma nul. Je kan dat niet serieus menen. Vergeet het maar. Vergeet het maar helemaal.'

'We kúnnen het en we móéten het doen,' antwoordde Lee. 'We kunnen niet met hangende pootjes in Nieuw-

Zeeland aankomen. We kunnen niet teruggaan, als we het niet eens geprobeerd hebben. Misschien zijn de Nieuw-Zeelanders wel dood. Dan doen we het voor hen. We moeten een simpel plan opstellen, iets wat we aankunnen.'

'Weet je wat hun plan was?' vroeg ik.

'Min of meer,' antwoordde Lee. 'Ze hadden explosieven bij zich om op de vliegtuigen te bevestigen.'

Lee praatte nog steeds met afgewende ogen. Het leek alsof hij heel ergens anders was met zijn gedachten. Het was vreemd. Hij was natuurlijk nog steeds doodmoe en zich aan het herstellen van het gebrek aan eten en de eenzaamheid en de angst die hij dagenlang in zijn eentje had ervaren, maar er was nog iets anders aan de hand, iets wat ik niet begreep.

Homer bemoeide zich ermee.

'Ik wou dat je er niet over begonnen was,' zei hij grimmig. 'Die heldhaftige spelletjes komen me helemaal m'n strot uit. Maar nu je er wel over begonnen bent – nou, dan zitten we er middenin, toch? We kunnen nu moeilijk onze snor drukken.'

'Laten we erover stemmen,' zei Fi. Ze was nog steeds heel stil, alsof ze in shock was.

Toen ik daar ja op wilde zeggen, was Lee me al voor.

'Ga gerust stemmen,' zei hij. 'Maar voor mij maakt dat geen verschil. Voor mijn part ga ik die basis in m'n eentje aanvallen. Of jullie meedoen of niet, dat maakt me niets uit.'

We begonnen allemaal te protesteren. Het was niet eerlijk van Lee dat hij ons zo voor het blok zette. Als we hem z'n gang lieten gaan en hij niet terugkwam, wat moesten we dan? Als we wel meededen en we allemaal omkwamen, nou, dat was ook niet zo best. Hij probeerde ons zijn wil op te leggen en dat werd hem niet in dank afgenomen.

Maar Lee begreep het gewoon niet. Of hij wilde het niet begrijpen. Hij zei maar steeds: 'Het is mijn beslissing en mijn leven. Het gaat niemand verder wat aan. Als jullie niet meegaan, jammer dan.'

Lee was weer in zo'n wraak-en-eer-bui, dus ik wist dat hij niet naar ons zou luisteren. Het idiote was dat hij absoluut niet wist hoe hij het vliegveld zou moeten aanvallen. Hij had alleen maar een vaag idee dat hij het moest doen.

De discussie eindigde om een uur of vier, onbeslist. We waren niet uitzinnig van vreugde dat onze ouders nog leefden, maar alleen moe en kwaad. Ik ging slaap inhalen die ik de vorige nacht had overgeslagen tijdens de wacht. Maar weer kon ik niet slapen. Ik lag als een gek te woelen op het smalle, harde bed, terwijl alles door mijn hoofd maalde: mijn ouders, mijn vader die opgesloten zat en mijn moeder die andermans kleren moest wassen, Fi's ouders en hun ontmoeting waar zij zich alleen op kon verheugen, Lee's koppigheid, zijn onredelijke wens om zijn eigen leven en dat van iedereen die met hem meeging op het spel te zetten.

Plotseling schoten de twee vragen die geen van ons aan hem hadden gesteld door me heen, en ik voelde me afschuwelijk schuldig. Toen was het al ongelooflijk en nu lijkt het nog ongelooflijker. Ik kan het alleen maar verklaren door te zeggen dat we veel te veel aan ons hoofd hadden: onze hersens waren overbelast. Maar dat is eigenlijk geen excuus. Ik schaamde me dood, ik walgde van mezelf, ik kon het niet geloven.

Maar toen ineens wist ik het.

Ik wist hoe het zat.

16

Na lang zoeken vond ik hem. Ik had in alle ruimtes in alle vleugels gekeken: kantoren, klaslokalen, lerarenkamers, zelfs in de wc's.

Toen dacht ik: O, natuurlijk, dommie, dat je dat niet eerder hebt bedacht!

Het raam bleek niet op slot te zijn. Ik klom erdoorheen en was in de fietsenschuur.

Het was inmiddels na negenen en al donker, te donker om iets te kunnen zien. Maar ik wist zeker dat hij er was.

Ik bleef in de deuropening staan en stelde de eerste vraag.

'Lee, wat is er met jouw familie gebeurd?'

Geen antwoord. Ik liep naar voren, drie stappen, en probeerde iets in het donker te zien, probeerde te zien waar hij zat. Het was aardedonker. Ik deed nog een poging.

'Lee? Zijn ze allemaal dood?'

Er bewoog even iets links van me, in het donkerste hoekje van de schuur. Ik draaide me in die richting en met mijn handen voor me uitgestrekt om obstakels te vermijden, liep ik op de tast erheen. De laatste paar meter schoof ik vooruit. Uiteindelijk kwam ik tegen zijn knie aan. Ik voelde dat hij huiverde. Ik tastte naar zijn schouder en draaide hem een beetje om. Hij viel ongeveer tegen me aan. Hij begon zo hevig te trillen dat ik zijn tanden hoorde klapperen. Ik sloeg mijn armen om hem heen en hield hem stevig vast. Ik kreeg het gevoel dat dit het allerbelangrijkste was wat ik ooit in mijn leven had gedaan, dat als ik hem niet genoeg liefde gaf, hij uit elkaar zou vallen of dat hij zou weg-glijden en nooit meer terugkomen, niet alleen bij mij, maar bij iedereen, bij het leven zelf. Ik bad tot God, weer tot Robyns God, om me genoeg liefde te geven om hem bij ons te houden. Ik bedacht dat ik hem zo lang als dat nodig was zou vasthouden, ook al was dat voor eeuwig. Ik werd verteerd door schuldgevoel: de hele tijd hadden we over onze ouders gepraat en over het vliegveld, maar niemand had eraan gedacht om aan Lee te vragen hoe het met zijn familie was. Geleidelijk aan werd dat gevoel zwakker. Ik besefte dat het niet zo erg was, dat liefde al die stomme misverstanden kon overwinnen, dat als iemand echt van je hield, hij wist wat je voelde en dat het dan niet erg was als je fouten maakte. Dat hij zich niet vastpinde op wat je zei, maar wist wat er in je hart omging. Als hem dat beviel, als hij het als iets goeds beschouwde, kon hij je zowat alles vergeven.

Dat waren de gedachten die door me heen gingen toen ik in het donker zat, met een slapend been en linkerarm, terwijl Lee en ik in elkaars armen tegen angst, eenzaamheid en verdriet probeerden te vechten.

Het duurde best lang. Het is een strijd die je nooit kan winnen, denk ik. Het blijft altijd knokken. Misschien is het al mooi genoeg als je tijdens dat gevecht niet te veel terrein verliest, dat je in ieder geval standhoudt, het grootste deel van de tijd. Misschien kun je dat als een overwinning beschouwen.

Waarschijnlijk zaten we er al twee uur toen hij ineens zijn verhaal kwijt wilde. Hoe zijn ouders waren omgekomen toen zijn vader een bewaker op het jaarmarktterrein aanviel, en de man op hem schoot net toen Lee's moeder naar voren rende om hem tegen te houden. Ze werden allebei door dezelfde kogel gedood. En dat gebeurde waar Lee's broertjes en zusjes bij waren. Zij waren nog steeds op het jaarmarktterrein, waar ze verzorgd werden door de vrouwen van de crèche.

Na een uur of zo stelde ik hem de tweede vraag die me op de lippen brandde.

Tot mijn verbazing gaf Lee daar meteen antwoord op. Maar hij gaf een heel ander antwoord dan ik had verwacht. Hij deed het niet met woorden. Hij stond op, pakte mijn hand en leidde me de schuur uit, de droge, warme nachtlucht in. Vergeleken bij de schuur was het ineens heel licht en kon je alles zien. Er hing nog de geur van verbrande bomen en gras en terwijl we over het schoolplein liepen, zag ik de vage rode gloed van bomen op de heuvel die over de stad uitkeek. Ze zouden nog dagen blijven smeulen, elk een massa roodgloeiende kooltjes die lange tijd scherp in de gaten moesten worden gehouden. Ik hoopte dat iemand dat nu aan het doen was. Bosbranden blijven gevaarlijk, ook al is er geen vuur meer.

Ik denk dat we allebei het gevoel hadden dat geen kogel ons kon deren toen we de school uit liepen. Ik weet niet waarom, geen flauw idee. Maar voor het eerst sinds de invasie deden we geen moeite om spiedend rond te kijken of speciale voorzorgsmaatregelen te nemen.

Ook vertelden we het niet aan de anderen dat we weggingen, wat behoorlijk bot was. Ik heb er geen excuus voor. We dachten er gewoon niet aan.

Op straat deden we wel weer voorzichtig. We spraken niet met elkaar. We wisten toch wel waar we heen gingen. We gedroegen ons zoals we altijd deden, we bleven in de schaduw, we liepen van de ene tuin naar de andere, in plaats van over straat, we keken heel goed uit bij kruispunten. Er heerste grote bedrijvigheid. Dat verbaasde me niets: ze wisten dat we ergens in de streek zaten en misschien was het tot hen doorgedrongen dat we in de stad waren en niet in het bos. Als we in de school terugkwamen zou ik de anderen zeggen dat we moesten vertrekken. Het was te link om er nog langer te blijven.

Maar de bedrijvigheid bestond voornamelijk uit voertuigen en die kon je makkelijk ontlopen. Auto's en vrachtwagens reden voorbij, sommige kennelijk in haast om ergens te komen, andere duidelijk op patrouille. We zagen ook een patrouille te voet, maar we verstopten ons in de struiken tot ze weg waren. Ik was nu niet meer zo bang dat ik zou flippen als ik ze zag. Er was sindsdien wel het een en ander veranderd.

Om een uur of twee kwamen we bij de begraafplaats. Twee uur 's nachts is een kille tijd om een kerkhof te bezoeken, ook in zo'n droge, warme nacht als toen. Maar Lee liep vastberaden verder. Hij wist precies waar we heen moesten. We liepen over het middenpad tot bijna aan het eind en sloegen toen linksaf. Ik had al tranen in mijn ogen en ik pakte Lee bij zijn hand en hield die stevig vast. Weer sloegen we linksaf, naar een rij pasgedolven graven. Het waren hopen verse, caramelkleurige aarde, een stuk of acht, met een klein wit kruis erin gestoken. Wel even anders dan de plechtstatige grijze en witte marmeren tombes in de volgende rij. Die waren van voor de oorlog. Sommige waren wel twee meter hoog en twee ervan hadden kruisen van twee keer mijn lengte.

Carries graf was het derde hoopje aarde. Op het witte kruis stond haar naam en de datum waarop ze gestorven was, verder niets. Tranen stroomden over mijn gezicht, maar het was alleen maar water dat uit mijn ogen kwam. Ik had niet het idee dat ik huilde zoals het hoorde. Het was een soort snikken. Gelukkig had ik Lee's hand vast, anders was ik als een vodje op de grond gevallen. En als ik daar eenmaal had gelegen, als een schaap in een droge periode, was ik niet meer overeind gekomen, denk ik. Dat doet de oorlog nou met je: je gaat er in één klap aan kapot of je gaat er langzaam aan onderdoor. Hoe dan ook, het gaat je niet in je kouwe kleren zitten.

We bleven er niet zo lang. We hadden genoeg verdriet, genoeg emoties gehad die nacht. Ik plukte wat bloesem van een boom met rossige bloemetjes, ik zei een gebedje op en beloofde haar dat ik terug zou komen en langer bij haar zou blijven. Daarna liepen we een eindje verder en gingen op een grafsteen in de volgende rij zitten.

Toen sloeg de verschrikking pas echt toe. Carrie was even oud als ik, mijn vriendin, mijn allerbeste vriendin, met wie ik mijn jeugd had gedeeld. Dit was Carrie, die door haar moeder huilend in haar slaapkamer werd gevonden toen ze vier was, en die op haar vraag wat er was, snikkend antwoordde: 'Ik moest van Ellen naar mijn kamer, maar ik heb niks stouts gedaan!' Carrie, met wie ik schooltje speelde, waarbij we zuiglammetjes als leerlingen gebruikten en die stomme beesten in een keurige rij probeerden op te stellen voor de les. Carrie, mijn medeplichtige in groep één, toen we Eleanors lunch in de vuilnisbak gooiden en schapenkeutels in haar lunchtrommeltje stopten. We kregen er zo van langs dat we ons doodschrokken. We hadden niet beseft hoe stout dat was. Maar al de week daarop gooiden we onze onderbroekjes op de plafondventilator toen we ons omkleedden, en een daarvan kreeg mevrouw Mercer in haar gezicht.

Toen we zeven waren, speelden we tandartsje en heb ik echt een van Carries kiezen getrokken. Die zat natuurlijk al los, en ze vond het helemaal niet erg, maar mevrouw Mackenzie was een beetje van de kook. We hielden poppenkastvoorstellingen en deden goocheltrucs voor onze families en vroegen dan een kwartje toegangsgeld. We snoepten van een zakje zuurtjes die Carrie uit haar moeders boodschappentas had gepikt, maar toen overtuigden we ons ervan dat het rattengif was, dus we renden in paniek naar de kraan en probeerden ze weg te spoelen. Op ons eerste kampeeravontuur lagen we in onze tent op tubes tandpasta te zuigen. Een andere keer deden we in diezelfde tent net alsof we getrouwd waren en we gingen zoenen en aan elkaar zitten zoals we dachten dat getrouwde mensen dat deden. Tijdens een ander kampeernachtje wisten we onszelf zo op te fokken dat de boeman voor de tent stond, dat we gillend van angst het huis in renden en niet meer naar buiten durfden.

We waren maatjes, dat was het gewoon. Altijd hield ik Carries hand vast als we in een slang naar de bibliotheek, het zwembad of het tekenlokaal liepen. Net als Fi werkten we de gebruikelijke lijst af van dingen die kinderen uitproberen: jazzballet, zwemles, pianoles, ponyclub. Maar anders dan Fi, duurde dat nooit langer dan een blauwe maandag. Er was thuis veel te veel te doen en onze ouders klaagden dat het zo'n eind rijden was. We doorliepen de klassen, groep een, twee, drie, vier. We schreven liefdesbrieven naar jongens en besloten de volgende dag dat we ze toch niet zo leuk vonden. We speelden softbal in het juniorenteam van Wirrawee, maar toen Carrie werd geschorst omdat ze brutaal was geweest tegen Narelle, onze coach, stapte ik uit protest ook uit de ploeg. We probeerden de schapenscheerders te begluren door een gaatje in de wand van hun plee. We hielden een wedstrijd wie het langst zijn plas kon ophouden, zodat we er bijna een geknapte blaas aan overhielden. Tijdens het schoolreisje van groep zeven daagden we de andere meisjes uit om topless heen en weer te rennen naar de vlaggenmast, wat ik ook heb gedaan, maar Carrie, die in die tijd al iets had om te verbergen, opeens niet meer durfde. Groep acht, eerste klas middelbare school, tweede klas. We lazen in een tijdschrift dat dikke vriendinnen soms tegelijk ongesteld zijn, dus probeerden we dat ook, maar dat mislukte. Een heel trimester lang hielden we elke dag bij welke kleur onderbroek Andrew Matthewson aanhad, omdat hij wijde shorts droeg en altijd onderuitgezakt zat, met zijn benen uit elkaar. Het was een geintje, maar één ding heb ik nooit bekend, zelfs niet aan Carrie, namelijk dat ik altijd wou dat hij een dag zijn onderbroek was vergeten aan te doen.

Carrie, die misselijk werd van de zenuwen als ze een

proefwerk moest maken. Carrie, die een hele les alleen maar woorden met een A op de computer uittikte, daarna alles selecteerde, kopieerde en plakte en dat net zo lang deed tot ze een bestand van acht megabyte had. Toen gingen we woorden tellen. Dat duurde twaalfeneenhalve minuut.

Carrie, die haar sleutelbeen brak toen ze achter uit de oplegger viel, terwijl we de palen uit het oude hek haalden. Carrie, die me overhaalde om door de holletjes tussen de balen in hun hooischuur te kruipen, maar ineens in paniek raakte, omdat ze dacht dat ze er niet meer uitkwam en totaal claustrofobisch werd. Carrie, die zo vreselijk verliefd op Kevin werd en zo halsoverkop, dat ik jaloers was en mezelf moest dwingen hem leuk te vinden. In het begin probeerde ik haar er zelfs van af te brengen om verkering met hem te krijgen, maar voor het eerst liet ze zich nou eens niet ompraten. Ze wilde hem hebben en ze kreeg hem ook, dus uiteindelijk moest ik me erbij neerleggen dat onze relatie voorgoed veranderd was.

We moesten Kevin ook naar het kerkhof brengen, omdat hij daar evenveel recht op had als ik, misschien wel meer, omdat hij zo zijn best had gedaan om Carrie in het ziekenhuis te krijgen.

Maar nee, dacht ik. Ik had ook het recht om hier te zijn. Carrie en ik waren maatjes. We waren maatjes voor het leven.

En nu lag mijn beste maatje onder de grond, twee meter diep onder koude, zware aarde, gescheiden van mij door twee meter en door de eeuwigheid. Hoe was dat nou mogelijk? Al die toekomstmogelijkheden die we bespraken, al die plannen om samen een flatje te huren en naar de universiteit te gaan, om samen de wereld over te reizen, om te gaan werken als piloot of schapenhoeder of lerares of arts of kinderjuffrouw: in geen van die plannen werd ook maar één moment overwogen dat het zo zou kunnen eindigen. De dood stond niet op ons lijstje. We spraken dat woord niet eens uit. We dachten dat we onsterfelijk waren. Hoe moest het nu verder met mij? Onze plannen waren altijd bedoeld voor twee, maar Carrie had me verlaten en nu was ik alleen. Ik voelde me net de ene helft van een Siamese tweeling die van elkaar gescheiden was. Natuurlijk was Fi er nog, en ik hield veel van haar, maar ik was niet met haar opgegroeid zoals met Carrie.

Ik had Carrie het laatst gezien in het ziekenhuis. Ik dacht dat ik toen afscheid van haar had genomen en dat ik wel had geweten dat ik haar nooit meer zou zien, maar nu besefte ik dat ik dat absoluut niet had geaccepteerd. Ik had nog zo veel dingen moeten zeggen, willen zeggen, vergeten te zeggen. Hoe moest dat nu? Ook al werd ik honderd, ik zou nooit meer de kans krijgen ze uit te spreken.

'Hoe wist je dat ze hier lag?'vroeg ik aan Lee.

Hij haalde zijn schouders op en sloeg zijn arm om me heen.

Dat deed me goed, ik verlangde ernaar en ik schurkte tegen hem aan.

'Ik wist het niet. Ik liep gewoon een beetje rond. Ik verveelde me dood hier. Toen zag ik de verse graven en ik bedacht dat dat wel eens de mensen konden zijn die sinds de invasie zijn omgekomen.'

'Waar liggen je ouders?'

‘Die zijn op het jaarmarktterrein begraven.’

Ik ging iets meer rechtop zitten en terwijl ik een eindje opschoof, keek ik hem aan. ‘Het jaarmarktterrein? Waarom? Waarom niet hier?’

‘Alle mensen die geëxecuteerd zijn – dat heet zo als ze iemand vermoorden – worden op het jaarmarktterrein begraven. Ik weet niet waarom. Die verdienen in hun ogen geen echt graf, denk ik.’

‘Hoe ben je daarachter gekomen?’

‘Dat hoorde ik van dokter Krishnananthan.’

‘Dus toen hoorde je dat ze dood waren? Je hebt hun graf niet gezien?’

‘Nee.’

‘O, Lee, wat vreselijk allemaal.’

We bleven wel een uur of zo in elkaars armen zitten en probeerden elkaar te troosten.

Toen zei ik: ‘We kunnen maar beter teruggaan.’

‘Ik heb geen zin.’

‘Nee, dat weet ik.’

Ik wist waarom. Omdat we bij terugkomst dit verhaal aan de andere drie moesten vertellen.

Ik zag daar in zekere zin meer tegenop dan tegen een confrontatie met de vijand.

17

Soms wordt de vriendschap duur betaald. Ik hield van Fi en was op haar ouders gesteld, maar toen Fi vroeg of ik me samen met haar in het park wilde verstoppen tot zij hen zou ontmoeten, stemde ik toe, maar daarna bedacht ik dat ik het eigenlijk niet wilde.

Waarom niet? Ik weet het niet zo goed. Omdat ik het niet aankon, denk ik. In één nacht kom ik erachter dat drie mensen die in ons leven heel belangrijk waren dood zijn, ik ervaar meer verdriet dan ik ooit voor mogelijk heb gehouden (ik dacht dat ik nooit meer iets zou kunnen voelen), en ik besef dat ik nog steeds behoorlijk stuk ben van Lee. En meteen daarop vroeg Fi of ik samen met haar naar het park ging.

Fi reageerde nogal vreemd op de dood van Lee's ouders en van Carrie. Het leek wel alsof het niet echt tot haar doordrong. Ze was niet verdrietig, zoals Homer, of woedend of wanhopig, zoals Kevin. Misschien was ze helemaal afgestompt. Het ingrijpende nieuws over haar ouders leek een soort robot van haar te maken. Alsof ze zich helemaal van alles en iedereen had afgesloten.

Ik had dat ook een paar keer gedaan, dus daarom herkende ik het.

Maar om halfvijf 's ochtends ging ik samen met haar en

Lee naar het park. Lee liet ons zien waar we ons moesten verstoppen, midden tussen de boomvarens. Het was er koud en nat. In tegenstelling met de varens bij school, hadden ze de verwaarlozing tijdens de invasie goed doorstaan. Er werd nu voor ze gezorgd, want ze hadden frisgroene bladeren en diepbruine stengels.

Dat zagen we trouwens pas toen de zon opkwam. We verschoven de tuinbank, wat het teken voor Fi's ouders was, zoals dokter Krishnananthan had voorgesteld. Toen Lee weg was, deed ik er heel lang over om een goed plekje te vinden. Het was er zo nat dat ik algauw een natte kont had. Het was behoorlijk koud tussen de varens. Daarna moest ik niezen, wel zeven keer, geloof ik. Daardoor kwam Fi uit haar verdoving. Ze gluurde zenuwachtig door de varens om te zien of er niet honderden soldaten met dozen papieren zakdoekjes kwamen aanrennen. Of met iets anders.

Ik verlangde ernaar dat het dag zou worden en dus warmer, maar toen de zon al een tijdje scheen, drong de warmte niet tot de varens door. Dat was natuurlijk ook de bedoeling. Ik dacht dat ik snel aan onderkoeling zou sterven. Toen mijn tanden onbeheersbaar begonnen te klapperen en mijn armen en benen met wrijven niet warmer werden, zei ik tegen Fi: 'Ik móét even de zon in of ik vries dood.'

Ze was te zenuwachtig om dat ook te doen, maar ze hield de boel in de gaten toen ik twee minuten in de vroege morgenzon stond.

De dag kroop voorbij. Fi en ik zeiden lange tijd geen woord tegen elkaar. Er was zo veel te zeggen dat er geen beginnen aan was. Om de zo veel tijd keek ik op mijn horloge: 7.50, 8.05, 8.15, 8.35. We hadden gehoopt hen te zien aankomen bij hun werk, maar dat gebeurde niet. Waarschijnlijk kwamen ze per auto of vrachtwagen van het jaarmarktterrein, en de parkeerplaats was aan de andere kant van het gebouw.

Ik raakte steeds meer in de stemming. Eindelijk voelde ik dan wat opwinding voor wat Fi ging doen. Het enige probleem was dat als ik eenmaal begon te niezen, ik niet meer kon ophouden. Bij elke nies veerde Fi een meter van de grond en keek dan angstig rond of er iemand aankwam. Ik probeerde de niezen in te houden, maar dat lukte niet altijd. Ik heb een theorie dat het slecht is om niet voluit te niezen en, ja hoor, even later kreeg ik hoofdpijn, dus daarmee was mijn theorie bewezen.

10.35, 11.00, 11.15, 11.45. De wijzers van mijn horloge bewogen zo langzaam dat ik het steeds tegen mijn oor hield om te horen of het nog wel liep. We wisten niet wanneer Fi's ouders naar buiten zouden komen, maar na twaalven kon dat elk moment zijn. We konden geen van beiden stil blijven staan. Fi was bijna rondjes aan het draaien, zo opgewonden was ze. Ze praatte nu wel. Ze streek steeds over haar litteken, begon een zin, brak af en begon een nieuwe en dan wist ze niet meer wat ze wilde zeggen.

'Denk je dat deze varen – die doet me denken aan de botanische tuin in Stratton – zouden ze die gebombardeerd hebben – weet je nog, die kerk daar? – Ze hebben vast – o, kijk, er zit een duif op de hand van het standbeeld – heb je de papegaaien van meneer Morrison wel eens gezien, hoe ze altijd..?

Het kwam er allemaal in flarden uit, alsof ze zelf niet goed luisterde, stotterend en stamelend en van de hak op de tak, en het duurde wel vijf minuten voordat ze een paar woorden had uitgesproken.

Maar ik nam het haar niet kwalijk. Als alles goed ging, stond ze op het punt een van de ingrijpendste momenten van haar leven te ervaren, het moment waarvan we allemaal hadden gedroomd en naar hadden verlangd, en dat voor ten minste een van ons nooit meer zou komen. Ik vroeg me maar steeds af hoe het voor Lee geweest moest zijn om Fi te vertellen dat ze haar ouders kon ontmoeten. Dat zou híj nooit meer te horen krijgen. Niet in dit leven, in ieder geval.

Maar mijn verdriet over Lee ging samen met blijheid voor Fi. Ik wou gewoon dat er meer ruimte in mijn krappe lijf was om alle heftige gevoelens die vanbinnen woedden, te herbergen. Er zaten al zo veel dingen daar opgepropt: lever, blindedarm, darmen, hart en meer van dat soort troep. Er was absoluut geen plaats meer voor gevoelens. Toch glipten ze er af en toe tussendoor. De meeste zaten in mijn buik – een enorme rommelhoop – maar andere kropen over mijn handen en weer andere bleven in mijn keel steken, alsof ik een deurkruk had ingeslikt.

Terwijl ik daarover nadacht, was er stiekem alweer een halfuur voorbij. Plotseling greep Fi me zo hard bij mijn linkerpols dat die bijna brak. Net zoals ze in Lee's hand had geknepen in de school. Ik wist niet dat ze zo sterk was. Ik keek op naar het technische gebouw. Daar waren ze, ze slenterden over het gras en probeerden net te doen alsof er niets aan de hand was. Ze zagen er behoorlijk goed uit, trouwens. Ze waren allebei heel mager, maar dat waren ze altijd al geweest, alleen waren ze voor de oorlog slank en nu mager. Ze hadden allebei een spijkerbroek en een T-shirt aan, een gek gezicht, omdat ze meer van die ribfluweel- en tweedmensen waren. Meneer Maxwell zag er zonder das naakt uit.

Fi snikte even. Als ik haar niet aan haar shirt had getrokken, was ze recht op hen af gerend, denk ik. Maar ik deed het niet veel beter, want ik niesde drie keer, heel hard. Meneer en mevrouw Maxwell keken in onze richting alsof ze schoten hadden gehoord. Daarna keken ze even schichtig om zich heen. Ze liepen zo'n vijf meter van elkaar, maar het leek alsof ze samen aan een touw zaten, omdat hun bewegingen zo synchroon liepen.

Ik hoopte vurig dat er niemand keek. Ik tuurde het park af, of ik iets zag bewegen.

Meneer en mevrouw Maxwell liepen langs de varens, elk aan een kant, en daarna deed meneer Maxwell net alsof hij daar iets interessants zag. Hij riep zijn vrouw, wees ernaar en beiden liepen de varens in, als botanisten in het oerwoud.

Ik grijnsde hen toe, meneer Maxwell lachte nerveus terug en gaf me een klopje op mijn arm, maar natuurlijk hadden ze alleen maar oog voor één persoon.

'Och, arm kindje, kijk je gezicht nou toch,' hoorde ik mevrouw Maxwell zeggen, toen ze Fi omhelsde en Fi als een pakketje tegen zich aandrukte.

Ik liet hen begaan en liep voorzichtig naar de rand van de varens, zogenaamd om uit te kijken naar soldaten. Maar ıls die ineens opdoemden, zou ik niet veel kunnen doen. Wíj konden vluchten, maar meneer en mevrouw Maxwell niet, omdat Fi's zusje nog op het jaarmarktterrein was. En ıls we vluchtten en de soldaten ons zagen, zouden ze weten dat wij degenen waren die ze zochten, degenen die de brand hadden aangestoken. En dan zaten Fi's ouders en haar zusje diep in de puree.

Aan de andere kant konden we daar niet maar blijven en ons gevangen laten nemen. Al die tijd dat ik met Fi daar was, sinds de vroege ochtend, waren we er niet aan toegekomen om te bespreken wat we zouden doen als we genapt werden. Wegvluchten, dacht ik, er zat niets anders op, maar de gevolgen zouden zo verschrikkelijk zijn dat ik me niet kon voorstellen hoe je er daarna nog mee kon doorleven.

Nu pas drong het tot me door hoe ontzettend gevaarlijk deze situatie was. We hadden er veel meer over moeten nadenken. De voorzichtigheid waarmee we vóór Nieuw-Zeeland altijd te werk gingen, waren we aan het loslaten. We waren te nonchalant aan het worden.

Ik voelde me schuldig dat ik het dacht, maar ik hoopte toch dat Fi niet te lang met haar ouders zou praten.

De ware reden dat ik niet bij hun ontmoeting bleef, was natuurlijk dat ik Fi de kans wilde gunnen om alleen te zijn met haar ouders. Elke seconde telde nu. Het kon maanden, of zelfs een paar jaar duren voordat de gelegenheid zich weer voordeed, dus ondanks de gevaren wilde ik het echt niet verstoren.

Er was nog een reden, denk ik, dat ik me afzijdig hield. Die was nogal simpel: het was gewoon te pijnlijk voor me om erbij betrokken te raken. Het was te kwetsend. Dat is alles.

Dus ik kroop naar de rand van de vochtige varens en niesde zo stil als ik kon, snoot mijn neus en niesde nog een paar keer.

Vanuit de varens hoorde ik Fi's stem omhoog en omlaag gaan. Ze klonk verrassend kalm en zij was voornamelijk aan het woord. Ze had wel veel te vertellen, denk ik. Ik hoorde mijn naam een paar keer noemen, maar ik probeerde nu eens niet af te luisteren. Ik hoorde de diepe basstem van meneer Maxwell, toen hij iets over Fi's zusje Charlotte vertelde, en ik kreeg bijna de slappe lach toen ik plotseling aan een melig artikel in een oud nummer van het tijdschrift *New Idea* uit Nieuw-Zeeland moest denken. Het ging over de relatie tussen vaders en kinderen en de strekking ervan was dat het niet gaf als de vader veel weg was, als hij maar genoeg 'quality time' met zijn kinderen had.

Ik vroeg me af of de redacteuren van dat tijdschrift dit als 'quality time' zouden beschouwen, en of ze vonden dat het niet gaf dat Fi haar vader al negen maanden niet had gezien.

Ik keek op mijn horloge. We wisten dat meneer en mevrouw Maxwell maar een halfuurtje lunchpauze hadden. Dokter K. had erop gestaan dat ze op tijd terug waren. Anders kwam de opzichter hen zoeken en dan zwaaide er wat, omdat de opzichter ervoor moest zorgen dat iedereen op zijn plek was en deed wat hem was opgedragen. De straf deed niet zo ter zake, maar wél dat de opzichter naar buiten kwam om mensen te zoeken.

Ik had berekend dat er al vierentwintig minuten voorbij waren, dus vond ik het beter iets te zeggen. Ik riep: 'Jullie moeten over een paar minuten terug zijn.'

Voor de oorlog had ik de ouders van Fi nooit zo durven toespreken, maar nu ging me dat heel gemakkelijk af.

Meneer Maxwell antwoordde: 'Ja, dank je, Ellen. We komen eraan.'

Ik liep de varens weer in, toen ik hoorde dat ze Fi gedag zeiden. Ik draaide me naar hen om. Mevrouw Maxwell had gehuild, zo te zien, en de ogen van meneer Maxwell waren ook een beetje rood. Ze omhelsden me en waren heel aardig tegen me, dus Fi had goed over me gesproken, denk ik. 'Heel veel liefs aan mijn ouders als u ze ziet,' zei ik. 'Zeg maar dat ik me gedraag. Zeg maar dat ik ze mis en elke dag aan ze denk, en dat ik ze ontzettend graag wil zien. Zeg maar dat de Landrover nog op de Kleermakerssteek staat.'

Ik weet niet waarom ik dat laatste zei, misschien alleen om te laten horen dat ik goed voor de Landrover had gezorgd of zo.

Ze gaven me allebei een klopje op mijn schouder en daarna liepen ze uit de varens, aan de andere kant van het gebouw. Ik moest lachen en Fi moest giechelen om de manier die ze hadden verzonnen om te doen alsof er niets aan de hand was, voor het geval iemand keek. Ze liepen als geliefden, hand in hand, kussend en knuffelend alsof ze in een oude film speelden. Dus het was overduidelijk wat ze andere mensen wilden laten denken wat ze hadden uitgespookt. Fi, die naast me was komen staan, slaakte een gilletje. 'O, wat gênant! O God, hopelijk kijkt er niemand.'

Toch had ik bewondering voor hun moed en hun slimheid. Het was een goeie truc.

Toen ze bij het gebouw waren, kwam een soldaat de hoek om. Hij sprak hen aan, maar het zag er niet dreigend uit.

Maar ik werd er weer met mijn neus op gedrukt dat we midden in vijandelijk gebied waren.

Nu hadden Fi en ik nog een lange zit voor de boeg. We hadden van tevoren besloten dat we daar tot het donker moesten blijven. Maar ík, die anders zo geduldig en voorzichtig was, haalde Fi over om te vertrekken.

'Ook al doen we een uur over honderd meter, dan nóg is dat veel interessanter dan hier de hele dag te zitten,' was mijn argument.

Na enige aarzeling stemde Fi toe. Ze was in een andere stemming. Het was fascinerend hoe snel ze in korte tijd was veranderd. Ze leek te zweven, maakte onbenullige opmerkingen, liet de zorgen, het waken aan mij over. Ze wilde alleen maar de hele tijd over haar ouders praten. Wel logisch, maar we verkeerden nog steeds in een ongelooflijk gevaarlijke situatie.

Stukje bij beetje liepen we uit de varens vandaan, ons steeds verschuilend tussen struiken en bomen. Op een gegeven moment was Fi zo afgeleid dat ze zich voorover boog en een onkruidplantje uit het bloembed naast ons trok. 'Jezusmina, Fi,' zei ik geïrriteerd. 'Even bij de les blijven alsjeblieft.'

Ze wendde haar ogen af, maar zei niets. Ik voelde me schuldig en was kwaad op mezelf.

De jongens wachtten op ons in de school, dus daar gingen we heen. Er gebeurde niets bijzonders onderweg, behalve dat we vanaf een bepaald punt, bij de dierenkliniek, het vliegveld konden zien. Met verbazing zag ik dat het vliegveldje van Wirrawee, dat voor de oorlog een zandbaantje was voor Cessna's en Cherokees, voor sproeivliegtuigen en rijke veeboeren, nu veranderd was in een grote, bedrijvige vliegbasis, waar een tiental bruin met groene straalvliegtuigen voor een nieuwe, grote terminal geparkeerd stond. Er was ook een gigantische nieuwe hangar, om de hele basis liep een prikkeldraadafrastering en de landingsbaan was van beton en veel en veel langer. En overal liepen mensen. We telden er achttien, alleen al in de korte tijd dat we keken.

Geen wonder dat de Nieuw-Zeelanders het wilden aanvallen. Dit was een strategisch punt in de vijandelijke organisatie.

Ik zag ook dat er gewerkt werd aan de weg naar het vliegveld. Er stond een stel nivelleermachines, bulldozers en vrachtwagens, net als in vredestijd. Ik was verbaasd en verdrietig dat alles maar gewoon doorging en ze kennelijk niet bang waren voor tegenstand.

Maar uit niets bleek dat er een aanval was geweest van de Nieuw-Zeelanders of anderen. Nergens een gat in het hek, geen enkel beschadigd vliegtuig, zelfs geen kapot raam. De twaalf Nieuw-Zeelanders waren spoorloos verdwenen.

Dat bracht me op het idee om Fi te vragen of ze het nog met haar ouders over hen had gehad, maar dat had ze niet. Ze was het vergeten. Daar werd ik weer woedend om, hoewel ik me deze keer inhield en niet tegen haar uitviel.

We konden daar niet eeuwig blijven staan kijken. De

zon stond nog hoog aan de hemel en we waren op dun begroeid terrein. We slopen weg en zetten onze langzame tocht naar de school voort.

Toen we aankwamen, waren de jongens veel aardiger tegen Fi dan ik. Maar zij hadden niet het grootste deel van de dag op hun hurken in natte varens gezeten, zonder daar een bedankje voor te krijgen. Ze verdrongen zich om haar en stelden honderdduizend vragen en lachten met haar mee. Ik voelde me totaal buitengesloten. Ik stond daar maar wat te niezen.

Ik was natuurlijk gewoon jaloers, omdat ik mijn ouder miste. Maar dat is geen excuus. Ik had loyaler kunnen zijn Als iemand een reden had zich op dat moment klote te voelen, was het Lee wel. Maar hij liet blijken dat hij hee blij was voor Fi. Lee kennende, dacht ik dat hij maar dee alsof. Misschien was hij wel blij voor haar, maar diep in zijn hart was hij alleen maar wanhopig.

Toen iedereen een beetje gekalmeerd was, vertelden de jongens wat ze al die tijd hadden gedaan. Ik had het we kunnen raden. Van de vroege ochtend tot nu hadden ze het over het vliegveld gehad. Ze hadden hetzelfde gedaan als wij: ze waren naar een goede uitkijkplek geslopen en hadden vandaar gekeken hoe het zat. Ze hadden aanteke-ningen gemaakt over eventuele actie.

Het eerste wat ik zei was dat ze die aantekeningen moes-ten weggooien. Als we ermee gesnapt werden, zouden we ter plekke doodgeschoten worden als spionnen of sabo-teurs. Dan konden we vergeten dat we ons daar met smoes-jes uit konden redden.

Maar ik hoorde hun plannen wel aan. Lee was het mees

aan het woord. Na een paar stevige maaltijden in zijn maag had hij weer een beetje energie en kracht, maar wat hem het meeste dreef was de gedachte aan wraak.

Ik prentte mezelf in dat ik hem goed in de gaten moest houden. Het leven had voor Lee niet zo veel waarde meer. Voor de rest van ons nog wel. We moesten ervoor zorgen dat Lee ons niet in de problemen bracht door iets al te geks of wilds te doen. Ik bedacht dat ik hem onder vier ogen te spreken moest zien te krijgen en hem dan zeggen dat hij aan zijn broertjes en zusjes moest denken. Misschien dat hij zich dan bewust werd van zijn verantwoordelijkheid.

Maar goed, de jongens hadden twee hoofdplannen. Ik luisterde maar met een half oor, maar ik wist al dat ik niet veel in te brengen zou hebben over de grote vraag of we tot een aanval zouden overgaan. Als ik daar niets over te vertellen had, kon ik in ieder geval zorgen dat ik wel iets te vertellen had over de details: hoe, wanneer en waar, en hoeveel pogingen we zouden doen. Ik had geen zin om weer met een kloteklusje opgezadeld te worden, zoals in een stikdonkere container vol springstof te gaan zitten en achter in een vrachtwagen naar Cobbler's Bay te worden vervoerd. Dank je feestelijk.

Een van de plannen was heel slim, heel aardig. Lee was drie nachten daarvoor langs Curr's gekomen, het benzinedepot in Back Street. Dat kenden we allemaal, omdat we daar in een grijs verleden een tankwagen vandaan hadden gehaald, waarmee we de oude brug van Wirrawee hadden opgeblazen.

'Luister,' zei Lee, die Fi en mij aankeek alsof hij de leraar was en wij twee nieuwe leerlingen. Ik vroeg me af wanneer ik hem eindelijk weer eens zou zien lachen. Zou hij ooit nog eens lachen? 'Luister, de bewaking is sindsdien verscherpt. Er is een omheining gebouwd, hoger dan de vorige: eigenlijk dezelfde als die om het vliegveld, pakweg tweeëneenhalve meter hoog. Elk halfuur maken twee bewakers een rondje binnen de omheining. Dat vinden ze niet echt een leuk baantje, aan hun gezichten te zien.'

'Daar kan ik inkomen,' zei Homer. 'Ik zou ook niet jaren van mijn leven rondjes willen lopen in een benzinedepot.'

'Daarna gaan ze terug naar hun hokje,' zei Lee. 'Zo'n ding van gegalvaniseerd ijzer bij de hoofdingang. Het zal vroeger wel het kantoor zijn geweest.'

'Klopt,' zei ik. 'Er lag daar een boek. Als we benzine gingen tanken in de stad, schreven we daar onze naam in en hoeveel liter we hadden gekocht. Toen we die nacht de brug opbliezen, hebben Fi en ik de sleutels voor de tankwagen uit dat hokje gehaald.'

Lee ging verder: 'Het is nu dus het tankstation voor het vliegveld. Ik heb het allemaal gezien. Vrachtwagens met "Kerosine" erop komen van Stratton Road binnen en sluiten hun slang op een ondergrondse tank aan en dan hevelen ze alles daarin over. Het zit daar barstensvol.'

'Dat is natuurlijk voor de veiligheid,' zei Kevin. 'Je wil geen miljoenen liters brandstof in een tank op het vliegveld hebben.'

'Als jullie maar niet denken dat ik die ga opblazen,' zei ik. 'Dat heeft geen enkele zin. Ze installeren dan gewoon weer nieuwe tanks en die tanken ze weer vol.'

'Dat weet ik heus wel,' zei Lee ongeduldig. 'Je bent niet

de enige met hersens hier, Ellen. Ik heb iets voor ogen dat op langere termijn werkt, iets waardoor de kostbare motoren van hun mooie vliegtuigjes wekenlang uit de roulatie zijn, of misschien wel voorgoed. Misschien iets waardoor ze vlak na het opstijgen neerstorten.'

Toen begon het me te dagen. 'De brandstof saboteren?'

'Ja. Precies.'

'Waarmee dan?'

'Suiker.'

'En waar halen we die suiker vandaan?'

'We breken in bij Tozer.'

'Hoe weet je dat ze suiker hebben bij Tozer?'

'Dat heb ik ook gezien. Overdag is de laadplaats achter bij Tozer open, net als vroeger, en er ligt daar heel wat suiker. Balen vol.'

'De suiker is niet het enige,' onderbrak Homer hem. 'We hebben twee verschillende aanvalsplaatsen voor ogen. Jij en Fi zouden bijvoorbeeld de suiker in de brandstof kunnen doen. Op hetzelfde moment steken we de boel nog een keer in de fik, aan de voet van de heuvel achter het vliegveld. Als de wind uit de goeie hoek waait, zoals gisteren, staat de hele boel binnen vijf minuten in lichterlaaie, voordat de vliegtuigen kunnen opstijgen. Die krijgen ze nooit allemaal op tijd in de lucht. Dus dan is de helft al onschadelijk gemaakt.'

'Als het ene plan mislukt, zal het andere plan wel lukken,' zei Lee. 'En als ze allebei lukken, des te beter. Als ze de verbrande vliegtuigen vervangen door nieuwe, krijgen die een lekker schepje suiker in hun brandstoftank.'

'Maar dan zijn we al terug in Nieuw-Zeeland,' zei Kevin.

Voor hem was dat duidelijk het leukste deel van het plan
Nou ja, dat mocht.

We namen alles nog eens door. Er was veel voor de plannen te zeggen. In de eerste plaats konden we naar Nieuw-Zeeland terugkeren zonder gezichtsverlies. Hoewel we het contact met Iain, Ursula en de Nieuw-Zeelandse soldaten hadden verloren, moesten we erkennen dat we daar niets aan konden doen. Wie weet zaten ze duizend kilometer van ons vandaan. Als ze gevangen waren genomen, waren ze niet meer in Wirrawee. Ze zouden naar tien verschillende kanten weggevoerd kunnen zijn. Als er maar een zwaar beveiligde gevangenis was.

Ze zouden natuurlijk ook dood kunnen zijn. Dokter K. wist niets van hen en ik nam aan dat Fi's ouders het ook niet wisten, anders hadden ze het wel gezegd. Maar als we hun opdracht konden uitvoeren, was er tenminste iets goeds uit deze puinhoop voortgekomen. Dan konden we kolonel Finley bellen om de helikopter hierheen te laten komen en dan konden we weg. En ik kon weer met Andrea praten.

Onze haast om de Hel te verlaten en de Nieuw-Zeelanders te redden was achteraf gezien behoorlijk naïef. Een tijdje verkeerden we in de waan dat we helden op witte paarden waren, redders van mensen in nood. Nou, dat van die paarden klopte wel, maar verder kwam er niets van terecht. En door die haast, doordat we onze normale voorzichtigheid en behoedzaamheid overboord hadden gegooid, zaten we nu in de puree. Dat we die kinderen tegenkwamen, dat had de hele boel in de soep gedraaid.

Dus als we nog iets goeds uit deze puinhoop wilden haen, was er veel te zeggen voor het plan van de jongens. Maar er was ook veel tegenin te brengen. Ten eerste moesten we de suiker te pakken krijgen. Lee had in het holst van de nacht een aantal tripjes in Wirrawee gemaakt als het kerkhof hem z'n strot uitkwam, en hij dacht dat er geen bewakers in Tozer waren. Op willekeurige tijden werd er in het stadje gepatrouilleerd, ongeveer met een halfuur tussentijd, maar Tozer was gewoon afgesloten, net als in vredestijd.

Stel dat we er binnenkwamen, dan was het volgende probleem hoe we al die suiker naar Curr, het benzinedepot, kregen. De omheining van Curr was nog een risico. We konden draadscharen meenemen uit het technieklokaal. Als die schoongemaakt en ingevet waren, kon je daarmee makkelijk het staal doorknippen. Als Fi dan het uitgeknipte stuk weer op zijn plaats zette, terwijl ik naar binnen ging, zouden de bewakers het niet merken.

Maar er zat me van alles dwars. Als er ook maar íéts misging, viel het hele plan in duigen. Dat gold voor alles wat we deden, denk ik, maar nu leek dat nog sterker te spelen. En dat gold ook voor de actie van de jongens. Een fikkie stoken was nu misschien niet zo gemakkelijk. De lange periode van warm, droog weer, zo vroeg in het seizoen, was zeker gunstig, evenals de nachten zonder dauw, maar aan de andere kant wist de vijand dat we vrij rondliepen in de streek, zodat ze waakzamer waren dan ooit.

Het brandstofplan beviel me eigenlijk meer, omdat het een soort lateraal denken was, of hoe dat ook heet. Er kwamen intelligentie en fantasie bij te pas, en dat leek me een goed uitgangspunt.

Homer stelde bloedserieus voor om een golfwagentje uit de golfclub te gebruiken om de suiker te vervoeren Daar was hij niet vanaf te brengen. Het maakte geen lawaai, was zijn idee, en dat was natuurlijk ook zo, omda ze op batterijen lopen. Maar ze zijn ook traag en opvallend, en waarschijnlijk waren ze sinds het begin van de oorlog niet meer opgeladen. De batterijen waren vast totaal leeg. Homer was het er toch niet mee eens. 'Wat denken jullie nou?' zei hij. 'Denken jullie soms dat de officieren niet elke dag op de golfclub een paar rondjes doen? Wedden dat in elk leger in de hele wereld officieren een golfbaan weten te vinden?'

Ik moest toegeven dat dat zou kunnen. 'Maar je ziet ze van kilometers ver,' wierp ik tegen. 'Ze zijn altijd wit, met vlaggetjes erop, en ze maken wél geluid.'

'Wie hoort dat nou om drie uur 's nachts?' zei Homer terecht.

Hij wilde niet opgeven. Ik kon de gedachte niet bedwingen dat hij gewoon een sterk verhaal te vertellen wilde hebben als we in Nieuw-Zeeland terugkwamen. Maar als mensen maar lang genoeg en hard genoeg doordrammen, verlies je soms je gevoel voor realiteit en ga je erin mee. Je wordt er doodmoe van, ook al is het een idioot plan. Dus op een gegeven moment was ik bijna gezwicht.

'Moet je horen,' zei ik. 'Als jij om één minuut over drie 's nachts een golfwagentje voor Tozer klaar hebt staan, gebruiken we dat. Maar veeg wel eerst even je bloed van de zitting. Ik heb een hekel aan troep.'

Zodra ik dat had gezegd, had ik er natuurlijk al spijt van. Homer keek een beetje verbluft en Lee keek me aan alsof ik hem een klap had gegeven. Normaal maakten we nooit zulke geintjes. De grap was daar al een hele tijd af.

'Sorry,' zei ik. 'Niet leuk.'

Er viel even een pijnlijke stilte en daarna gingen we verder met de plannen. Hoe gingen we inbreken in het warenhuis? Misschien hadden ze een alarminstallatie, hoewel die in de school het niet deed. Maar daar konden we niet op rekenen. Als we te veel lawaai maakten bij het inbreken, zou iemand dat kunnen horen. Als we een raam stuksloegen, zouden de patrouilles dat opmerken en zouden we meer aan diggelen liggen dan dat raam. Hoe meer ik erover nadacht, hoe meer ik vond dat dat wel eens het grootste probleem zou kunnen zijn.

'Er is wel een manier,' zei Fi. 'Het is heel link, maar het zou kunnen werken.'

'Ja?'

'Nou, soms zie je een open raam, zonder dat je kan zien dat het openstaat.'

'Of er glas in zit of niets, bedoel je?'

'We gaan ervan uit dat als we een raam stukslaan, de soldaten dan de scherven zien. Maar als er geen scherven zijn, als we die allemaal uit het raam halen en van de grond rapen, hoe kunnen ze dan weten dat het kapot is?'

'De meeste patrouilles gaan per auto of vrachtwagen,' zei Lee, nadat we er even over hadden nagedacht.

Hij bedoelde dat het voor een soldaat in een auto moeilijker te zien valt of een raam kapot is.

Daarna gingen we iets doen waar we ongeveer de meeste lol mee hadden sinds de invasie. Bedrukt door de dood van Lee's ouders en Carrie, hadden we behoefte om aan iets anders te denken. Lang geleden had ik een theedoek gezien in het huis van Carrie, voordat het verwoest werd door bommen. Die doek lag nu waarschijnlijk langzaam weg te rotten in de puinhopen. Mevrouw Mackenzie was er erg dol op. Ze hield van banale dingen. Dit stond erop: Als dit allemaal voorbij is, ga ik eindelijk instorten. Ik heb er hard voor gewerkt, ik heb er recht op, ik verdien het en ik ga dat dus doen. Toen ik het voor het eerst zag, vond ik het matig leuk, en daarna zag ik het nauwelijks nog. Maar nu leek het onze levenshouding precies te verwoorden. Die van mij dan. Ik wilde gewoon terug naar Nieuw-Zeeland en lekker instorten. Want dat had ik mooi verdiend en ik zou dat mooi gaan doen.

Maar voordat ik zou instorten, was er werk aan de winkel. Het was precies zoals op de boerderij: wil niet, maar moet. Ik wil tv kijken. Ik wil Carrie bellen. Ik wil op de motor naar Homer rijden. Ik wil spelletjes doen op de computer, een mailtje sturen naar Robyn, zwemmen, eten, slapen, naar muziek luisteren.

De weckpot mag wel eens goed geschrobd worden als we dit jaar jam willen hebben. Ben je al klaar met het sorteren van het zaad? De kettingzaag moet geslepen. Tijd om wat houtjes te hakken, Ellen. Asla van het kachelfornuis is vol. Ellen, controleer die schapen even op rotkreupel, wil je? Stenen rapen, takken rapen, bramen sproeien. Wil niet, maar moet.

Wat we nu deden, wilde ik absoluut niet, maar ik wist dat het moest.

Maar wat we die avond op de school deden, vond ik hartstikke leuk. We gingen als vandalen tekeer, maar daar zou niemand zich aan storen. Behalve de vijand natuurlijk. We probeerden namelijk allerlei manieren uit om ramen kapot te maken zonder lawaai. We maakten alleen binnenramen stuk in de gang in Blok A, en niet eens allemaal, al had Homer dat wel gedaan als we hem z'n gang hadden laten gaan.

Algauw hadden we de beste manier gevonden: leg er een deken overheen, tik er dan met iets hards op, een hamer of zo. Je moest ervoor zorgen dat het glas alleen naar binnen viel, en dan klopten we het overgebleven glas uit de sponning, zodat een patrouille geen uitstekende scherven zou zien.

Fi en ik besloten Homers vriendelijke aanbod om een golfwagentje te regelen af te wijzen en een kruiwagen te nemen. Die moesten we dan van tevoren stelen, zodat we hem bij de hand hadden.

Wat het alarmsysteem betreft: daar konden we niets aan doen. Als het er was, moesten we 'm gewoon weer smeren. Als we niets hoorden afgaan, zouden we het risico nemen en verdergaan.

18

'Handdoek.'

'Ja.'

'Hamer.'

'Ja.'

'Draadschaar.'

'Ja.'

'Kruiwagen.'

'Kom op, Ellen, wat dacht je dat dit gigantische kutding is?'

'Oké, oké, ik check 't toch maar even.'

Grove taal van Fi: een unicum.

Ik voelde weer die bekende spanning. God, zou er ooit een moment aanbreken dat we dit niet meer hoefden te doen? En hoeveel keer nog voordat we betrapt werden? Maar goed, dacht ik, je kan er nu niet meer onderuit. Aan de slag.

Eigenlijk was ik een beetje murw en van streek. Nadat we onze plannen hadden gesmeed, slenterden we allemaal een andere kant uit. Stuk voor stuk moesten we ons voorbereiden op wat komen ging, denk ik, en dat deed ieder op zijn eigen manier. Iedereen behalve ik dan: ik moest drie uur de wacht houden.

Maar nadat ik daarmee klaar was en de wacht wisselde

met Homer, ging ik iets doen wat ik al zo lang wilde. Ik ging op zoek naar Lee.

Het duurde even voordat ik hem had gevonden, maar na een tijdje had ik hem. Hij was in het technieklokaal en staarde somber naar een stoffige puzzel. De meeste grote dingen waren verdwenen, waarschijnlijk geplunderd, en met de puzzel zou dat eerdaags ook gebeuren, denk ik.

'Wat ben je aan het doen?' vroeg ik. Ik was heel zenuwachtig.

'Brandstof verzamelen.'

'Waarvoor?'

'Om een goeie fik te maken.'

'Heb je wat gevonden?'

Met een knikje wees hij op een twintig-litervat dat onderaan bij de puzzel stond.

'Is het vol?'

'Nee, halfvol. Maar dat is beter dan niets.'

Ik wilde natuurlijk niet echt over brandstof praten, en ik nam aan dat hij dat ook niet wilde. Ik legde mijn hand op zijn arm.

'Lee, ik wil het je nog een keer zeggen. Ik vind het zo erg van je ouders.'

'Heb je ze wel eens ontmoet?'

'Niet echt. We zijn een paar keer in het restaurant geweest. En soms zag ik je moeder op school.'

Hij zuchtte en keek naar het raam. Het was donker, maar blijkbaar zag hij daar iets.

'Ze hadden al zo veel meegemaakt. Het is gewoon niet eerlijk.'

Ik zweeg.

‘Mijn moeder verliet Vietnam toen ze elf was.’

‘Was ze een vluchteling?’

Ik wist niet zo goed hoe dat allemaal zat, hoe emigratie in zijn werk ging.

‘Haar vader betaalde de kapitein van een vissersboot om ze mee te nemen.’

‘Dus het was illegaal?’

‘Absoluut. En het kostte een hoop poen. Gelukkig waren ze heel rijk. Mijn opa was handelaar in kleren en meubels. Tegen de tijd dat hij hun ontsnapping regelde, was er niet veel meer over. Hij nam goud mee, dat is alles.’ Lee zuchtte weer. ‘Er zaten meer dan vijftig man op die boot, maar het was een degelijk schip en de kapitein was een vriend van mijn opa, dus het had goed moeten gaan. Ze kwamen ook zonder al te veel problemen weg. Maar ergens in de Zuid-Chinese Zee werden ze door piraten overvallen. Dat was toen aan de orde van de dag en de kapitein was erop voorbereid. Hij deelde geweren uit en probeerde ze te verjagen. Maar ze hielden het niet. Te veel piraten met betere geweren.

De piraten enterden de boot, ze fouilleerden iedereen en vonden het goud van mijn opa. Alle mannen die nog leefden gooiden ze overboord. De vrouwen namen ze mee. De kinderen lieten ze achter. Die zouden toch gauw doodgaan, dachten ze. Dus het laatste beeld dat mijn moeder van haar vader had, was dat hij door de golven werd weggevoerd en het laatste beeld dat ze van haar moeder had, was haar gezicht toen het piratenschip in de verte verdween.’

Lee zweeg even. Ik had nog steeds zijn hand vast, maar

dat was ik vergeten. Ik was als betoverd, verstijfd van afschuw over dit verhaal dat hij zo kalm en schijnbaar zonder emotie vertelde.

Hij ging verder. 'De kinderen bleven in leven. Anderhalve dag later werden ze gevonden door een patrouilleschip van de marine van Singapore, die hen op sleeptouw nam. Het is een beroemd geval geworden. "Het wezenschip" stond er in de kranten. Na anderhalfjaar in een vluchtelingenkamp kwam mijn moeder hier. Ze ging bij een Vietnamese familie wonen, die mijn opa in Nha Trang had gekend. Na een tijdje werd ze door hen geadopteerd en werden ze de enige grootouders die ik heb gekend. Die perkamentrol waar ik je over vertelde is het enige wat ik van mijn moeders vader overheb. Mijn moeder had hem door alle verschrikkingen op die boot heen bij zich gehouden.'

'Hoe hebben je ouders elkaar ontmoet?'

'O, op de middelbare school. Ze waren een tijdje bevriend, maar daarna zagen ze elkaar drie jaar niet. Toen kwamen ze elkaar toevallig in een trein tegen. Ze raakten in gesprek, vonden elkaar aardig en van het een kwam het ander.'

'En...' Mijn stem was schor en ik moest mijn keel schrapen en opnieuw beginnen. 'En je vader? Hoe is die hier gekomen?'

'Dat is een beetje een ander verhaal. Zijn vader werkte bij een Amerikaans bedrijf in Bangkok als computerprogrammeur, en toen werd hij hierheen overgeplaatst. Het beviel hem hier goed en hij werd uiteindelijk genaturaliseerd. Maar hij was kwaad toen mijn vader met een Vietnamese vrouw trouwde, een vrouw die in zijn ogen geen echte familie had. Toen ze in Wirrawee gingen wonen en het restaurant begonnen, verbrak hij het contact. Hij vond dat mijn vader het hogerop had moeten zoeken. Ik weet niet waar de familie van mijn vader nu is. Ik zal ze wel nooit vinden.'

Hij zweeg weer even. 'Daarom is het zo oneerlijk, snap je? Vooral voor mijn moeder. Ze heeft zo veel doorstaan en dan wordt ze doodgeschoten door zo'n schietgraag klootzakje op het jaarmarktterrein.'

'Ben je... ben je kwaad op je vader omdat hij zich tegen de bewakers verzette?'

'Nee, natuurlijk niet. Ik ben opgevoed met meer respect voor mijn ouders dan jullie. Ik zou mijn ouders nooit zo naar beneden halen. Trouwens, wie ben ik om hun te vertellen wat ze wel of niet moeten doen? Ik was er niet bij.'

Voor het eerst hoorde ik Lee commentaar geven op de verschillen tussen onze milieus. Daaruit bleek hoezeer de dood van zijn ouders hem had aangegrepen.

Toen deed ik iets wat ik niet had moeten doen, denk ik. Ik leunde naar voren, pakte Lee's gezicht met beide handen vast en kuste hem. Ik voelde me opgelaten en ook teleurgesteld toen ik merkte dat hij er niet op inging. Ik ging weer rechtop zitten. Plotseling schoot het door me heen: Dacht hij soms dat ik hem probeerde te versieren? Ik hoopte van niet. Ik dacht van niet. Het zat veel ingewikkelder. Maar toch was ik van mijn stuk gebracht, omdat hij als een standbeeld bleef zitten. Tot overmaat van ramp stond hij op en verliet zonder iets tegen me te zeggen of me aan te kijken de kamer.

Daarom was ik een beetje van slag. Pas later besefte ik hoe gek ik nog op Lee was. Ik was diep onder de indruk van zijn verhaal. Ik was ontzettend verdrietig, niet alleen om hem, maar om zijn ouders en om mensen die ik niet eens kende, zoals zijn Vietnamese grootouders. Ik was verdrietig om alle vluchtelingen, alle wezen, alle slachtoffers van oorlog en geweld. Ik kuste hem omdat ik al die emoties voelde. Maar ik weet niet hoe het op hem overkwam, misschien als een onvolwassen reactie of zo.

Daarom kon ik mijn hoofd niet bij de taak houden die Fi en ik moesten uitvoeren. Ik wist heus wel dat ze een kruiwagen vasthield. Het zou raar zijn als ik dat niet wist, omdat we dat ding zelf hadden gehaald.

We hadden afscheid genomen van de jongens: weer zo'n sentimentele bedoening waarbij we flauwe grappen maakten en ontroerende dingen zeiden als 'Mazzel', 'Succes' en meer van zulk soort romantische taal. Ik had gedacht dat ik Lee niet recht zou durven aankijken, maar hij keek me kalm aan met zijn ernstige ogen en gaf me zelfs een zoen op mijn wang.

Soms had ik het gevoel dat hij wel twintig jaar ouder was dan ik, vooral sinds we weer bij elkaar waren, en daar baalde ik behoorlijk van. Nu was dat ook weer het geval. Misschien word je in één klap oud als je ouders doodgaan.

Het was zo'n zenuwslopende klus geweest om de kruiwagen te halen, dat ik benieuwd was hoe het zou gaan als het écht moeilijk werd, zoals inbreken in Tozer of balen met suiker door de straten van Wirrawee kruien of in het benzinedepot inbreken. In ieder geval zouden er om drie uur 's nachts niet veel mensen op straat zijn. Maar ik kon het maar niet uit mijn hoofd zetten dat ik geflipt was toen ik samen met de Nieuw-Zeelanders die vijandelijke soldaat was tegengekomen. Ik wist zeker dat dat niet meer zou gebeuren, maar mijn zelfvertrouwen had er wel een deuk van opgelopen.

We zochten in alle achtertuinen naar een kruiwagen en bij de vierde was het raak. Hoewel, dat is niet helemaal waar. Er stond er een in de tweede tuin en nog een in de derde, maar de eerste was te klein en de tweede had lekke banden. De vierde was een goede keus. Grote, diepe bak en harde banden. Maar wat me ongerust maakte was dat ik daar zo zenuwachtig van werd. Het was toch niet zo'n gevaarlijk karwei. We gingen alleen naar makkelijk te bereiken tuinen, waar de huizen ver uit elkaar stonden en er geen hoge hekken waren. We deden het op ons dooie gemak, zonder lawaai. Waarom was ik dan zo bibberig?

We reden de kruiwagen naar Jubilee Park en verstopten hem in de bosjes. We hadden nog tijd zat. We waren expres vroeg vertrokken, om onszelf niet op te fokken. Deze hele operatie stond of viel met het feit of de dingen synchroom liepen. De jongens moesten het vuur aansteken op het moment dat wij klaar waren om bij het benzinedepot naar binnen te gaan, zodat de soldaten daar afgeleid zouden worden. Daarna moesten we als een gek naar de jongens rennen en de stad ontvluchten. Als het licht werd, moesten we een heel eind ervandaan zijn. Het plan was om terug te gaan naar de Hel, kolonel Finley te bellen en te regelen dat we opgehaald werden.

Vanaf het park kon je Tozer zien. We klommen in een grote, oude eik en gingen op de laagste takken zitten om over Wirrawee uit te kijken. Het was een prachtige boom. Ik bewonder mensen die bomen planten die eeuwenoud worden. Dan denken ze namelijk aan anderen: ze zijn niet egoïstisch, maar denken aan toekomstige generaties, die van hun werk kunnen genieten. Een boer, een goede boer, is daarmee te vergelijken, denk ik. 'Leef alsof je morgen zult sterven, maar bewerk het land alsof je het eeuwige leven hebt.' Dat was een geliefde uitspraak van mijn vader.

Deze boom moest geplant zijn toen de Engelse kolonisten hier kwamen. Hij stond er al zijn leven lang en nam het leven zoals het kwam. Hij was nooit bang. Hij verborg zich niet en vluchtte niet weg. Hij riep niet om hulp als er iets misging.

'Ellen, moet je nog steeds denken aan die keer dat je gilde tegen die soldaat in Warrigle Road?' vroeg Fi plotseling.

Ik viel bijna uit de boom. Hoe wist ze dat?

Ik wachtte lang met antwoorden.

'Ja,' gaf ik eindelijk toe.

Ik dacht dat ze een hele tirade zou gaan houden dat ik het mezelf niet moest verwijten en zo, maar weer deed ze iets onverwachts. Ze zei namelijk niets. Toen kreeg ik de zenuwen dat ze misschien vond dat ik het mezelf wél moest verwijten. Misschien wou ze wel dat ze nu niet met zo'n onbetrouwbaar type op pad was. Dus ik flapte eruit: 'Denk je dat ik geflipt ben?'

Weer hield ze zich niet aan het script dat ik in gedachten voor haar schreef.

'Dat weet je pas als het weer gebeurt, denk ik.' Ze zweeg even. 'Toen je bij de technische school samen met me wachtte, was je heel sterk, maar dat was niet zo gevaarlijk In het bos en bij de uitkijkpost was je fantastisch, maar daar was het ook anders, toch?'

'Ja,' zei ik. 'Omdat we in het bos zaten en omdat we geen keus hadden en omdat het een kwestie van leven of dood was...'

'Dat was een impulsieve actie,' zei Fi. 'En dit is een voorbedachte actie.'

Dat was het. Dat was het grote verschil.

'Word je steeds banger of juist minder bang?' vroeg ik.

'Als we zo'n actie uitvoeren, bedoel je?'

'Ja.'

'Steeds banger, natuurlijk.'

'Maar zouden we niet minder bang moeten worden? We hebben toch steeds meer ervaring? Dat zou het juist makkelijker moeten maken.'

Fi huiverde. We zaten heel dicht bij elkaar, zodat ik haast het kippenvel op haar huid kon voelen.

'De gevangenis van Stratton,' fluisterde ze. 'Daar heb ik nachtmerries van, duizenden. Het laat me niet los. Steeds wanneer we zulke acties doen, zit dat in mijn hoofd. Robyns gezicht...'

'Niet aan denken,' zei ik botweg. Nu moest ik plotseling de sterkste zijn. 'Niet aan denken. Anders verlam je jezelf. Denk er naderhand aan, als je wil, maar niet nu.'

Ze boog haar hoofd. 'Ja, je hebt gelijk, ik weet het.'

We konden maar beter snel over iets anders praten, vond ik. Maar een volle minuut kon ik niets bedenken wat niet pijnlijk was. Carrie, Fi's ouders, Lee's ouders, iedereen z'n ouders, de Nieuw-Zeelandse soldaat op wie Fi verliefd was, ons hele leven had nu met de oorlog te maken. Wanhopig zocht ik in het verleden naar iets veiligs.

'Ik ben benieuwd hoe Courtney het redt op het jaarmarktterrein.'

Ze begreep natuurlijk wat ik deed, zo subtiel was het niet, maar ze ging erin mee. Courtney was de grootste trut van de school. Zonder haar make-up, toeters en bellen en cd-speler was ze verloren.

'Die gaat alle soldaten af met: "Haai, ik ben Courtney, wie ben jij?" Bij elke nieuwe leerling deed ze dat. Ik werd er niet goed van.'

'Homer zei altijd dat ze drie uur nodig had om een speelfilm van twee uur te kijken.'

Fi giechelde. 'Ze heeft net zo weinig tieten als hersens. Weet je nog wat ze zei toen haar afspraakje met Ryan de mist in ging, omdat haar moeder de verkeerde tijd had doorgegeven?'

'Nee, wat dan?'

'Ze zei: 'Ryan is genaaid door m'n moeder."'

Nu vielen we allebei bijna uit de boom. 'Sst,' zei ik, 'niet zo veel lawaai.' Maar eindelijk begon ik er een beetje lol in te krijgen. We hadden al in eeuwen niet zo lekker zitten roddelen. Nou ja, het leek wel eeuwen. Eigenlijk was het sinds de eerste nacht dat we ons op de school schuilhielden, geloof ik.

'Weet je wie ik ook niet kan uitstaan?' zei ik. 'Celia Smith.'

'O, maar die is aardig. Waarom heb je een hekel aan haar?'

'Omdat ze zo liegt. Alles wat ze vertelt moet je met een

korreltje zout nemen, dat halveren en dan nog eens door de helft delen en dan kom je misschien in de buurt van de waarheid.'

'Ze was razend populair in groep acht. Weet je nog dat we allemaal achter haar aanliepen?'

'Nou ja, ze is wel geestig. Maar ze liegt zich suf om erbij te horen. Dat feest bij Bernard, weet je nog? Ze zei dat ze was uitgenodigd, maar een halfuur eerder had ik van Bernard gehoord dat hij haar voor geen goud zou uitnodigen. Als hij moest kiezen tussen haar en mevrouw Gilchrist, zei hij, dan zou hij mevrouw Gilchrist kiezen. En weet je nog die keer dat Kawolski haar vroeg of ze bij mij had afgekeken bij Engels en dat ze toen glashard stond te liegen? Dat was al zo op de basisschool. Ik vertrouw haar voor geen cent.'

Plotseling moesten we stoppen, toen het gerommel van een voertuig in de verte ons verschrikt tot zwijgen bracht. Angstig gluurden we vanaf onze tak de straat af. Het was een *four wheel-drive*, ik weet niet precies wat voor soort, die langzaam over Barker Street reed en vaart minderde bij de grote gebouwen. Een schijnwerper op het dak zette de voorkant van elk gebouw in het licht, om te kijken of er iets aan de hand was. Toen ging hij de hoek om en verdween. We zuchtten allebei en gingen weer lui achteroverzitten.

'Wat is de ergste leugen die jij ooit hebt verteld?' vroeg Fi.

Ik begon te lachen. 'Toen ik tegen mijn ouders ontkende dat ik een deuk in de Landrover had gemaakt. Ik mocht er niet in rijden als ze niet thuis waren, maar ik ben ermee naar de rivier gereden om te gaan zwemmen met Homer. En toen ben ik achteruit tegen een boom gereden. Ik zei tegen mijn vader en moeder dat ik het niet had gedaan, maar een halfuur later heb ik bekend. Ze wisten natuurlijk dat ik het was. Zo veel andere verdachten waren er niet.'

'Ik geloof niet dat ik ooit tegen mijn ouders heb gelogen,' zei Fi. 'Maar in de derde heb ik iets bekend wat ik niet had gedaan, dus dat is ook een leugen.'

'Waarom deed je dat in godsnaaam?'

'Nou, omdat de juf ons zo onder druk zette. Iemand was in de lunchpauze de klas ingegaan en had vieze woorden op Jodies schrift geschreven. Want iedereen had een bloedhekel aan haar. En juf Edelstein pakte ons zo hard aan. We mochten na school niet naar huis, zei ze, totdat de dader zich bekendmaakte. We moesten doodstil blijven zitten. Toen werd het me gewoon te veel, ik kon de druk niet meer verdragen, dus ik stak m'n hand op en zei dat ik het gedaan had.'

'God,' zei ik vol ontzag, 'dat had ik nooit gedaan.'

'Mijn ouders waren woedend toen ik 't vertelde.'

'Woedend dat je Jodies schrift had beklad? Maar dat had je toch niet gedaan?'

'Nee, woedend dat ik iets had bekend wat ik niet gedaan had. Mijn vader ging de volgende dag naar school en maakte schreeuwende ruzie met Edelstein. Dus toen moest het onderzoek weer geopend worden en dat was nog erger dan de vorige dag. Maar niemand meldde zich.'

'Ik herinner het me vaag, geloof ik,' zei ik. 'Maar ik zat dat jaar in de combinatieklas. Dat was de enige keer dat we niet samen in de klas zaten op de basisschool.' Ik trok een blad van de boom en plukte eraan met mijn nagel. 'Jouw ouders zijn heel anders dan die van mij,' zei ik. 'Mijn vader liet zich nooit zien op school. Volgens mij vond hij dat onderwijs een vrouwenkwestie was.' Ik zuchtte. 'Was het leuk om ze vandaag te zien?'

'Ja, natuurlijk. Het was – ik weet niet, van alles. Ik voelde me schuldig dat jullie dat ook niet konden. Het leek zo oneerlijk. En ik dacht dat mijn ouders kwaad zouden worden om de dingen die we hebben gedaan. Ik sta echt wel achter onze acties, maar soms denk ik wel eens: "God, ik wou dat er volwassenen bij waren om ons te vertellen wat we moeten doen." Het is erg verwarrend. En ik wist dat mijn moeder het heel erg zou vinden van m'n litteken.' Ze voelde eraan terwijl ze dat zei. 'En dat was ook zo. Heb je het gehoord?'

'Alleen het begin.' Dit gesprek zat me niet zo lekker.

'Nou ja, ik heb 't nou eenmaal. Ik zit er eigenlijk niet zo mee. Ik heb veel meer mazzel gehad dan andere mensen. Het was gewoon een schok voor mijn moeder, meer niet.'

Het viel me nu pas op dat Fi het vaak over 'mijn moeder' had in plaats van 'mam'.

Maar we hadden geen tijd om daar dieper op in te gaan. We hoorden weer een voertuig aankomen, dus hielden we op met praten. Dezelfde wagen reed langzaam voorbij. Zodra hij weg was, legde ik mijn hand op Fi's knie. 'We moeten gaan.'

'O. Oké.'

We klommen naar beneden en sleepten de kruiwagen uit de bosjes. Fi duwde hem naar de rand van het park en verborg hem weer in de struiken. We hadden een provisorisch plan opgesteld. Ik zou naar Tozer gaan en door een raam naar binnen klimmen. Als ik van binnenuit een deur kon opendoen, zou ik dat doen en Fi zou de kruiwagen naar binnen rijden. Als dat met de deur niet lukte, zou ik met een doek zwaaien en dan zou Fi de kruiwagen daarheen brengen, terwijl ik de balen suiker door het raam tilde. We moesten snel zijn, dat was het voornaamste. Ik nam aan dat de soldaten in de terreinwagen niet zo stom waren dat ze de hele nacht op precies dezelfde tijd zouden langsrijden. Hoewel, misschien waren ze wel zo stom. Het maakte waarschijnlijk niet zo veel uit. Een stomme soldaat met een geweer was even gevaarlijk als een intelligente soldaat met een geweer.

Ik rende de weg over naar het warenhuis. Aan de zijkant was een klein raam dat ik zou proberen open te maken, zoals we hadden afgesproken. Met bonkend hart drukte ik de theedoek ertegenaan en gaf er een klap op met de hamer. Maar ik was zo bang om hard te slaan dat het niet kapotging. 'Kom op, Ellen,' zei ik tegen mezelf en gaf nog een klap. Er klonk een bevredigend gekraak en mijn handen tastten over het gebroken glas. Het waren een stuk of drie scherven, zo te voelen. Ik duwde ze de donkere winkel in en hoorde ze kapotslaan op de vloer.

Ik had geen alarm horen afgaan, dus ik ging verder. Ik keek even om naar Fi en ze zwaaide. We hadden afgesproken dat als ze nergens te zien was als ik haar zocht, dat er dan iets loos was. Ik wikkelde de theedoek om mijn vuist en sloeg alle overgebleven glassplinters uit het raam. Weer keek ik naar Fi, en weer zwaaide ze, dus dook ik naar beneden en hoopte dat ik alleen maar wat schaafwondjes zou oplopen.

Het raam was maar twee meter van de grond, dus ik kwam heel elegant neer. Overal lag glas en er zaten een paar splinters op mijn handen, maar ze waren niet door de huid heengegaan, dus kon ik ze makkelijk wegvegen.

Daarna sloop ik door de schemerige winkel.

Toen ik een kleine dreumes was, had ik een keer gedroomd dat ik per ongeluk 's nachts was opgesloten in Tozer. Ik fantaseerde dat ik naar de speelgoedafdeling ging, de snoepafdeling, de dierenwinkel en dat ik de hele nacht precies deed wat ik wilde, zonder de hele tijd van volwassenen 'Niet aankomen', 'Daar mag je niet komen', 'Nee, je hebt al genoeg gehad' te horen.

Nou, die droom was dus uitgekomen, alleen een beetje te laat, zoals de meeste dromen. Ik moest er wel aan denken toen ik over de verschillende afdelingen sloop en glimlachte even, een glimlach die niemand zag, ook ik niet.

Het was pikdonker in het midden van de winkel, waar het licht van de straatlantaarns niet kon komen, maar langzamerhand wenden mijn ogen eraan. Alles zag er heel anders uit. De toonbanken waren grotendeels leeg en er waren enorme lege plekken waar vroeger hopen kleren, elektrische waren en nepartikelen lagen. Maar het werd nog wel als winkel gebruikt, denk ik, wat klopte met wat Lee door de deur van de laadplaats had gezien. Hier en daar lagen stapeltjes spullen met ruwhouten plaatjes erop die er als prijskaartjes uitzagen. In de vroegere mannenkledingafdeling lagen grote bergen tuingereedschap: slangen en harken en schoppen.

Ik wist waar ik moest zijn. We kwamen niet vaak in de stad om boodschappen te doen, maar als we gingen kochten we groot in. Mam had een hekel aan boodschappen doen, dus ze deed het liefst zo veel mogelijk in één keer. Om de spullen in te laden reden we met de auto naar de laadplaats. Ik kende het daar dus heel goed. Het was de onzichtbare kant van Tozer, waar de grote ladingen op pallets opgeslagen werden en waar Lee de balen suiker had gezien.

Daar ging ik heen. En daar lagen ze. Pallets vol. Er leek alleen maar suiker te liggen in die ruimte. Als er tijd voor was geweest, had ik een baal opengescheurd en een paar lepels naar binnen gewerkt. Maar ik was bang dat ik er al veel te lang over had gedaan.

Ik had geen idee hoeveel balen we nodig hadden, maar ik dacht dat er maar vijf op de kruiwagen konden. En dat was genoeg. Ik begon een beetje opgewonden te raken. Als ons dit lukte en we dat aan kolonel Finley vertelden, zouden de Nieuw-Zeelanders elk doel in dit district kunnen bombarderen zonder tegenstand vanuit de lucht. Dat zou een enorme doorbraak voor hen zijn.

Maar zover was het nog lang niet. Eerst moest er heel wat gebeuren. Ik haalde een winkelwagentje uit het centrale deel van de winkel en stopte dat snel vol. Toen ik de balen van de pallet pakte, zag je nauwelijks verschil. Met een beetje geluk zouden ze het niet eens merken. Het wagentje kreunde onder het gewicht en wilde de hele tijd opzij rijden. Maar ik duwde het hard naar de deur die we als eerste hadden uitgekozen. Er zaten vanonder en vanboven grendels voor, een Yale-slot en een stang, maar dat leek me niet zo'n probleem. Toen ik de deur probeerde open te maken, had ik alleen moeite met de onderste grendel: hij ging stroef en hij knarste. Ik kreunde zachtjes van frustratie terwijl ik ermee bezig was. Ik word altijd woedend van zulke dingen. En verder was ik natuurlijk bang om te veel lawaai te maken. Maar eindelijk schoot hij dan met kracht los, zodat mijn knokkel ontveld werd.

Voorzichtig deed ik de deur open. Op straat was niemand te zien. Ik keek meteen waar Fi was en zag haar angstig vanuit de bosjes kijken. Ik zwaaide. Zij greep de kruiwagen en rende ermee de straat over.

'Waar was je nou al die tijd?' hijgde ze.

Ik gaf geen antwoord, maar pakte de kruiwagen en duwde hem naarbinnen. Daarna deed ik de deur dicht.

'Wat denk je?' vroeg ik. 'Moeten we wachten tot de patrouille is geweest? Of zullen we het er nu op wagen?'

Ondertussen begon ik de kruiwagen in te laden.

Ze keek me met grote ogen aan. 'Ik weet het niet. Jemig, wat een moeilijke beslissing.'

Ik voelde me steeds sterker worden. 'We doen het,' zei ik. 'We hebben hen elke keer horen aankomen. Als we nu wachten, kan dat wel een uur duren en zo veel tijd hebben we niet.'

De kruiwagen was vol. Ik pakte de handvatten vast. 'Ga even naar buiten en luister goed of je wat hoort,' zei ik tegen Fi. 'Als er niets aankomt, geef dan even een gil.'

Ik keek haar na toen ze de deur uit glipte. Ze stak het trottoir over en ging naast een telegraafpaal staan. Ik zag ineens dat die niet dikker was dan zij. At ze wel genoeg? We kregen inderdaad zeer onregelmatig eten binnen. Fi was altijd slank geweest, maar nu was ze dunner dan slank. Ik zuchtte. We waren allemaal afgevallen. Robyn zei altijd voor de grap dat ze anorexia had. Ik had gewoon veel te veel zorgen aan mijn kop. Ik kon me er niet midden in een oorlogsgebied druk over maken of Fi wel goed at.

Ze zwaaide even. Ik haalde diep adem, tilde de kruiwagen op en liep achter haar aan de straat door. De kruiwagen was zwaar, maar toen ik hem eenmaal in balans had, ging het best.

Maar toen hoorde ik een auto aankomen. Die kwam uitgerekend op het slechtste moment: toen ik halverwege was. Te ver om terug te gaan, te ver om beschutting te zoeken. Het punt waarna er geen weg terug meer is. Plotseling leek het park wel een miljoen kilometer ver. Ik vergat dat ik zo sterk en beheerst was. Ik keek verwilderd naar Fi, hulpeloos. Ik wilde de kruiwagen niet achterlaten, want dan was alles bij voorbaat al mislukt. Maar ik wilde ook zeker niet sterven om een kruiwagen vol suiker. Fi kon me niet helpen. Ze keek net zo verwilderd terug. Ik draaide me met een ruk om om te zien of daar iets was om ons te verbergen. Maar het was een kale straat. De enige beschutting waren een telefooncel en een brievenbus. Dat moest dan maar. Ik draaide de handvatten van de kruiwagen om en rende zo snel als mijn korte benen me konden dragen erop af. Fi rende achter me aan, wat niet zo slim van haar was, omdat ze zich veel beter in het park had kunnen verstoppen. Op het moment dat de koplampen de hoek om kwamen, zette ik de kruiwagen naast de telefooncel neer. Ik hurkte tussen de handvatten, met Fi op me. Ik voelde elke trilling in haar lijf, en dat waren er heel wat. De au-

to kwam langzaam aan rijden. Ik zag hoe het donker wer
teruggedreven door de koplampen.

Toen stopte de auto.

In een flits hoopte ik dat hij om een of andere onbenullige reden was blijven staan. Wanhopig zocht ik naa
gunstige redenen om mezelf op te peppen, om mezelf t
troosten. Maar ik had maar een fractie van een seconde on
me die luxe te permitteren. Ik hoorde de portieren open-
gaan, ik hoorde geschreeuw en stampende voeten. Fi's ge-
tril werd nog heviger. Ik keek even het trottoir af en za
toen de grootste fout die ik in deze oorlog had gemaakt
Een ongelooflijk stomme fout. Zó ontzettend stom dat i
even mijn ogen sloot van pure geschoktheid.

19

Ik had de deur van Tozer verdomme open laten staan.

Nou had ik zó mijn best gedaan om het raam voorzichtig open te breken. Allemaal verspilde moeite.

Ik zag de soldaten met hun geweer in de aanslag naarbinnen gaan, terwijl ze elkaar dekking gaven. De deur van de supermarkt zat in het gedeelte dat uitsteekt in de straat, dus hadden de soldaten hun rug naar ons toe. Dat was onze enige mazzel, hoewel we die niet eens verdienden.

We hadden pakweg dertig seconden, bedacht ik, voordat ze weer naar buiten kwamen. Ik voelde een golf van misselijkheid opkomen toen ik besefte welke mogelijkheid ons nog openstond. Het park was zo kaal dat we er nu niet heen konden: te weinig beschutting. Maar de auto stond midden op straat met zachtjes snorrende motor. Blijkbaar zat er niemand in. We hoopten maar dat het zo was. Ik rende erheen, maar besloot ineens, idioot die ik was, om de suiker mee te nemen. Ik draaide me om, greep de kruiwagen, terwijl Fi als een schaduw aan me kleefde, en racete als een dolle naar de auto. Tijdens dat korte sprintje liet ik de kruiwagen bijna zes keer kapseizen. We renden naar de achterkant en rukten de deur open. Ik gaf haast over van angst, maar er zat niemand in. Terwijl Fi probeerde te helpen, maar eigenlijk alleen maar in de weg liep, begon ik de balen achter in de auto te laden. Eentje scheurde e alles lag onder de suiker, maar dat kon me niet veel sche- len. Toen ze ingeladen waren, probeerde Fi de deuren wee dicht te doen. ‘Nee, wacht even,’ zei ik. Ik pakte de krui- wagen en tilde het hele ding op. Het was zwaar, maar i liet me door niets tegenhouden: niet door soldaten, suiker of Fi en zeker niet door een kruiwagen. Ik tilde hem ui alle macht op en hees hem boven op de balen. Daarn mocht Fi de deuren dichtdoen, terwijl ik naar de bestuur dersplaats rende.

Een voordeel van dieselauto’s is dat iedereen de moto aan laat staan. Ik sprong in de auto, zette hem in de ver snelling en deed de handrem los.

Fi lette op de deur van Tozer en net toen we wegreden hijgde ze: ‘Daar heb je ze!’

We moesten zo snel mogelijk de straat uit zien te ko- men. Ik liet de koppeling opkomen en daar gingen we. I hoorde zelfs vanaf mijn plaats de banden gieren, en je moe echt keihard optrekken, wil je dat horen. De soldaten kon- den in ieder geval hun hart ophalen aan de sterke lucht va verbrand rubber en een mooi zwart remspoor op de weg De auto schommelde heen en weer door die manoeuvre Ik keek strak naar de hoek van de straat en hoopte dat d soldaten even tijd nodig hadden om hun geweren te rich- ten en de trekker over te halen.

Zo’n zeventig meter van de hoek zei Fi, die de hele tij achterstevoren zat, kalm: ‘Ze schieten op ons.’ Ik wist da het zo was, toen ik een vreselijk geratel hoorde, alsof ie- mand de zijkant van de auto met een drilboor bewerkte Dat was de eerste ronde, geloof ik, toen was het even sti en daarna begon het weer. Ik probeerde zigzaggend te rijden, maar dat was gevaarlijk, omdat we bijna bij de hoek waren. En ondanks het gezigzag schoten ze nu gerichter. Alle ramen aan mijn kant gingen kapot. Fi en ik doken in elkaar. We zaten zowat op de grond. Ik sloeg volkomen lukraak de hoek om. Als er een tegenligger was geweest, waren we daar frontaal tegenaan gebotst. Maar nu kregen we te maken met bomen, trottoirs en telegraafpalen. We maakten een slinger toen we over het trottoir scheurden en een schuiver toen we aan Fi's kant ergens tegenaan schuurden. Net op tijd zag ik een boom aankomen. Ik gaf een harde ruk aan het stuur naar rechts. We reden nog steeds keihard, dus ik begreep dat het een keuze was tussen slippen of met negentig kilometer per uur tegen een boom te pletter slaan.

We slipten niet, gek genoeg. Ik weet nog steeds niet wat voor soort auto het was. Ik wou dat ik het wist, want het was een steengoeie wagen. Heel wendbaar. We maakten een schuiver die het halve blok duurde, maar uiteindelijk stonden we met de neus de goede kant op, zonder dat de motor was afgeslagen. Ik gaf weer een dot gas.

Zodra we de volgende hoek om waren, ging ik met opzet wat langzamer rijden. Mijn hersens werkten nog. Als we met zo'n snelheid door de stad scheurden, overal tegenaan botsend, waren alle soldaten in Wirrawee meteen klaarwakker, dat was zeker. Ze waren eraan gewend dat er de hele nacht gepatrouilleerd werd, maar dan in een lekker rustig tempo. Dus moesten we net doen alsof we een patrouillewagen waren.

Volgens mij had Fi dat ook bedacht, want ze zei niets,

maar zat doodstil, terwijl ze oplettend van links naar recht keek en ik vooruit. De laatste keer dat ik in zo'n situati had verkeerd, was met Robyn. Zij was fantastisch gewees en het was een raar gevoel dat ze er nu niet bij was, maa met Fi was het ook best. Met haar had ik immers hetzelf de benzinedepot overvallen, lang geleden.

En misschien was Robyn er toch wel bij.

Weer sloegen we een hoek om. Ik was nog steeds vastbesloten ons plan uit te voeren: om naar Curr, het benzinedepot, te rijden. Ik probeerde zo snel mogelijk te berekenen hoe we het zouden doen. Ik reed er min of mee rechtstreeks heen. Ons plan om het gelijk te laten lope met de brand van de jongens moest geschrapt worden. W hadden geen tijd meer om op hen te wachten. Er hing vee af van de doelmatigheid van de communicatiesystemen va de bewakers. Als ze goed uitgerust waren, krioelde het meteen van de soldaten in Wirrawee.

Anderhalf blok van het benzinedepot zette ik de aut neer. We stapten uit en renden naar de achterkant van d auto. Ik trok de kruiwagen naar buiten en we legden d balen suiker erin. Fi deed de deuren weer dicht en liet d gescheurde baal achterin liggen. Maar ik pakte hem eru en legde hem op de kruiwagen. Ook veegde ik snel de gemorste suiker met mijn handen weg. Ik wilde niet dat w te duidelijke sporen achterlieten, want ik wist dat die lu niet achterlijk waren. Ze zouden wel eens kunnen rade waar die suiker voor nodig was en dan viel het hele plan i duigen. Misschien hadden ze wel gezien dat er suiker ui Tozer was gestolen, maar misschien ook niet. Die pallets lagen overvol en ik had de balen ergens van achteren gepakt

Toen zei ik tegen Fi: 'Kan je de auto een paar straten verderop zetten?'

Ze keek dodelijk verschrikt.

'Waarom?'

'Hoe verder weg, hoe beter. Ik wil niet dat ze verband leggen tussen de suiker en het benzinedepot.'

'Is het een automaat?'

'Nee, deze heeft een echte pook.'

'Tja, ik denk niet... ik weet het niet...'

'Kom op, Fi, doe het nou maar.' Ik greep de kruiwagen vast en liep ermee weg. Ik wist dat Fi niet sterk genoeg was om de kruiwagen te duwen, dus moest ze de auto wegzetten. Ik kon niet alles doen.

Maar ik had nog geen honderd meter gelopen, of ik moest al stoppen. Fi had de auto drie keer laten afslaan. Ik was bang dat de herrie iedereen in de buurt wakker zou maken. Ik rende naar haar terug. 'Laat maar,' fluisterde ik. 'Laat hem maar staan. Kom mee.'

Ze zag er heel gestrest uit en ze was het huilen nabij, geloof ik. Ik besefte dat het verkeerd van me was om haar eerste rijervaring onder deze omstandigheden af te dwingen. Toen we naar de kruiwagen terugrenden, kneep ik even in haar arm.

'Sorry,' zei ik.

'Geeft niks,' fluisterde ze terug. 'Het gaat wel.'

Hoe ongerust ik ook over haar was, ik maakte me nog ongeruster over hoe we zonder verdere rampen bij het bezinedepot moesten komen. Ik kon mezelf nog steeds voor m'n kop slaan dat ik zo stom was geweest om de deur van Tozer open te laten. Ik kon niet geloven dat tot dusver alles zo stom was gegaan. Wat een puinzooi.

Maar niets wekt meer energie op dan woede. Beter dan Super Ongelood. Ik was zo kwaad over die fout van ons dat ik helemaal werd opgepept. Ik pakte de kruiwagen weer op en samen liepen we vrij snel over het paadje, dat een kortere weg was naar de achterkant van het benzinedepot. Daar hoefden we niet zo voorzichtig te doen en bovendien hadden we geen tijd meer te verliezen.

Maar hoe dichter we bij het benzinedepot kwamen, hoe langzamer ik ging lopen. Ik had geen zin om zelfmoord te plegen.

Fi fluisterde in mijn oor: 'Ik ga vooruit om de boel te verkennen.' Ik knikte, zette de kruiwagen neer en leunde tegen iemands achterhek. Ik deed zelfs mijn ogen dicht. Als Fi zich als een heldin wilde opwerpen om zich beter te voelen, mij best. Mijn korte opleving was al aan het afnemen.

Ik deed mijn ogen weer open en keek haar na. Ze glipte door de schaduwen van de bomen langs het pad en was nu bij de achterste hoek van het benzinedepot. Ik probeerde me te herinneren hoe het er daarachter ook weer uitzag. Er was gras, dacht ik, en een boel afgedankte spullen: benzinetanks en auto's. En dan had je het nette gedeelte, grind en glimmende, nieuwe tanks. Vooraan stond het gebouwtje van gegalvaniseerd ijzer. Er was daar niets bijzonders te zien: het was gewoon een schuurtje met een kalender aan de muur en een prikbord met een lijst van telefoonnummers en memo's over veiligheidsregels. Op de kalender stonden altijd naakte meiden, wat ik als kind heel erg ranzig vond. Ik wendde de helft van de tijd mijn ogen af; de andere helft keek ik stiekem naar ze, gefascineerd, terwijl ik me afvroeg of ik er ooit ook zo zou uitzien. Ik wist nu zeker dat dat niet zo was.

Fi zwaaide even. Ik keek om me heen. De kust was veilig, zo te zien, dus duwde ik de kruiwagen erheen. Toen ik tien meter van de hoek was, zette ik hem weer neer. Fi kwam me tegemoet. Ze zette haar mond tegen mijn oor en fluisterde: 'Ik denk niet dat we de omheining hoeven door te knippen. Ik denk dat we hem vanonderen kunnen optillen.'

Dat was verheugend nieuws. Als ze gelijk had, betekende dat een stuk minder risico. Metaaldraad doorknippen klinkt misschien gemakkelijk, maar dat is het niet. Het duurt lang en het maakt lawaai.

'Hebben de soldaten hun ronde al gedaan?'

'Nee.'

'Dan moeten we daarop wachten, denk ik. Anders is het te link.'

'Het is toch al link.'

Ik wist dat ze gelijk had, maar ik vond dat we niet veel keus hadden. Bij Tozer hadden we het anders gedaan, en moest je eens zien wat de gevolgen waren. Aan de andere kant zou de auto wel ontdekt worden, ook al hadden we hem op een rustig hoekje geparkeerd. Ik wou dat Fi hem weg had kunnen zetten.

We wachtten en wachtten. Ik keek steeds achterom, omdat ik verwachtte dat er elk moment soldaten het pad op kwamen rennen, wild om zich heen schietend. Het pad bleef verlaten, maar niet ver ervandaan werd gevochten. Zo nu en dan zag ik lichtflitsen in de lucht, van schijnwerpers, dacht ik. Na een tijdje meende ik auto's te horen, eerst één, daarna nog een paar.

'Hoor jij auto's?' vroeg ik aan Fi.

Ze knikte.

Langzaam drong het tot me door hoe precair het allemaal werd. De balen onder de omheining door krijgen, ze naar de kerosinetanks dragen, ze een voor een erin strooien, dat zou een aardig tijdje in beslag nemen. En tijden die actie zouden de zoekende soldaten steeds dichterbij komen. Het zweet brak me uit terwijl ik dat bedacht en ik verbeeldde me dat een koude, vijandige hand me achter in mijn nek vastgreep. Op de een of andere manier ging ik daar weer van niezen, net als toen in het park met Fi, en ik niesde drie keer hartgrondig. Fi kreeg ter plekke zowat een hartverzakking. Ze deed haar hand voor mijn mond en haalde hem niet meer weg. Dat snap ik wel. Ik had precies hetzelfde gedaan. Ik wilde natuurlijk niet niezen, maar het ging allemaal te snel.

Maar pas toen Fi in mijn oor fluisterde: 'De bewakers', besefte ik hoe ernstig het was.

Ik verstijfde, niet van de kou, maar zoals een dier verstijft dat bedreigd wordt. Dat had ik duizenden keren gezien als we in het donker op de boerderij gingen jagen: vossen, konijnen, kangoeroes, zelfs schapen, als we per ongeluk de schijnwerper op hen richtten. Ze verstijfden allemaal. Dat is een van de belangrijkste reflexen van de natuur. Helaas vormt het geen enkel verweer tegen een jager met een geweer en een schijnwerper, en helaas hadden Fi en ik geen enkele kans tegen gewapende soldaten. Maar daar moesten we het mee doen. Ik herinnerde me dat ik ang geleden, toen de oorlog begon, de anderen aanspoorde om na te denken over het gebruik van vuurwapens. Ik was er al heel snel uit dat het geen goed idee was, voornamelijk omdat we ter plekke geëxecuteerd zouden worden als we met wapens betrapt werden. Maar onder deze omstandigheden zou een geweer of pistool wel hebben uitgemaakt, ten goede of ten kwade.

Fi was iets dichter bij het benzinedepot dan ik, maar algauw hoorde ik de patrouille aankomen. Mannen of vrouwen, dat wist je nooit zeker in deze oorlog. Ze deden precies wat Lee had voorspeld, ze liepen langs de omheining om te kijken of er onraad was. Ik hoopte met elke vezel van mijn lijf dat ze niet beseften wat voor groot onraad er slechts een paar meter van hen vandaan op de loer lag.

Vijf meter verder bleven ze ineens staan. Ik keek gespannen naar hun schaduwen. Wat deden ze in godsnaam? De ene stopte iets in zijn mond en plotseling wist ik het: ze rookten een sigaretje.

Ik ben opgevoed met het idee dat je van roken kan doodgaan, en hier was het bewijs. Door hun gerook gingen we eraan. We zaten als ratten in de val. Als er iemand het pad af kwam, zou die ons zien en gaan schieten, terwijl onze enige ontsnappingsweg zojuist helemaal was afgesloten.

Ik wierp een angstige blik op de omheining om ons heen. Zouden we daaroverheen kunnen komen, als het niet anders kon? Wel als we vijf minuten de tijd hadden. Het was geen makkie. Als we bovenaan waren, waren we al aan flarden geschoten.

Ik begreep wel waarom die oenen daar gingen roken. In het hele depot hingen waarschuwingsborden dat er nergens bij de tanks gerookt mocht worden. Die kerels hielden zich precies aan de regels. Alleen kwam dat ons toevallig slecht uit.

Fi en ik lagen plat op de grond bij de omheining va het huis naast het depot. Daar schoten we niet erg veel me op, omdat de kruiwagen nog midden op het pad stond, a was dat een paar meter verderop. Het was gewoon een reflex om ons zo plat tegen de grond te drukken, net als konijnen wanneer er een roofvogel boven ze hangt. Som lukte het, soms ook niet.

Ik heb nog nooit meegemaakt dat een sigaret zo lan duurde. Ik had zin om naar hen toe te lopen, de sigaretten uit hun mond te rukken en te zeggen: 'Oké, zo is he wel genoeg. Aan de slag.' Het ergste, het onverteerbaarst was dat de lichten in de verte steeds dichterbij kwamen Misschien waren ze drie blokken van ons vandaan. Kennelijk hielden ze deze keer een grondige zoektocht. Volgens mij hadden ze een beetje genoeg van ons.

De oorlog bestond heel vaak hieruit: misselijk van angst terwijl je wachtte op mensen die doodgewone dingen deden, waarna jij iets deed waar je leven gevaar bij liep.

Ik kon pas ruimer ademhalen toen er eerst een gloeiende peuk en daarna de tweede met een boogje door de luch ging, op de grond viel en wegrolde, terwijl er kleine vonkjes opspatten. Eindelijk scheurden de schaduwen zich var de omheining los waartegen ze geleund stonden, en langzaam hervatten ze hun afgezaagde wandeling. Je kon zelf aan hun schaduwen zien hoe saai ze hun werk vonden.

Als ik eerlijk ben, hoopte ik dat ze het saai bleven vinden. Ik wilde niet dat ze opgewonden zouden raken.

We kropen dichter naar de omheining en gluurden om de hoek. We zagen de ruggen van de soldaten in de richting van het huisje verdwijnen. Achter ons klonk het geluid van een motor, iets harder dan eerst. Ik keek angstig achterom. Het pad was nog steeds verlaten, maar ik voelde me steeds opgejaagder. Hadden we die auto maar beter verborgen.

Ik keek naar de onderkant van de omheining. Fi had gelijk. Je kon hem daar makkelijk optillen. Het was de sulligste omheining die ik ooit had gezien. Pap had een beroerte gekregen als de hekkenmakers, of ik, zulk slecht werk hadden afgeleverd.

De soldaten gingen het kantoortje in. Het was nu of nooit. Ik duwde de kruiwagen naar voren en tilde de balen eruit.

'Ik ga naar binnen en jij schuift de suiker door de omheining,' fluisterde ik tegen Fi. 'Dan wacht je aan het eind van het pad.' Ik wees naar het andere eind, het verst van de plek vandaan waar we de auto hadden achtergelaten.

Maar Fi schudde heftig met haar hoofd. 'Nee! Ik ga met je mee. Jij doet altijd de gevaarlijke klussen.'

Ik was verrast, heel erg verrast, maar het was niet het moment om ertegenin te gaan. Ik was ook aangedaan. Soms dacht ik dat niemand oog had voor de risico's die ik nam. Het was verstandiger geweest als een van ons de wacht had gehouden op het pad – ik weet zeker dat Iain en Ursula dat hadden gedaan – maar ik wilde dolgraag gezelschap op de binnenplaats van het depot, dus ik was Fi heel dankbaar.

We brachten de balen nog dichterbij en Fi tilde de onderkant van de omheining op. Ik glipte er zonder al te veel moeite doorheen. Nu konden we niet meer terug. Fi hee met enige moeite de eerste baal van de kruiwagen en schoo hem naarbinnen. Verstandig was geweest als ik die meteen naar de tank had gebracht, terwijl Fi de andere balen naa binnen schoof, maar sinds Fi had aangeboden met me me te gaan, kon ik plotseling niet meer in mijn eentje verder Ik wilde echt graag dat ze bij me was. Dus zorgden we er- voor dat alle balen binnen waren en daarna duwde Fi de kruiwagen terug op de verstopplek. En kroop onder de omheining door.

Ik moet toegeven dat ze eleganter door het gat kroop dan ik.

We pakten elk een baal op. Fi wankelde onder het gewicht, maar wist hem op haar schouder te hijsen. We moesten hem met beide handen vasthouden om in evenwicht te blijven. Ze waren lastig te dragen.

Ergens ver weg, misschien in Nicholas Street, klonk een schot, luid en angstaanjagend. We bleven even staan, maar blijkbaar kwam er niet meer, dus moesten we er wel van uitgaan dat het niet om ons ging. Zo ineengedoken mogelijk renden we over het gras naar de tanks.

Dat eerste gedeelte ging best goed. Zoals ik me herinnerde slingerde er een hoop oud afval rond. Dat konden we dus als beschutting gebruiken. Maar het tweede gedeelte leverde meer problemen op. Knerpend grind en alleen maar open ruimte tussen ons en de grote, ondergrondse tank. Op de tank stond zelfs 'Kerosine', dus Lee had dat ook goed gezien. Minder dan vijftig meter ervandaan was het schijnsel van het kantoortje. Dit is bloedje link, dacht ik grimmig. Maar we konden niet meer terug.

Eenvoudige menselijke koppigheid, het gevoel dat je zielig bent als je het zou opgeven. De marathonloopster op de Olympische Spelen die met een ingestort lichaam de dood riskeerde door de race uit te lopen. Het laatste wilde schaap in Nellies weide dat zich maar niet liet vangen, maar waar je toch maar steeds achteraan ging. De man die de Mount Everest beklom, ook al wist hij dat zijn tenen afvroren. Ik heb in een boek een foto gezien van zijn tenen en dat was geen lekker gezicht.

Het is stom, maar het is ook bewonderenswaardig. In dat benzinedepot had ik dat stadium bereikt.

Ik keek naar Fi, zij keek naar mij. Ik maakte een grimas, haalde mijn schouders op en trok mijn neus op. Daarmee bedoelde ik: 'Niet te geloven, hè, dat we zoiets krankzinnigs doen?'

Ze grijnsde, dus misschien begreep ze het. We liepen het grind op.

Knerp, knerp, knerp. Niets maakte zo'n herrie als dat grind. Het geluid dat je maakt als je bleekselderij eet. We liepen langzaam, omdat we nog twee keer terug moesten. Als we nog langzamer waren gegaan, wat ik eigenlijk wilde, was de zon opgekomen tijdens ons tweede tripje.

Ik keek nauwelijks waar we liepen, omdat ik alleen maar op het kantoortje lette. Jammer dat geen van ons naar de tank keek, want dan hadden we ons veel moeite kunnen besparen. Ik keek pas goed naar de tank toen we ervoor stonden.

Er zat een hangslot op.

Er zat verdomme een slot op, zo groot als mijn vuist, van keihard staal.

Mijn huid brandde. Net als op strandvakanties, de eerste avond, als je verbrand bent en je huid overal prikt en tintelt. Toen werd ik kwaad, ik werd razend. Als Fi er niet was geweest, had ik met mijn hoofd tegen de tank gebeukt, denk ik, of geprobeerd dat slot met mijn blote handen kapot te maken. Ik begreep meteen dat we er niets aan konden doen. Ik keek weer naar Fi. Het was bijna grappig. Ze stond met open mond te staren en met haar ogen te knipperen alsof haar net een vraag was gesteld in het Cantonees of Bulgaars of Pitjantjatjara. Toen ze besefte dat ik haar aankeek, fluisterde ze driftig: 'De draadschaar?'

Ik schudde mijn hoofd. 'Dan kan je 't nog beter met je tanden doen.'

'Maar er moet toch iets...'

'Er is niets. Kom mee.'

Het leek me beter om de suiker weer mee te nemen. Ik weet niet waarom, deels omdat ik vond dat het goed was als we konden ontkennen dat we saboteurs of guerrillastrijders waren. Deels omdat ik toch nog hoopte dat we terug zouden komen en nog een poging doen. Ik dacht even aan die zestienjarige jongen in West-Australië, voor de oorlog. Die in zijn eentje een zeiltocht om de wereld ging maken en het lef had om na een week terug te komen, omdat zijn radio kapot was. Ik herinner me dat ik hem op tv had gezien toen hij een tweede poging ging wagen.

Geduld en doorzettingsvermogen. Het tegenovergestelde van koppigheid, en veel intelligenter.

Toen ik mijn baal oppakte, volgde Fi mijn voorbeeld. We begonnen aan de terugtocht.

We waren aan de rand van het grind toen ik hem voelde opkomen. Weer kwam hij snel, zo snel dat ik geen tijd had om de baal te laten vallen en mijn neus vast te grijpen. Dus die nies, eentje maar, echode over het stille depot als een scheet op een begrafenis.

Even later ging het licht in het kantoortje uit.

20

Daarmee kon ik mijn pogingen om de suiker te redden wel vergeten. Die hele nacht was één grote flop geweest, van begin tot eind. We konden nu alleen nog maar het vege lijf redden.

> Hier liggen wij, omdat wij niet verkozen
> te leven als verraders van ons land.
> Aan het leven is niet al te veel verloren;
> Maar dat ging nog boven ons jong verstand.

Miljoenen, honderden miljoenen mensen zijn in oorlogen omgekomen, sommige op een ontzettend domme manier. Ik kreeg nog een ander gedicht uit de Eerste Wereldoorlog van de leraar uit Dunedin over een soldaat die niet op dezelfde wc wilde als de anderen. Hij ging een eindje opzij van zijn maten staan om te plassen, werd gezien door een scherpschutter en doodgeschoten. De dichter vond dit niet om te lachen: dit was de tol die de soldaat betaalde, omdat hij volgens zijn eigen normen wilde leven.

> Wat valt hier nu te lachen?
> Beoordeel een mens naar zijn daden.

Ik heb mijn tol betaald om te leven
Zoals ik dat zelf heb gewild.

De leraar moest me wel uitleggen waar het over ging, want toen snapte ik het niet.

Ik denk wel eens dat er voor elke situatie een gedicht is.

Dus oorlogen hadden een heleboel mensenlevens geëist, soms door de kleinste dingen. Waarom zou het bij ons dan anders zijn? Als Fi en ik door een nies omkwamen of door een paar balen suiker, wat was daar voor bijzonders aan? We waren gewoon een van die honderden miljoenen.

We renden als gekken. We hadden die nacht al verstijfd gestaan als konijnen, ons plat tegen de grond gedrukt als konijnen en nu renden we als konijnen, wanneer ze hun hol ruiken en denken dat ze het misschien nog kunnen halen. We staken ons hoofd vooruit, doken ineen en schoten weg. Eerst hoorden we niets achter ons. Dat verbaasde me. Ik had schreeuwende, rennende soldaten verwacht. Maar toen dacht ik: Ze weten niet wie of wat daarbuiten is. Ze rennen heus niet zomaar het gevaarlijke donker in. Toen begon ik nog harder te rennen.

Daar was de omheining al. Ik nam een duik naar beneden. Nog steeds als een konijn. Naast me deed Fi hetzelfde. Toen we ons lieten vallen, gierde de eerste kogel over ons hoofd. Over perfecte timing gesproken…

Terwijl we ons door het hek heen wurmden, deed ik me pijn aan de scherp uitstekende randen. Ik voelde diepe schrammen in mijn rug, maar het kon me geen donder schelen. Er werd even niet meer geschoten. Ik denk dat ze geen goed zicht op ons hadden omdat we zo laag bij de grond waren, en door alle rommel die in de weg stond.

Toen waren we erdoor en we leefden nog. Waarheen nu? Aan beide kanten was een lang stuk onbeschutte weg. Fi wilde naar rechts gaan, maar ik bedacht plotseling dat links beter was. Dan gingen we dus dezelfde weg terug, wat gekkenwerk leek, maar nu het net zich om ons sloot hadden we maar één uitweg: de terreinwagen. Toen we die zomaar ergens lieten staan, had ik niet kunnen denken dat hij weer een rol in ons leven zou spelen, maar we moesten snel uit dit gebied zien weg te komen. Het werd ons te heet onder de voeten. Overal zag ik lichten. Niet alleen het felwitte licht van schijnwerpers of zoeklichten, maar ook licht in huizen. Kennelijk hadden we de halve stad wakker gemaakt.

Fi ging achter me aan, hoewel ze het een krankzinnig plan gevonden moet hebben. We holden de weg af, stampend op het ruwe oppervlak. Het geluid werd nog eens versterkt door de hoge omheining aan weerskanten. Het was een wedstrijd tussen ons en de soldaten van het benzinedepot. We moesten het pad af zijn, voordat zij bij de omheining waren. Maar wat stond ons verder te wachten? Rare wedstrijd, als je door de man bij de finish wordt doodgeschoten. Meestal heeft degene die het startsein geeft een pistool in zijn hand.

We hadden nog vijftig meter te gaan, toen veertig, toen dertig. Even liet ik een onmogelijke gedachte naar boven komen: dat we het zouden halen. Zulke gedachten zijn altijd gevaarlijk. Meteen daarop flitste het onmiskenbare gefluit van een kogel langs mijn oor. We zijn er geweest, dacht ik. Het laatste wat ik in mijn leven zal zien is het eind van dit pad.

Maar zoals vaker in die nacht was gebeurd, speelde mijn instinct op. En voor de laatste keer in die nacht werd ik door konijnen geïnspireerd. Ik liet me op de grond vallen en kroop op mijn buik naar de hoek van het pad. Ik besefte dat Fi hetzelfde deed, links van me. Plotseling werden we een lastig doelwit. De laatste tien meter ging ik ook nog eens zigzaggen. Kogels floten door de lucht. De andere soldaten die ons zochten zouden ons nu makkelijk kunnen vinden. Het was een afschuwelijke herrie. Het leek wel alsof er een zwerm insecten in de lucht was, de gevaarlijkste insecten die je maar kon bedenken, snel, luid en dodelijk. Ze raakten de keien van het pad of de omheining aan weerskanten of ze schoten gewoon de verte in. Na een scherpe steek in mijn been wist ik dat ik geraakt was. Weer dacht ik dat ik het eind van het pad niet zou bereiken.

Maar plotseling waren we er. Fi schoot naar links en ik rende achter haar aan. Ik vond het best dat zij de leiding nam. Het pad leek achter ons te verdwijnen alsof het er nooit was geweest. Ik hoorde nog een paar schoten en toen werd het stil. Ongeveer honderdvijftig meter voor me uit zag ik de donkere contour van de terreinwagen. Ik hinkte een beetje en mijn been deed zeer, maar erger dan de pijn was de angst: de angst dat ik eindelijk geraakt was en misschien dood zou bloeden. Fi rende vijf meter voor me uit.

'De auto!' hijgde ik, voor het geval ze niet had begrepen dat we daarheen gingen. Ze knikte alleen, zonder om te kijken. Ik had haar weer eens onderschat. Zoals gebruikelijk.

Maar de auto haalden we in de verste verte niet. De schietpartij bij het bezinedepot had precies dát tot gevolg waar ik bang voor was geweest: soldaten kwamen eropaf als gieren op een kadaver. Aan het eind van de straat doemden ineens een stuk of vier soldaten op, ze liepen een eind van elkaar, zeer doelbewust, zo te zien. Ik draaide me met een ruk om, waarbij ik een hevige scheut in mijn been voelde. Aan de andere kant kwamen soldaten in ganzenpas op ons af rennen. Ze waren nog één straat van ons vandaan.

Ik voelde dezelfde angst voor de gevangenis van Stratton waar Fi me in de boom bij Tozer over had verteld. Ik had dezelfde nachtmerries. Ik zou nooit meer naar zo'n soort plek terug kunnen gaan. Ik had er alles voor over, maar dan ook alles, om dat te ontvluchten. Niet dat we veel mogelijkheden overhadden. Zonder dat we hoefden te overleggen renden we naar links, recht door het openstaande hek van het dichtstbijzijnde huis. Ik hoopte maar dat de soldaten ons niet hadden gezien.

Ik weet niet wie daar voor de invasie woonde. Maar hij moest wel rijk zijn geweest. Het was een behoorlijk groot huis, gelijkvloers, maar heel chique: een brede veranda rondom, met veel hangplanten en een fontein in de tuin. Voorzover ik kon zien was het huis in donkere, maar mooie kleuren geschilderd. Waarschijnlijk was het in 1800 gebouwd of zo. Een oerdegelijk pand. Hier zou je geen plastic tuinmeubels of aluminium kozijnen aantreffen.

We renden meteen door naar de veranda. Fi aarzelde.

Ik absoluut niet. Ik graaide naar de deurkruk, draaide eraan en duwde. De deur was niet op slot. Hij ging zachtjes en soepel open. Nu aarzelde ik wel. Wie weet liepen we in de val. Wie weet was er geen uitweg. Maar de soldaten waren zo dichtbij dat er niets anders op zat. Het kon me niets meer schelen, ik hinkte naar binnen met Fi achter me aan.

Mijn zintuigen stonden op scherp, zodat ik alles leek op te merken. Ik zag glanzende vloeren, een entree, een paraplubak, een kapstok, een hoge kast, nog meer planten in potten. Het was een grote entree, even groot als onze huiskamer, zacht verlicht door een lamp in de hoek met een peertje van niet meer dan vijfentwintig watt. Aan de kapstok hing een uniformjas, behangen met gouden tressen en glimmende knopen.Voor de oorlog woonde hier een rijke man; nu woonde er een belangrijke man.

Ik had zo snel rondgekeken dat ik de zwarte stok naast de paraplubak voor een paraplu had gehouden. Ben ik even blij dat ik nog eens goed keek. Want toen ik dat deed, zag ik dat het een geweer was. Op een tafeltje ernaast, met een plant en een overvolle asbak erop, lag een klein, zwart pistool. Ik weet nog dat kolonel Finley zei dat officieren zowel pistolen als geweren hadden. Dit huis werd dus bewoond door een officier. Maar ik dacht er niet langer over na. Ik deed drie passen naar de tafel, pakte het pistool, laadde een kogel in het magazijn, schoof de veiligheidspal weg en gaf het aan Fi. Zelf pakte ik het geweer.

Fi's ogen puilden zowat uit hun kassen. 'Ik... ik kan niet...' begon ze, maar hield toen haar mond.

De deur ging langzaam open en terwijl dat gebeurde zette ik het geweer aan mijn schouder. Er verscheen een man in de deuropening. De situatie deed me denken aan zo'n computerspelletje waarbij je honderden vijanden doodschiet, maar er om de zo veel tijd iemand van jouw partij opdoemt met zijn handen omhoog. Als iemand ineens voor je staat, wacht je heel even tot je weet: goed of fout? Schieten of niet schieten?

Deze man had zijn handen niet omhoog. De enige reden dat ik aan dat computerspelletje moest denken was dat de goeden lichte kleren aanhebben en de slechten altijd in het zwart gekleed zijn. En deze man had alleen een witte boxershort aan, hij gaapte en krabde over zijn borst.

Maar hij was wel imposant, zelfs in zijn onderbroek. Toen hij ons zag raakte hij niet in paniek of begon wild om zich heen te slaan. Hij ging langzaam rechtop staan en hield op met krabben. Het was een lange man, jong, met zwart haar en een waakzame blik in zijn ogen, behoedzaam, alsof hij dacht: wat hebben we hier? Hoe krijg ik deze situatie onder controle?

Zo jong nog en al zo'n hoge pief, dan moest je wel behoorlijk goed zijn.

Ik vertrouwde hem voor geen cent.

Toen ik het geweer aanlegde, had ik de veiligheidspal verschoven, en nu trok ik razendsnel de grendelknop naar achteren en naar voren, zodat ik het prettige geklink voelde van een kogel die het magazijn in rolt.

'Handen omhoog!' schreeuwde ik. Hij glimlachte even en deed zijn handen omhoog, heel langzaam. Dat glimlachje beviel me niets. Volgens mij dacht hij dat we maar tieners waren, die hem niet echt last zouden bezorgen. Er waren wel tieners in hun leger, maar ik denk nu dat ze niet zo'n hoge dunk hadden van onze schietvaardigheid vergeleken bij die van hen. Ik besefte dat ik daar snel iets aan moest doen. Ik was zo bang, dat het geweer in mijn handen als een gek trilde, maar ik richtte het een klein beetje meer naar rechts en haalde de trekker over.

Jezus, wat een knal. Oorverdovend in die kleine ruimte. De schade aan de muur was niet zo erg als ik had gedacht. Er zat ineens een gat in en er liepen een paar scheuren vandaan, dat was alles. Het lawaai was gewoon zo dramatisch. Fi gaf een gil achter me, waarschijnlijk een harde gil, maar ik was zo doof dat het niet zo hard overkwam. Maar het schot had wel een ingrijpend effect op de man: hij werd doodsbleek en wankelde even. Ik zag zweetdruppels op zijn gezicht, boven zijn wenkbrauwen. Logisch. Ik was me ook doodgeschrokken, en de loop van het geweer was niet eens op mij gericht. Ik dacht: hier moet ik gebruik van maken, ik moet hem steeds een stap vóór zijn. Ik wist al wat ons te doen stond. Het zou de grootste gok aller tijden zijn, het hoogste spel dat we ooit hadden gespeeld, maar het moest ons lukken, anders waren we er geweest. En dan ook echt. Ze zouden ons niet meer laten ontsnappen, vooral niet nadat ik net op een van hun hoge officieren had geschoten. Ik wees met het geweer naar de deur: 'Naar buiten.' Mijn oren suisden nog van de knal. Ik had er barstende koppijn van en mijn been deed nog erg zeer. Ik durfde er niet naar te kijken. Ik had het niet eens aan Fi verteld.

De man bleef even staan, maar toen liep hij naar de deur met zijn handen omhoog.

'Wacht!' hoorde ik Fi roepen.

'Wat is er?' vroeg ik, zonder om te kijken. Ik hield mijn ogen strak op de man gericht.

'Hij moet zijn uniformjas aantrekken,' zei ze.

Ik dacht meteen: ja, natuurlijk, Fi, je bent een genie. De soldaten daarbuiten zouden hem niet in zijn onderbroek herkennen, maar in zijn uniform wel.

Ik schreeuwde tegen hem: 'Doe je uniformjas aan.'

Ik hoopte dat hij me verstond. Hij bleef staan, haalde zijn schouders op en zei in vlekkeloos Engels: 'Ga je me doodschieten als ik weiger?'

Voor het eerst in mijn leven ging ik over de rooie. Het kon me niets meer schelen of ik hem zou neerknallen en ik haalde de trekker over. Als het een automatisch geweer was geweest, had ik het hele magazijn leeggeschoten. Maar nu vuurde ik een stuk of vier schoten af. Toen waren we voorgoed doof, denk ik, en deze keer was de schade aan het huis aanzienlijk. De halve voorkant kwam naar beneden. Stuc en stof en versplinterd hout en rook en glasscherven.

Maar hij deed wel zijn uniformjas aan.

We liepen het huis uit. Recht over het tuinpad. Fi en ik hadden onze wapens op hem gericht en bleven zo dicht mogelijk bij hem in de buurt. De kans was klein dat Fi hem zou raken, zelfs op deze korte afstand, aangenomen dat ze wist waar de trekker zat, maar ik hoopte dat niemand dat wist. Hij had inmiddels zijn handen op zijn hoofd in plaats van in de lucht, maar deze kleine verandering in het scenario zag ik door de vingers. De belangrijkste scène moest nog komen.

Toen we het pad af liepen, werd er een vijftal zaklantaarns op ons gericht, maar we gebruikten de man als dekking. We liepen de straat op. Ik tuurde de andere kant op, naar rechts. Niemand te zien. Alle lichten kwamen van links. Dus de twee groepen soldaten waren elkaar bij de terreinwagen tegengekomen en stonden daar nu op een kluitje, voorzover ik kon zien. Goed zo. Dan konden we de officier als schild blijven gebruiken.

Maar ik voelde dat ik heel snel moest handelen, voordat ze een strategie konden uitstippelen. Ze konden in korte tijd twee scherpschutters opstellen en ons allebei neerschieten. Voor die tijd moesten we al weg zijn. We moesten opschieten.

Ik gilde tegen de officier: 'Naar links.'

Hij ging naar links, maar bleef gewoon in hetzelfde tempo doorlopen. Zo liepen we naar de terreinwagen. Na tien meter gilde ik: 'Stop!'

Toen deed ik iets heel riskants. Ik beval Fi om iets meer achter de officier te gaan staan, zodat ze wisten dat haar pistool recht op zijn hoofd gericht was. Toen stapte ik naar voren. Dat moest. Ik moest hen allemaal bij de terreinwagen weg zien te krijgen. Ik stond helemaal onbeschermd in de warme nacht en schreeuwde: 'Over vijf seconden bij de auto weg!' Weer wist ik niet of ze Engels spraken, maar ik dacht wel dat ze een paar getallen kenden. Ik begon uit volle borst te tellen: 'Vijf, vier, drie...'

Tijdens het tellen richtte ik mijn geweer recht op hen, en toen ze zich verspreidden moest ik bijna lachen. Maar dat deed ik niet. Ik moest ze laten zien dat ik supersterk was, en meedogenloos. Maar ik had wel een nieuw probleem gecreëerd: nu ze zich naar twee kanten verspreidden, had ik geen overzicht meer over waar ze heengingen. We moesten de wagen pakken voordat ze het donker gebruikten om ons van achteren te omsingelen. 'Opschieten,' zei ik tegen Fi. Ik porde de officier met het geweer in zijn rug. In twintig snelle passen waren we bij de wagen. Sommige soldaten volgden ons met hun zaklantaarns en ik hoorde een man roepen, maar niemand leek nog iets te ondernemen.

Toch hadden we een groot probleem toen we bij de auto waren. Fi kon niet rijden en ik was bang dat de officier erachter zou komen dat ze absoluut niet met een geweer kon omgaan. Ik kon niet van haar verwachten dat ze hem bewaakte terwijl ik reed. Je hoefde maar even naar haar te kijken om dat te beseffen. Er was maar één oplossing. Omdat ik wist dat zijn oren waarschijnlijk nog net zo nagalmden als die van mij, schreeuwde ik zo hard als ik kon tegen de man: 'Ga achter het stuur zitten!'

Hij deed het voorste portier open, terwijl ik aan dezelfde kant het achterportier opendeed. We stapten gelijk in en ik schoof naar de linkerkant op. Fi ging naast me zitten.

'Starten maar,' riep ik.

We wachtten, terwijl we met onze ogen het gloeidraadje tot leven probeerden te wekken. Toen dat gebeurde, startte hij de motor.

'Rijden maar,' schreeuwde ik. 'Rechtsaf, de straat uit en dan weer rechts.'

Ik had zin om te joelen toen de grote wagen zich langzaam in beweging zette en de bocht omging. Maar ik zou de man niet laten zien hoe blij ik was. 'Sneller!' gilde ik tegen hem. Ik vuurde nog een schot langs zijn hoofd af, waardoor de voorruit het donker in werd geslagen. Ik stond stijf van de spanning. Nog nooit was ik zo op het randje geweest. Meestal was ik te schuw om zo voluit te gaan. Het kwam door de angst, maar vooral door kwaadheid. Sterker nog dan kwaadheid: blinde woede.

Als iemand me ernaar had gevraagd, had ik denkelijk gezegd dat ik kwaad was dat het plan met de suiker en de kerosine niet was gelukt, maar in werkelijkheid ging de woede dieper. Die nacht bereikte mijn woede het kookpunt. En hij was gericht tegen deze mensen. Enkel en alleen tegen hen gericht, tot in hun merg. Omdat ze onze stad, onze streek en ons land hadden bezet en me alles waar ik om gaf hadden afgenomen. Vooral omdat ze me het recht hadden ontnomen om mijn puberteit samen met mijn ouders door te brengen. Ik had niet eens de kans gekregen om mijn ouders te zien sinds de invasie, zoals Fi. Ik was nog steeds jaloers op haar, maar tegelijk ook blij. Ik wilde gewoon ook hebben wat zij had gehad. Dat wilde ik voor ons allemaal.

Maar goed, daar dacht ik niet aan toen we aan het rijden waren, sneller nu, nadat ik de voorruit had kapotgeschoten. Maar het zat wel ergens in mijn hoofd.

Ik zag een paar mensen achter ons aan rennen toen we harder gingen rijden, maar op een beetje aarzelende manier. De snelheid had kennelijk wel effect. Volgens mij zat er maar zes minuten tussen het moment dat we dat huis binnengingen en het moment dat we in de auto bij de kruising kwamen en rechtsaf sloegen. En nog geen drie minuten vanaf het moment dat we naar buiten kwamen.

We reden in de richting van het vliegveld, omdat we aan die kant van de stad met de jongens hadden afgesproken. We zouden hen bij de renbaan ontmoeten, die aan een zandweg lag die niet veel werd gebruikt. De baan lag niet in de weg van de brand, die hopelijk over het vliegveld woedde, omdat de wind uit de andere richting kwam. Verder was er een geringe kans dat de vijand daar zou zijn, omdat we wel dachten dat ze iets anders aan hun hoofd hadden dan in het donker verre uithoeken van Wirrawee te inspecteren. Of naar de paardenrennen te gaan.

De totale afstand die we met de officier moesten afleggen was pakweg vier kilometer. Dat zou geen problemen opleveren, omdat hij nu volledig meewerkte, maar hij probeerde ons te slim af te zijn. We reden zonder problemen achter langs het vliegveld, behalve dat er geen brandende vliegtuigen of gebouwen waren. Nergens was vuur te zien. Ik probeerde optimistisch te blijven. Misschien waren de jongens opgehouden, misschien was het door alle commotie die we hadden veroorzaakt moeilijker voor hen geworden. Ik keek nerveus naar Fi. Er viel absoluut niets op haar gezicht af te lezen.

Ik kon niet meer naar haar kijken, omdat ik mijn blik en mijn geweer niet van de man achter het stuur durfde af te wenden.

We kwamen bij de afslag naar de renbaan. De weg ging verder naar het jaarmarktterrein. Ik had er graag heen willen rijden om de gevangenen te bevrijden, maar daar was het nu niet het juiste moment voor. Of om er zelfs maar aan te denken. Ik schreeuwde tegen de officier: 'Naar links.'

Hij gaf een draai aan het stuur, maar bleef eraan draaien, terwijl hij een dot gas gaf. Ik was totaal verrast. De auto leek naar voren te springen, recht op een groepje bomen af, en tegelijkertijd begon hij te slingeren. De man rukte het stuur de andere kant op. De auto kantelde. Ik dacht zeker dat hij zou omslaan. Fi en ik hadden geen riemen om en ik werd Fi's kant op geslingerd. Op hetzelfde moment botste de auto keihard tegen het eerste groepje bomen. Hij begon gevaarlijk te hellen. Toen gebeurde het onvermijdelijke. Het geweer dat ik nog in mijn handen geklemd hield, ging af. Ik denk dat mijn hand zich in een reflex steviger had vastgegrepen, met mijn vinger op de trekker. Een paar seconden lang schoot het wild in het rond en sloeg hard tegen mijn borst terug, totdat ik mijn vingers kon losmaken. Nog meer hevige knallen, nog meer rook, meer verschrikking in mijn hart en mijn ingewanden, terwijl ik dacht: nu gaan we eraan. Ik bedoelde Fi en mij natuurlijk, het kon me niet zo veel schelen wat er met de man achter het stuur gebeurde. De auto bleef maar kantelen, totdat hij op een punt kwam waarop hij niet meer rechtop zou komen, dacht ik. Hij leek even te blijven hangen, alsof hij een beslissing wilde nemen: omslaan of niet omslaan. De tweede keer die nacht dat hij bijna was omgevallen. Maar deze keer kwam het niet meer goed: hij sloeg om. Fi en ik werden tegen het linkerportier aan gedrukt. We probeerden allebei iets te grijpen om ons aan vast te houden, maar dat lukte niet. De bestuurder gleed niet weg en ik zag dat hij zijn riem wel had omgedaan. Klootzak. Hij had dit dus al van tevoren bedacht.

Met enorm veel gekraak, geraas en gekletter kwam de

auto met een schuiver tegen een andere boom tot stilstand. Toen hoorden we het gesis van stoom uit de radiator en gesteun en gekreun van verwrongen metaal, en geknal en geratel achter ons. Ik zocht om me heen naar het geweer, omdat ik dat in de laatste seconden van de botsing was kwijtgeraakt. De hele tijd hield ik het hoofd van de man achter het stuur in de gaten. Maar hij bewoog zich niet.

Toen zag ik het bloed.

Het droop overal. Het liep langs de stoelleuningen, het droop over de glasscherven die nog in de kapotte voorruit zaten, het sijpelde door de achterkant van zijn stoel. Stroompjes liepen langs Fi en mij en langs het zijraampje. Grote, dikke druppels bloed vielen traag van de linkerkant van de stoelen voorin. Sommige spetterden op mij en andere stroomden naar achteren. Ik keek naar de man. Zijn hoofd hing een beetje schuin. Toen pas zag ik het gat in de rugleuning van zijn stoel. Ik werd misselijk, maar ik moet toegeven dat ik ook een wilde vreugde voelde dat we gewonnen hadden. Hij had ons te slim af willen zijn, maar dat was hem niet gelukt. We hadden nog een paar minuten kostbaar leven gewonnen. Hij niet. Jammer dan.

'Gaat het, Fi?'

'Eh, ik weet het niet. Hoe kan je dat weten?'

Ik lachte. Vreemd moment om te lachen, maar ik deed het toch. 'Als je nog grappen kan maken, gaat het goed met je.'

'Ik dacht even dat het jouw bloed was.'

'Ik ben in de stad geraakt, maar niet nu.'

'Is hij dood?'

'Mors, denk ik. Toch even controleren.'

Ik kroop naar wat nu het dak was. De deur was niet beschadigd, zo te zien. Ik kon hem met moeite openduwen, omdat hij veel zwaarder was als je hem van onderen probeerde op te tillen. Vreemd genoeg, ongelooflijk genoeg ging het cabinelichtje aan toen ik de deur opendeed. Het was een lekker fel lichtje. Daarvoor hadden we het met de maan moeten doen, wat best ging, maar hij was niet zo helder als dit.

Ik zette mijn schouder tegen de deur, maar het bleef lastig, omdat ik me nergens met mijn voeten tegen kon afzetten. Ik klom een beetje hoger en eindelijk kon ik mijn voeten vastklemmen tussen de twee stoelen voorin, wat geen pretje was.

'Je zit onder het bloed,' zei Fi.

Het rare was dat ze het heel ernstig zei. Ik lag in een deuk. Het was een soort hysterische aanval, denk ik, maar ik kreeg de slappe lach. Alleen Fi kon zich in zo'n situatie over vlekken drukmaken. Zij zou nooit op een boerderij kunnen werken. Toen ik weer een beetje was gekalmeerd, zat er nog meer bloed op me, omdat ik tijdens die lachbui tegen de stoel was gevallen. Fi lachte mee, maar een beetje zuur. Zoals je doet als je beseft dat de grap ten koste van jou is.

Eindelijk kreeg ik de deur open. Ik hees mezelf op met het laatste beetje kracht dat ik nog had en kroop op het dak. Daarna hielp ik Fi overeind en eruit. Ik wierp een blik naar binnen, naar de jonge officier. Zijn carrière was voorbij. Ik denk dat de kogel door de rugleuning van zijn stoel was gegaan en door zijn borst naarbuiten was gekomen, want zijn borst was opengereten, alsof reusachtige handen die aan weerskanten hadden opengetrokken. Het was een bloederige toestand, met botten en rode prut. Zijn hoofd hing nu helemaal opzij, zijn ogen waren wijd opengesperd en alle kleur was uit zijn gezicht weggetrokken. Fi keek even en wendde haar ogen af. Ik keek ook niet te lang. Het was behoorlijk smerig.

Tot dat moment wist ik nog niet zeker of hij bij de botsing was omgekomen of door het geweer.

Ik vraag me nu af hoe het gegaan zou zijn als hij de botsing had overleefd. Maar daar dacht ik toen niet over na.

'Kom mee, Fi,' zei ik. 'We moeten de anderen zoeken.'

Ik wilde dat ze in beweging kwam, want ze begon er heel slecht uit te zien.

We sjokten de weg af. Mijn been brandde als een gek. Ik maakte me nu grote zorgen. Ik moest denken aan een verhaal dat de Nieuw-Zeelandse soldaten me hadden verteld, over een vent die dodelijk gewond was, maar een halfuur lang helemaal niets merkte, en toen ineens dood neerviel. Fi merkte voor het eerst dat ik hinkte. Ze had er niet op gereageerd toen ik zei dat ik geraakt was. Nu besefte ik dat het niet tot haar was doorgedrongen, want ze vroeg plotseling: 'Heb je wat aan je been?'

'Dat zei ik toch?'

'Nee, hoor.'

'Jawel. Ik ben door een kogel geraakt toen we het pad af renden.'

'O, god. Laat eens zien.'

'Daar is geen tijd voor. Het is trouwens niet zo erg, denk ik.'

'Nee, Ellen, stop even. Laat me even kijken.'

Een beetje terughoudend, maar blij met de aandacht, bleef ik staan. Ze knielde om ernaar te kijken. Even later kwam ze weer overeind en keek me misprijzend aan.

'Ellen, er zit een beetje grind of kiezeltjes in, dat is alles.'

Dus mijn kogelwond was een stukje rondvliegend steen geweest, veroorzaakt door een kogel, maar niet zo direct als ik had gedacht. Ik was zwaar vernederd. We begonnen te rennen. Na een minuut zei ik tegen Fi: 'Beloof me dat je je mond houdt tegen de jongens over mijn kogelwond?'

'Als jij belooft dat je je mond houdt over wat ik over dat bloed zei.'

'Afgesproken.'

Plotseling deed mijn been bijna geen pijn meer. Ik ben een grotere aansteller dan ik dacht.

21

Door een zeldzaam toeval, wat in deze oorlog veel te weinig was voorgekomen, kwamen we tegelijk met de jongens bij de renbaan aan. Wij kwamen uit het zuidoosten en zij uit het noordwesten.

De situatie was inmiddels heel gespannen. Ik denk dat iemand in Wirrawee de tijd had gevonden om eens goed na te denken, want we hoorden de onmiskenbare geluiden van een zoektocht. Er klonken zelfs sirenes, net als vroeger, wanneer de politie met de auto achter iemand aan zat. Niet dat er zo veel achtervolgingen waren, hoor. Je naam kerven op het bankje bij de bushalte was een ernstig vergrijp in Wirrawee.

Ik zag ook koplampen en die kwamen verschrikkelijk dichtbij. Vermoedelijk hadden ze het wrak van de terreinwagen gevonden op het moment dat wij de jongens zagen. Ik kan me voorstellen hoe die auto eruit moet hebben gezien voor de soldaten: alsof ik de man in koelen bloede had neergeschoten en hij daarna tegen de boom was geramd. Geen goede actie van mij, als ik gepakt werd. Ik was algauw in zo'n 'mij krijgen ze niet levend te pakken'-stemming, zoals je in films ziet. In plaats van een banaal idee leek het me zo langzamerhand wel een slim idee.

We ontmoetten elkaar bij de tribune. Het was er doodstil, uitgestorven, en dat was een opluchting. Op dit moment waren er niet veel plekken in Wirrawee veilig voor ons. Het was een beetje een vreemde ontmoeting. Iedereen aan het hijgen, iedereen gek van angst, iedereen totaal kapot.

Homer keek me vol afschuw aan. 'Ben je gewond?' wilde hij weten. 'Wat is er gebeurd?'

Heel even dacht ik dat Fi hem al over dat grind in mijn been had verteld. Maar toen besefte ik dat ik onder het bloed zat.

'Niks aan de hand,' zei ik. 'Iemand anders z'n bloed. Hebben jullie een fik gestookt?'

We hadden natuurlijk geen tijd voor dat geprietpraat. We waren nog steeds in groot gevaar. Tegen beter weten in hoopte ik dat de sirenes die ik hoorde voor een brand op het vliegveld waren, niet voor ons. Maar Homer schudde zijn hoofd en ik begreep dat ik niet verder hoefde te vragen.

We waren allemaal afgepeigerd. Dood- en doodop. We konden nauwelijks op onze benen blijven staan. Bovendien werd het nog versterkt door het gevoel dat we gefaald hadden. Ik in ieder geval wel. Maar tegen onze uitputting en frustratie viel niets te doen. We waren hulpeloos, alleen konden we elkaar wel steunen.

Toen deed ik iets om trots op te zijn. Vanuit mijn diepste binnenste probeerde ik mijn laatste restje energie omhoog te halen. Als niemand ons vijven oppepte, dan hield alles op, dat wist ik zeker. Dan konden we het schudden.

'Oké, jongens,' zei ik tegen hen. 'Nou niet meer zeiken

dat je zo moe bent. Lee, kan je ons naar de bagage brengen?'

'Ja,' zei hij. Maar zijn stem was dof, alsof hij er de bru aan wilde geven.

'Lee!' schreeuwde ik. Ik rende naar hem toe, draaide hem om en gaf hem een harde duw in zijn rug, duwde hem twintig meter vooruit. Dat was alles. Het was niet zo bijzonder. Maar ik kreeg ze in beweging, en alleen ik weet hoe ontzettend, verschrikkelijk uitgeput ik toen was.

Lee bracht ons naar onze bepakking. Ik geloof dat we niet eens de energie hadden om ze op onze rug te hijsen. Maar we hielpen elkaar en het lukte.

Ik probeerde te bedenken waar we heen moesten gaan en wat we moesten doen. De Hel lag voor de hand, maar we moesten heel erg oppassen dat we de vijand daar niet heen leidden. Als we dat vluchtoord ooit kwijtraakten, zaten we meer in de nesten dan een marsreep in een schoolkantine. Mijn eerste gedachte was dat we weer het bos in moesten gaan. Daar voelde ik me veilig. Ik vertrouwde nog steeds op het bos, omdat we daar beter functioneerden dan zij. Ik voelde me in het bos thuis zoals een krokodil in het moeras. Het bos had iets troostends voor me.

Maar we konden niet meteen het echte bos bereiken. Het stukje om Wirrawee heen bestond voornamelijk uit licht struikgewas. En sinds onze bosbrand was er daar minder van. We zouden ons er wel een dag of twee in kunnen verstoppen. Maar als ze een week of langer gingen zoeken, misschien weer met honden, dan was het andere koek. Als we bij Wirrawee bleven hangen, zouden ze ons na een tijdje zeker vinden. Maar als we dat andere deden, als we het echte, dichte bos in gingen, zeiden we daarmee eigenlijk: 'Kijk, we zitten bij de Mount Martin. Probeer het eens bij de Kleermakerssteek of Wombegonoo.' Misschien niet zó duidelijk, maar als we die kant op gingen, zouden ze daar vroeg of laat wel achterkomen.

Toen zweefde er ineens een beeld voor mijn ogen. Het was de entree van het huis in Wirrawee, waar we die officier in zijn boxershort hadden ontmoet. En het beeld was de overvolle asbak in die entree. En die ene officiersjas aan de kapstok en dat ene pistool en die ene officiersmuts. Die beelden maakten me ineens iets duidelijk: dat daar een man alleen woonde. Die niet eens een huishoudster had om zijn asbakken te legen. In deze tijden van vrije arbeid, slavenarbeid, was dat verrassend, maar misschien wilde hij helemaal niet iemand in huis die de boel schoonmaakte. Mijn vader, die in zijn hele leven nog geen stofzuiger had aangeraakt en waarschijnlijk niet eens wist hoe hij werkte, was net zo. Hij werd zelfs woedend van de herrie die het stofzuigen maakte. Hij zei altijd dat ik beter een andere keer kon terugkomen.

'Moet dat nu? Kan het niet straks?'

Zijn huishoudelijke inspanningen gingen niet verder dan het inladen van de afwasmachine.

Ik probeerde in het hoofd van de vijand te kijken. Om me in zijn gedachten te verplaatsen. Ze verwachtten dat we het bos in zouden gaan. Dat was overduidelijk. Het zou zelfmoord zijn om naar Wirrawee terug te gaan. Ze sloegen ons hoger aan. Ze moesten weten dat we ons thuis voelden in het bos. Dus was het zeer onwaarschijnlijk dat we naar het huis van de dode officier zouden gaan. We hadden geen enkele reden om daarheen te gaan. Omdat het midden in een gevechtszone lag, zouden we wel gek zijn om dat risico te nemen. De enige mensen die daar binnenkort zouden kunnen komen, waren zijn vrienden, om de boel op te ruimen.

Ik vertelde de anderen niet wat ik dacht. Ook al had Homer hetzelfde argument gebruikt toen we bij de uitkijkpost waren – dat we de stad in moesten gaan, omdat ze dat nooit zouden verwachten – besloot ik deze keer om hen eerst in beweging te krijgen. Anders zou iedereen zich tegen me keren. De situatie was nu grimmiger dan bij de uitkijkpost. Ik had het hun niet kwalijk genomen als ze in opstand waren gekomen. De gedachte om vrijwillig terug te gaan naar dat broeinest van soldaten, bloed en dood dat we zelf hadden veroorzaakt, vond ik al huiveringwekkend genoeg. We konden ons net zo goed met jam insmeren en dan een wespennest in lopen. Maar ik wist bijna zeker dat dit onze beste kans was om het te redden.

Ik kreeg ze weer aan het lopen. 'Kom mee, ik weet een goeie plek. Opschieten, jongens. Kom op, Kev, ik weet heus wel dat je moe bent, maar doe het nou maar gewoon. Mopper je suf, maar doe het. Kom op, Fi. Ik zal je even op gang helpen.'

Ze werden vast razend op me, dat ik zo deed. Ik voelde me net een kleuterjuf. 'Zo, jongens, heeft iedereen geplast? Tim, pak Jodies handje maar vast. Charlotte, jij pakt Ricks handje vast. Simon, waar is je trui?'

Maar ik kreeg ze aan de gang. Sterker nog, toen ze eenmaal liepen, ging het best goed. Dat was tegen alle verwachting in. We hadden wel een paar uurtjes voor de boeg. We konden vergeten dat we van deze kant Wirrawee konden binnenkomen, aan het lawaai te horen dat door de bomen kwam. Lawaai en licht. Het hele gedoe werd spannender dan een finalewedstrijd. We moesten snel wegkomen en bijna een heel rondje om Wirrawee heen lopen. Als we bijvoorbeeld van de andere kant van Warrigle Road binnenkwamen, langs het huis van de familie Mather, waar Robyn had gewoond, was dat redelijk veilig. Maar dan moesten we een pokke-eind lopen, door ruig struikgewas, in het donker, in een toestand van dodelijke angst, depressie en uitputting.

Het enige wat in ons voordeel sprak was dat de soldaten wisten dat we gewapend waren. Ze hadden Fi en mij gezien met de wapens van de officier en na het vinden van zijn lijk dachten ze vast dat we die zonder pardon zouden gebruiken. Gelukkig wisten ze niet hoe we werkelijk waren. Ik hoopte maar dat ze niet wisten hoeveel ammunitie we hadden. Ik had het pistool niet bekeken, maar in het geweer zat nog maar één kogel. Maar ze zaten er niet op te wachten om midden in de nacht het bos in te duiken en een ploegje schietgrage, halfgestoorde tieners tegen te komen. Ik wist bijna zeker dat ze zouden wachten tot het licht was.

Dus leidde ik het ploegje schietgrage, halfgestoorde tieners in een grote boog om Wirrawee heen. Tijdens het lopen vertelde ik mondjesmaat wat ik van plan was. Ik nam er ruim de tijd voor, want hoe langer ik aan het woord was, hoe langer zij iets hadden om over na te denken behalve hun eigen uitputting en frustratie. En zo had ik ook iets om over na te denken. Ik legde hun alle mogelijkheden voor, met af en toe een grap ertussendoor, hoe flauw of triest of tragisch ook. Ik vertelde de jongens dat Fi en ik gedwongen werden dat huis binnen te gaan en dat ik het idee had dat er maar één man woonde, en die was nu dood. Eindelijk kwam ik dan bij waar ik wilde zijn: 'We maken de grootste kans als we naar dat huis teruggaan. Ik begrijp best dat jullie daar niks voor voelen, maar we moeten steeds iets doen wat ze totaal niet verwachten, iets onvoorspelbaars, of we zijn er geweest.'

Lee zei: 'Mee eens.'

Homer zei: 'Ik voelde al van een kilometer aankomen dat je dat van plan was.'

Fi zei: 'Oké.'

Kevin zei: 'O god, niet nog langer ons verbergen in Wirrawee.'

Maar hij was de enige die mopperde. Ik kon daar wel inkomen. De verveling, urenlang geen bal te doen hebben, wachten tot er weer een dag voorbij is, het gevoel hebben dat elke dag honderdtwintig uur duurt, stomme kaartspelletjes doen, ruziemaken over niks, de wacht moeten houden en de straat afturen, waar niets te zien is, maar gelijk beseffen dat als je ook maar even niet oplet, je daarmee je vrienden de dood in zou kunnen jagen, het gevoel dat je barst van de energie, maar er niets mee kan doen. Ik, Kevin, wij allemaal haatten het om dagenlang als bange ratten in een hoekje opgesloten te zitten.

Maar toch wilden we ook blijven leven. Uiteindelijk was dat het enige wat ons op de been hield. Dus ploeterden we verder, met niet veel meer in het vooruitzicht dan het recht om nog een beetje langer te mogen leven. Lee kwam naast me lopen en hoewel hij niets zei, knapte ik er een beetje van op dat hij er was.

Lopen, lopen, lopen, dat was kennelijk het enige wat we deden. Toen het bijna licht werd, moest ik iedereen nog meer achter zijn vodden zitten, omdat ik besefte dat we nog maar weinig tijd hadden. Dus renden we half naar Warrigle Street.

Het laatste stukje door Wirrawee ging verbazend gemakkelijk. Na alle moeilijkheden leek het een soort grap dat dit zo soepeltjes ging. Maar we schoten over straat, zoals altijd met grote sprongen, terwijl we in de schaduw bleven. We hoorden een paar auto's en zagen een paar koplampen in de verte, maar dat had allemaal niet zo veel om het lijf.

Misschien was het toch niet zo verbazingwekkend. Ze hadden een opwindende nacht achter de rug, maar daarna wilden ze natuurlijk slapen. Degenen die nog steeds naar ons op zoek waren, richtten hun energie natuurlijk op de andere kant van de stad en bij de renbaan. Ons hele plan was op die gedachte gebaseerd. Ik denk dat ik vooral verbaasd was dat iets wat ik in mijn hoofd had uitgebroed ook echt in de praktijk bleek te werken. Het zou een grote schok zijn als dat te vaak gebeurde.

We kwamen zonder al te veel gedoe bij het huis. Het gedoe zat hem in de angst en de uitputting onderweg, in de spanning vooraf, de verwachting. In de angst dat elke stap gevaar kon opleveren. Er hing een geladenheid in de lucht, de warme nacht zweette net zo veel als wij. Maar het gedoe zat helemaal in mijn kop.

Het was even stil en doods in het huis als op een kerkhof. We liepen op onze tenen door de kamers. Homer en ik waren gewapend, hij met het pistool, ik met het geweer. Er hing alleen de geur van de man die er had gewoond, de geur en de kleine blijken van zijn aanwezigheid. Hij had zo'n beetje gekampeerd in het huis, zo te zien: er lagen twee plunjezakken in de slaapkamer en overal slingerden sokken. Twee geopende blikjes op de bank in de keuken. Een lading wasgoed nog in de machine. Het was een beetje treurig om te zien hoe weinig er van zijn leven over was.

Ik dacht nog steeds, en de anderen met mij, dat het enige directe gevaar dreigde van de mensen die het huis zouden komen opruimen en zijn spullen ophalen. Maar dat zou gewoon overdag gebeuren. We waren dus, zeg maar, elke dag van tien uur 's avonds tot acht uur 's ochtends veilig.

Later kon er gevaar dreigen van nieuwe bewoners. Maar ik wist dat dat waarschijnlijk niet zo gauw zou gebeuren. Er stonden nog heel wat huizen leeg en ik denk niet dat iemand meteen in het huis van een overleden man zou willen gaan wonen. Het was wel een mooi huis, hoor, maar zo mooi nou ook weer niet.

Toen Homer en ik eenmaal honderd procent zeker waren dat het huis leeg was, renden we met z'n allen naar de keuken. We waren uitgehongerd en wilden dolgraag verandering van spijs. De keuken was goed bevoorraad met de beste spullen. Laat dat maar aan een officier over. Meneer Kassar van de Dramales vertelde eens een verhaal over een Amerikaans voedselkonvooi in Vietnam dat naar het noorden reisde, begeleid door soldaten, en dat sommige soldaten gedood werden bij een hinderlaag. Toen het konvooi eindelijk de plaats van bestemming bereikte, kwamen ze erachter dat ze kaviaar en champagne hadden vervoerd voor de officieren. En daar waren mensen voor gestorven.

Nou, deze vent had geen kaviaar of champagne in huis, maar wel een fijne voorraad chips en snoep en vers brood en een heleboel eten dat ik niet kende en nooit had gezien. Het was een rare tijd om te eten: de zon kwam net op, maar daar zat niemand mee. De enige verstoring was Kevin, die tussen twee happen door zei: 'Goed idee om hierheen te gaan, Ellen.'

Ik trok een grimas en at door.

We gingen uitbuiken in de achtertuin. Die was goed beschut, veel grote bomen om inkijk van de buren over het hek tegen te gaan. In één boom, een mooie, oude jacaranda, was een vrij grote boomhut. Die werd onze schuilplaats voor overdag, besloten we. Als de enige bezoekers hier de boel van hun vriend kwamen opruimen, zouden ze daar niet kijken.

Ik voelde me een stukje zekerder van mezelf. Ik besefte dat we niet zover waren gekomen zonder mij, dat dacht ik tenminste. Als er maar geen rampen gebeurden zolang we hier zaten. Maar toen deed ik echt iets moois: ik bood aan om de eerste wacht te houden. Fi keek me ongelovig aan, maar niemand wachtte om te zien of ik het wel meende. Ze graaiden kussens uit een linnenpers in de gang en liepen naar de boom met hun bepakking en slaapzak. Ik ging in de entree zitten, waar ik de straat kon overzien.

In feite heb ik iets onvergeeflijks gedaan: ik denk, nee, ik wéét dat ik even in slaap ben gevallen. Een halfuur of zo, of misschien wel veertig minuten. Ik kon mezelf niet uitstaan toen ik wakker werd: toen Chris ons dat ook had geflikt, was ik woedend op hem. De rest van de ochtend dwong ik mezelf op te staan en een rondje te lopen als ik moe werd.

Ik wilde hen zo lang mogelijk laten slapen. Ik offerde me die dag echt op. Zal wel de invloed van Robyn zijn geweest.

Het was een komen en gaan van auto's. Het was nu een stuk drukker in Wirrawee. Niet het leven dat ik zou hebben verkozen, maar op een vreemde manier vond ik dit prettiger dan toen de stad zo doods en duister was in het begin van de oorlog.

Ik had niet het gevoel dat er in Wirrawee naar ons werd gezocht. De auto's die langsreden hadden schijnbaar geen haast. Waarom ook? Ze zochten natuurlijk in het bos, daar was een grote klopjacht aan de gang. Maar in de stad moest iedereen weer aan het werk en ging alles z'n gangetje. Ze zouden absoluut niet verwachten dat we hier terug waren gekomen. En als dat wel zo was, dan hadden we een pistool en een geweer.

Om een uur of twaalf had ik er genoeg van. Zelfs rondlopen hielp niet. Ik wist dat ik een halfuur nodig had om Homer wakker te schudden, maar het moest. Ik sjokte naar de boom, bijna zigzaggend van vermoeidheid, en klom naar de boomhut, tree voor tree. Ik had gelijk: het duurde een halfuur voordat Homer wakker was en zelfs toen wilde hij niet bewegen. Maar ik liet hem gewoon niet meer in slaap vallen, dat kon ik niet. Vermoeidheid is dodelijk, zeggen ze, en ik was bijna dood. Toen ik Homer eenmaal uit de boomhut had verjaagd, sliep ik tot laat in de avond.

22

Ik werd om een uur of tien wakker. Uit het aangrenzende huis scheen een vaag licht, maar ik kon toch zien dat er niemand meer in de boom zat behalve Lee en ik. Hij lag rustig en zachtjes ademend naast me te slapen. Maar zelfs in zijn slaap had hij een zorgelijke uitdrukking op zijn gezicht. Te veel lijnen, te somber. Terwijl ik naar hem keek, lag hij te woelen. Hij drukte zijn arm dichter tegen zijn lichaam en draaide zich een eindje om.

Ik kon me niet bedwingen: ik boog me voorover en zoende hem op zijn mond. Ik geloof dat hij meteen wakker was, want toen ik weer overeind ging zitten, zag ik dat zijn ogen opengingen. Ik wist niet dat mijn zoenen zo veel uitwerking hadden. Hij lachte niet, maar ik evenmin. Ik dacht terug aan de laatste keer dat ik hem had gezoend. We keken elkaar alleen maar aan, zonder te knipperen. Toen ik hem weer begon te zoenen, sloeg hij zijn arm om me heen en trok me naar zich toe. Nadat we uitgezoend waren, leunde ik met mijn hoofd tegen zijn borst. Toen ik omlaag keek, zag ik dat mijn zoenen meer effect hadden dan ik had beseft.

Ik glimlachte en zei: 'Ik dacht dat jongens alleen 's ochtends zo wakker werden.'

'Wat?' vroeg hij.

Hij had me niet gehoord.

'Laat maar,' zei ik. Ik wist niet eens of ik wel gelijk had en ik wilde niet dom overkomen. Ik haakte gewoon in op wat ik uit grappen op school had opgepikt.

We begonnen weer te zoenen, steeds heftiger. Ik had het bloedheet. De wereld leek langzamer te draaien en alles voelde zacht en veilig en intiem. Niets is heerlijker dan het gevoel van iemands handen op je huid. Zijn handen waren onder mijn bloesje en dat vond ik erg fijn. Ik streelde over zijn nek. Ik werd steeds opgewondener. Maar plotseling besefte ik ook, een beetje tot mijn eigen verbazing, dat ik niet al te ver wilde gaan. Ik wist dat we allebei in razend tempo op een moment afstevenden waarop het misschien moeilijk was om ermee op te houden. Dus toen hij met zijn hand in mijn spijkerbroek gleed, haalde ik die terug. En met grote tegenzin, ik vond het vreselijk om te doen, maakte ik me langzaam uit zijn omhelzing los.

'Wat?' vroeg hij, terwijl hij me boos aankeek. Hij stak zijn armen weer uit.

'Sorry,' zei ik. 'Ik weet niet hoe het komt. Ik wil het gewoon niet. Nog even niet.'

'En dat zeg je nu pas,' zei hij nors.

Ik knoopte mijn bloesje dicht en voelde de warmte al wegtrekken. Mijn kleren hielden die niet vast.

'Sorry,' zei ik weer. 'Je zag er zo lief uit toen je daar zo lag. Ik kon mezelf niet bedwingen.'

'Nou, bedánkt,' zei hij.

Ik was vastbesloten om niet boos te worden, dus ik ging er niet op in. Ergens begreep ik het wel. Kon ik nou maar begrijpen wat me bezielde – maar dat heb ik altijd al moeilijk gevonden, ook onder de gunstigste omstandigheden. En dit waren niet bepaald de gunstigste omstandigheden.

Ik deed mijn laarzen aan en klom van de ladder naar beneden. Ik wist nog steeds niet precies waarom ik zo afwijzend had gedaan. Het had niets met Lee te maken. Ik vond hem nog steeds erg leuk. Ik was over de negatieve gevoelens die ik eerst voor hem had heen. Dus dat was het niet. Ik dacht dat het misschien iets te maken had met die jongen in Nieuw-Zeeland, van wie ik niet eens meer wist hoe hij heette, besefte ik met een schok. Ik zou er wel weer opkomen, dat was zeker, maar nu was ik hem even helemaal kwijt. Ik dacht dat het waarschijnlijk ook te maken had met de dode man, in wiens huis we waren binnengedrongen – nou ja, het was natuurlijk niet zijn huis – maar dat we in het huis van een dode woonden.

En natuurlijk ook dat ik hem had vermoord. Van hem wist ik ook niet hoe hij heette. Vreemd: twee mannen die een grote rol hadden gespeeld in mijn leven, hadden allebei geen naam.

Ik ging niet meteen naar binnen, maar bleef een paar minuten in de achtertuin staan en dacht over dit alles na. Ik zag even Fi's schaduw door het keukenraam, maar gelukkig waren er, zo te zien, geen andere mensen. We waren erg bedreven geworden in dit soort dingen: ons schuilhouden, van dag tot dag leven. Dat leek een vreemde vaardigheid om trots op te zijn, maar een vaardigheid was het wel. Ik bewonderde vossen om hun slimheid, zoals ze in en uit de kippenren wisten te komen en alleen bloed achterlieten. Bloed, veren en wat angstig gekakel van de kippen. We gingen steeds meer op vossen lijken.

Op de een of andere manier moest ik weer aan Lee denken. Waarom wilde ik niet met hem naar bed, naakt naast hem liggen en dingen doen waar we allebei zo opgewonden van werden?

Langzaam drong er iets tot me door, het brandde in, zeg maar. Ja, het kwam door die jongen in Nieuw-Zeeland en de man die in dit huis had gewoond. En door mijn gegil tegen de soldaat op straat. En omdat ik de deur van Tozer open had laten staan. En omdat er een slot op de tank zat. En omdat ik geniesd had. Het was ongeveer zo: 'Ik verdien het niet om te genieten van de warmte van Lee's armen en liefde. Dat verdien ik niet.'

Ik voelde me nog steeds zo sletterig door wat er op dat feestje in Wellington was gebeurd en voelde afschuw over het bloed dat door de auto was gestroomd; bloed dat was vergoten door mijn vinger aan de trekker; bloed van een man die het ene moment nog leefde en het volgende moment door mijn toedoen dood was. Ik voelde me opgelaten en beschaamd dat ik gegild had tegen die soldaat. Ik wist zeker dat die gil het leven gekost kon hebben van twaalf Nieuw-Zeelanders.

Voor de zoveelste keer wilde ik dat ik op Andrea's kamer zat om te praten met iemand die het leek te begrijpen.

Weer zag ik Fi's schaduw door het keukenraam en weer voelde ik een golf van genegenheid en bewondering voor haar, die ik al sinds mijn vijfde voelde. Ik dacht: 'Met Fi kan ik tenminste praten.'

Misschien kon ik ooit met Lee over dit alles praten. Ik hoopte maar dat hij het begreep. Ik had het gevoel dat onze relatie net zolang zou voortmodderen totdat we dat gesprek achter de rug hadden. Het was sowieso moeilijk om midden in een oorlog een relatie te hebben. We moesten er allebei ons best voor doen.

Ik zuchtte en liep naar binnen. Terwijl ik Lee had liggen opgeilen, had Fi het elektrische fornuis aangedaan. We wisten dat we geen kookluchtjes mochten verspreiden waardoor de buren gealarmeerd zouden worden, maar ze had eieren gekookt. Warm eten is een van de grootste geneugten in het leven, vind ik, en ik werkte achter elkaar drie eieren naarbinnen. Daarna deed ik een greep in de kasten: gedroogd zeewier en Twisties en een stukje kaas, en nam de wacht van Kevin over in de entree.

Drie uur lang keek ik die stomme straat af. Niets te zien. Heel vaak als ik de wacht hield, had ik bijna gewenst dat er iets zou gebeuren om de verveling te doorbreken, maar nu was dat niet zo. Ik besefte dat we te zwak waren om nog een crisis te doorstaan. In het laatste uur kwam Homer me gezelschap houden, wat heel lief van hem was. We spraken de laatste tijd zelden met elkaar. Voor het eerst kreeg ik te horen wat er op het vliegveld was gebeurd.

Homer begon zelfs te lachen toen hij van wal stak. 'Het was een zootje,' zei hij. 'Ik schaam me dood. Vooral als jullie het beter hadden gedaan dan wij. Maar zoals Fi jullie tripje naar het benzinedepot beschreef, kunnen we elkaar wel een hand geven, geloof ik. Vergeleken bij Cobbler's Bay was het nogal amateuristisch.'

Ik was nog niet zo ver dat ik om het benzinedepot kon lachen. Dus ging ik niet op Homers commentaar in.

'Vertel, vertel.'

'Nou, ik denk dat ze daar een supergoed bewakingssysteem hebben. Eerlijk waar, ze moeten daar wel een speciaal apparaatje voor hebben, anders begrijp ik niet hoe ze ons gesnapt konden hebben. We zijn idioot voorzichtig geweest. Met de bepakking liepen we dus met een boog van wel vijftig kilometer om het vliegveld heen, zodat er geen alarm kon afgaan. Toen legden we de bepakking neer en liepen het hele eind terug, nog steeds idioot voorzichtig. Toen we in het bos kwamen, was er nog niets aan de hand. We hadden tijd zat: we dachten even dat we te laat waren, dus hebben we even tempo gemaakt, met het gevolg dat we te vroeg waren. We kozen de beste plek uit, waren het erover eens dat er een lekker windje stond uit de goede richting, gingen zitten met Lee's benzineblikje en zeiden bij onszelf: straks ben ik een held. Toen hoorden we ineens lawaai uit de stad – auto's en geweren, de hele boel, en we dachten: Die stomme Ellen en Fi werken zichzelf weer in de nesten. Je kan ze ook geen vijf minuten alleen laten. Maar we dachten ook: Misschien moesten we die fik maar aansteken, dat leidt jullie belagers af. We kwamen in anderhalve seconde tot die beslissing. Lee sprong overeind en begon de benzine uit te gieten en ik haalde de lucifers te voorschijn, die ik, slim als ik ben, niet was vergeten. Op het moment dat ik de lucifer wil afsteken, zegt Kevin: "Kijk even goed naar die soldaten." Ik kijk omlaag naar het vliegveld en zie drie jeeps vol soldaten, die de hoofdpoort uit scheuren. Ik dacht dat ze rechtsaf zouden slaan, de stad in, om aan die schietpartij daar mee te doen, dat hoopte ik natuurlijk, omdat ik liever had dat ze achter jou aan zitten dan achter mij. Maar nee, ze sloegen linksaf en kwamen recht naar ons toe. Kevin gilde: "Ze komen ons halen!" en ik dacht: Hij heeft gelijk. Ik stak de lucifer af, gooide hem op de grond en we gingen ervandoor. Er klonk een hevig *woesj*-geluid achter ons, dus ik dacht: Te gek, het heeft gepakt, dat gaat lekker fikken met deze wind, maar ik keek niet om. Daar was geen tijd voor. Ik hoorde de jeeps de heuvel op scheuren en er werd een paar keer geschoten toen we over de rand renden. Het was echt oorlog, joh.'

'Hoe lang zaten jullie er al voordat de jeeps de poort uit kwamen?' vroeg ik.

'Een minuut of vijf. Dat is juist zo raar. Het lijkt wel alsof ze wisten dat we er waren. We dachten dat jullie ons verlinkt hadden.'

Ik was zeker erg moe, want ik keek zo geschokt dat Homer snel 'Grapje' zei.

'O, ja, oké. Maar hoe wisten ze het dan, denk je?'

Nou ja, zoals ik al zei, ik denk dat ze daar een apparaatje voor hebben. Radar of zoiets. Ik weet het niet. Maar dat zou een verklaring kunnen zijn voor de verdwijning van de Nieuw-Zeelanders. Als ik het er met Iain over had, zei hij altijd dat er nooit zulke problemen zouden komen. Hij dacht dat het eigenlijk een makkie zou zijn.'

'Ja, die indruk had ik ook.' Ik was stiekem enorm opgelucht. Misschien had ik de plannen van de Nieuw-Zeelanders helemaal niet gedwarsboomd. 'En wat hebben jullie toen gedaan?'

'Weer een rondje gemaakt. Ik ken inmiddels elke centimeter van dat stukje bos. We kwamen ongeveer driekwart kilometer verder op de rand van de heuvel terug.

Voornamelijk omdat we wilden genieten van de aanblik van een razende brand op het vliegveld, met vliegtuigen die in vlammen opgingen voordat ze konden opstijgen.'

'Maar... ?'

'Ja, precies. Maar. Die stomme brand was helemaal uit. We zagen een paar rode smeulende stukjes, maar helemaal geen vlammen. En het ergste was nog dat die soldaten helemaal niet hoefden te blussen, denk ik. Het vuur heeft zich gewoon niet verspreid. Nou ja, dan flip je toch helemaal? Op de boerderij probeer je uit alle macht brand te vermijden en als je je even omdraait, staat de boel weer in de fik.'

Dat was lichtelijk overdreven, want voorzover ik weet had Homer als klein jongetje minstens drie branden veroorzaakt. Maar ik hield mijn mond en hij ging verder.

'Dus wij ons best doen om een fik te stoken, met benzine nog wel, maar er komt geen moer van terecht. Ironisch, vind je niet?'

Ik grijnsde. In wat voor bui ik ook was, Homer kon me altijd aan het lachen maken. Ik bedacht dat hij misschien daarom naar de entree was gekomen, omdat hij voelde dat ik depri was en een oppeppertje nodig had. Dat was zeker niet de eerste keer. Ik zou Homer er absoluut niet van willen beschuldigen dat hij een hartelijke, gevoelige jongen is, maar soms kwam daar uit donkere diepten toch iets van naar boven.

Heel soms dan.

'En toen?' vroeg ik.

'Nou, we hadden niet beseft dat de soldaten zich door het bos verspreidden. En snel ook. Het waren getrainde lui. Ik denk dat ze hun beste mannen op de bewaking van het vliegveld zetten. Plotseling kwam er eentje te voorschijn, zo'n vijftig meter van ons vandaan. Wij zagen hem eerder dan hij ons zag, dus dat was mazzel. We draaiden ons met een ruk om en spoten weg. We waren al tussen de bomen verdwenen toen hij begon te schieten, maar een paar kogels gingen rakelings langs me heen.' Hij huiverde. 'Als ik m'n hand had uitgestoken, had ik er een kunnen opvangen. Hoe heet dat ook weer bij Australian Rules? Een "mark" of zo?'

Weer zo'n grap van Homer. Hij had een bloedhekel aan football. Eigenlijk vond hij bijna alle sporten stom en hij deed vaak net alsof hij er geen bal van wist.

'Dat heet zelfmoord plegen, denk ik,' zei ik. 'En toen? Ben je goed weggekomen?'

'Nee, de volgende kogel ging recht door m'n hart en toen was ik dood. Geef de rest van die Twisties even. Dank je. Omdat je ze zo gul weggeeft, geef ik toe dat het gelogen was dat ik werd doodgeschoten. Nee, we renden aan een stuk door. We maakten een omweg naar de renbaan en daar kwamen we gelijk met jullie aan. En daarna nog een omweg hierheen. Fijn dat je zo'n haaibaai bent, Ellen, want we waren totaal afgepeigerd. Als we rechtstreeks hierheen waren gerend, wat we zeker hadden gedaan als je ons niet de andere kant op had gedreven, waren we misschien recht in de armen van die soldaten gelopen. Het waren slimme kerels. Ik denk dat die al heel wat langer meelopen dan de idioten die we in het verleden aan de gang hebben gezien. Maar gisternacht was ik daar niet mee bezig. Ik liep alleen maar jou te vervloeken omdat je ons zo opdreef.'

Terwijl Homer dit zei, stopte hij steeds nonchalant Twisties in zijn mond, maar ik gloeide van plezier. Homer gaf gewoon nooit complimentjes. Als God aan ons verscheen, zou Homer zeggen: 'Hé man, die navel van mij lijkt nergens op. En waarom heb je ons eigenlijk nagels aan onze tenen gegeven? Waar dienen die in godsnaam voor? Je hebt er alleen maar last van, verdomme.'

Ik liet hem dan ook op geen enkele manier merken dat ik blij was, maar blij is zacht uitgedrukt.

'Ach,' zei ik langs mijn neus weg, 'in m'n vorige leven ben ik zeker een Blue Heeler geweest.'

23

We bleven er vier dagen. Er was maar één angstig moment, toen een paar soldaten de spullen van de man kwamen ophalen. Dat was op onze laatste avond daar, op een zondag om acht uur. Fi hield de wacht en de rest van ons zat in de boom en wachtte ongeduldig op het moment dat we veilig naarbinnen konden. Dat was meestal niet vóór tien uur.

Fi zag hen aankomen en deed wat we hadden afgesproken. Ze rende door de achterdeur naar buiten. Terwijl ze de achtertuin door rende, trok ze aan een touw dat we uit de boomhut hadden gehangen. Dan wisten we dat er gevaar dreigde. Daarna verstopte ze zich tussen de passievruchtstruiken tegen het achterhek, die een dichte massa bladeren en bloemen vormden.

De mannen waren er maar een halfuur. Ze vonden het vast geen leuke klus. Nadat het stil was geworden in het huis en de lichten waren uitgegaan, wachtten we nog drie volle uren, tot het bijna middernacht was, voordat we naar de achterdeur liepen. Toen bleek het huis op slot te zijn.

We hadden niet zo veel zin om een raam kapot te maken. We konden het wel zonder al te veel lawaai doen, maar als er iemand de volgende dag langskwam, zou die zeker merken dat er iets aan de hand was. We keken elkaar aan en probeerden te bedenken wat we moesten doen.

'We moeten hier toch een keer weg,' zei Homer. 'Het is nu wel veilig. Het heeft eigenlijk geen zin om nog naarbinnen te gaan. We hebben bijna al z'n eten opgegeten en die soldaten hebben waarschijnlijk de rest meegenomen. Ik ben ervoor om terug te gaan naar de Hel, kolonel Finley te bellen en terug te vliegen naar Nieuw-Zeeland, business class.'

We stemden meteen toe, opgelucht. We hadden het hier wel gezien. We konden voorlopig toch niets uitrichten in Wirrawee. Misschien had kolonel Finley nog een idee als we contact met hem opnamen, maar het vliegveld leek te hoog gegrepen en wat er met de Nieuw-Zeelandse soldaten was gebeurd bleef een compleet raadsel. Ik kon niet voor de anderen spreken, maar wat mij betreft verlangde ik er zo hevig naar om veilig naar Nieuw-Zeeland terug te keren, dat ik dacht dat ik ging flauwvallen toen Homer dat zei. Sinds het moment dat we daar voor het eerst kwamen, was ik heel anders over de dingen gaan denken.

En zo maakten we weer de bekende tocht. Weer werden we schimmen in de nacht, donkere dingo's die naar hun hol slopen. We schrokken niet toen we het vreemde geknisper hoorden dat vossen maken als ze samen een prooi opeten, of van het zware *oe-oem* van de Kikkerbek of het geraas van vallend schors van een eucalyptus of het harde, scheurende gekraak van een plotseling afknappende tak. Zo vaak we konden slopen we geruisloos door het droge struikgewas en verder liepen we snel en stil over de kale weiden. We werden gevolgd door nieuwsgierige koeien, schapen blaatten en holden verschrikt van ons vandaan.

Af en toe vloog er een vogel, die net zo schrok als de schapen, met een wild gefladder op. We keken er niet eens naar en liepen snel door.

De zon was al op en het land en de lucht werden al snel warmer toen we naar de top van de Kleermakerssteek klommen. Zoals we nu altijd deden, waren we met een grote boog om mijn huis heen gelopen. Ik wist niet wie er nu woonden en ik wilde het ook niet weten. Ik voelde me meer op mijn gemak in de Hel dan bij mijn huis.

We deden hetzelfde als kortgeleden met de Nieuw-Zeelanders: we wachtten aan de zijkant van de Kleermakerssteek tot het donker was. Weer zo'n oponthoud, waar ik soms van dacht dat ik zou gaan gillen van verveling, maar andere keren heel braaf afwachtte, pratend of denkend of dagdromend.

Deze dag ging net zo traag voorbij als een dag op de tractor, als je weet dat je aan het eind nog drie weiden moet doen en dat elke weide precies hetzelfde is als de vorige.

Het leek nog langer, denk ik, omdat we nu iets hadden om naar uit te kijken. Als we kolonel Finley vannacht konden bereiken vanaf de top van Wombegonoo, zouden we daar misschien binnen een dag of vier weg kunnen zijn. We hadden hem al bijna een week geleden moeten bellen, vijf dagen, om precies te zijn, dus hij zou wel blij zijn om iets van ons te horen, dacht ik. Hoewel we geen goed nieuws te brengen hadden, zou het toch fijn zijn om zijn stem te horen. Ik zou dan het gevoel hebben dat ik al in Nieuw-Zeeland terug was. Ik kon bijna niet wachten op het moment dat we hem zouden bellen, en ik telde ongeduldig de uren en minuten af voordat we de kleine zender aanzetten.

Om negen uur trokken we vol verwachting naar het hoogste punt van Wombegonoo, naar de plek waar de beste ontvangst was voor de radio.

EPILOOG

Ik zeg niet dat ik kolonel Finley altijd al gewantrouwd had. Ik vond hem best wel aardig. Hij was zo Engels, als een acteur uit zo'n oude Engelse zwartwitfilm. Hij had een snor, rookte pijp en werkte in een studeerkamer met honderden boeken in eikenhouten boekenkasten en mooie schilderijen met onderwerpen als paarden, boerenlandschappen en oceanen.

Misschien was het allemaal een beetje te mooi om waar te zijn, misschien leek hij een beetje té veel op een Engelse heer van stand in een film.

Ik weet het niet. Fi en ik hebben daar heftige discussies over. Ze zegt dat ik te streng over hem oordeel. Misschien heeft ze gelijk. Maar ik heb nog steeds het gevoel dat hij ons belazerd heeft. Ik weet heus wel dat het zware tijden zijn, dat het oorlog is en dat de Nieuw-Zeelanders hun militaire middelen niet zomaar kunnen verspillen. Maar ik vind nog steeds dat hij die helikopter had kunnen sturen. Ik vind dat we genoeg hebben gedaan om een beetje rekening met ons te houden. Goed, misschien niet op deze reis, omdat bijna alles mislukt is. Maar we hebben in het verleden heel wat gepresteerd, vooral in Cobbler's Bay.

Het kan natuurlijk zijn dat ze ons nog komen halen. Hij

heeft niet gezegd dat ze ons hier voorgoed zouden dumpen. Zo wreed is hij niet. Het was gewoon zo'n schok, denk ik. En zo'n teleurstelling. We waren er zo op gespitst om hier weg te komen. We waren zo blij bij de gedachte dat we weer veilig waren, weer normaal konden leven, eten en slapen en onbezorgd met mensen praten. Warm eten en hete douches en schone lakens. Dat was alles wat ik wilde, alles waar ik me op verheugde. Dat is toch niet te veel gevraagd? Het is niks vergeleken bij wat we vroeger hadden en wat we heel gewoon vonden.

Dus ik weet nog steeds niet wat ik van de kolonel vind. Is het een goeie man, die het beste probeert te maken van een slechte situatie? Die zijn middelen onbevreesd en onpartijdig verdeelt? Die hoe dan ook vasthoudt aan zijn principe van 'kostenbesparing'? Of is het een cynische, keiharde, wrede bruut die ons heeft gebruikt en daarna aan de kant gezet?

Misschien dat de tijd de antwoorden op die vragen zal geven, maar misschien ook niet.

We hebben ons lot nu in eigen hand, denk ik. Dat is natuurlijk al eens eerder gebeurd. Op een vreemde manier heeft dat iets troostends. We hebben wel het een en ander geleerd. We weten dat we een paar dingen mee hebben: een beetje fantasie, soms een beetje lef, een beetje gedrevenheid. Ik denk aan Millie, onze oude hond, die werd overreden door een tractor, maar daarna weer overeind kwam en de moed erin probeerde te houden. Dat is met ons ook zo, denk ik. Sommige dingen die we hebben meegemaakt waren net zoiets als dat we door een konvooi tanks overreden werden.

Maar we zijn er nog, we leven nog, we geven nog niet op.

Zoals Homer vanochtend reageerde, toen ik tegen hem zei dat we dinsdag kolonel Finley weer zouden bellen: 'Zeg maar dat hij de klere kan krijgen, we doen het zelf wel.'

Vanaf het allereerste begin van de invasie heb ik geweten dat als we ons eigen leven wilden leiden, op onze voorwaarden, we daarvoor een tol moesten betalen. Net als de man in het gedicht. Sindsdien hebben we elke dag de tol betaald. Een hoge tol. De man in het gedicht was daar ook achtergekomen. Maar ik wil geen oppervlakkig of zinloos leven leiden. Dat heb ik nooit gewild en het heeft me altijd tegengestaan. Die les heb ik van mijn ouders geleerd. Daarom staat het me zo tegen wat ik met die jongen in Nieuw-Zeeland heb gedaan. Daarom ben ik zo blij dat Fi, Lee, Homer en Kevin echte vrienden zijn. Daarom denk ik met zo veel liefde en respect terug aan Carrie en Robyn. Daarom vind ik het zo treurig dat Chris die les nooit heeft geleerd.

Als ik er goed over nadenk, besef ik dat het vóór de oorlog ook al zo was. Alleen was ik me er toen niet zo van bewust. Jammer dat er een oorlog voor nodig was om me dat besef bij te brengen. Echt, ik zou een paar dingen heel anders doen, als ik de klok kon terugdraaien. Ook in een tijd van vrede betaal je een prijs om trouw te blijven aan jezelf, om oprecht te leven.

Dit heb ik geleerd: hoeveel het ook kost, het is de prijs waard. Je kunt geen oppervlakkig of zinloos leven leiden. Betaal de prijs en wees er trots op dat je dat hebt gedaan, dat is mijn idee.

VERANTWOORDING

Noot van de schrijver

De locaties die in deze serie voorkomen zijn gebaseerd op bestaande plaatsen. De Hel is bijvoorbeeld een redelijk accurate beschrijving van de Terrible Hollow, in de Australische Alpen bij Mount Howitt, Victoria. Smalle rotsen dalen als treden in de Hollow af, en die treden staan bekend als de Duivelstrap. De Kleermakerssteek is de Crosscut Saw, een lange rotsrichel die kilometers ver van Mount Howitt naar Mount Speculation loopt, via Big Hill en Mount Buggery. Ook Wirrawee, Cobbler's Bay en Stratton zijn gebaseerd op echte plaatsen.

Op pagina 53 is sprake van een boom. Bedoeld wordt de omgevallen boom die toegang geeft tot de Hel (zie *Morgen toen de oorlog begon*, pagina 33).

Noot van de uitgever

Gebruikte termen, namen en citaten:

Australian Rules: Australisch football

BLS: Brandy, Lime & Soda, een cocktail van cognac, limoensap en mineraalwater met koolzuur.

Blue Heeler: Australische herdershond

Kikkerbek: Australische nachtzwaluw

Mallowpuffs: een bepaald merk chocoladebiscuits

cairn: pre-Keltisch gedenkteken

Rage: naam van een Australische soapserie

Theatersport: wedstrijd in toneelimprovisatie naar Amerikaans voorbeeld

Twisties: soort pretzels/zoute krakelingen met kaassmaak

'Zonder pickup geen rondjes' (opschrift autosticker op p. 74): Op het Australische platteland wordt er op de zogenaamde 'B&S balls' (Bachelors and Spinsters balls), vrijgezellenfeesten dus, voornamelijk heel veel gedronken en geflirt (of erger). Soms ontstaan daar relaties uit, maar vaak ook niet. In de vroege ochtend rijden de mannen met hun pickup-truck naar een open plek en daar gaan ze met hun dronken kop steeds snellere, steeds kleinere rondjes rijden (*circle work*), totdat hun wagen kantelt of zelfs omslaat. Het leukste vindt men het met een meisje naast zich, dat dan hard tegen je aan wordt gedrukt. Het is nogal een gevaarlijke bezigheid: er vallen wel eens gewonden of zelfs doden bij.

Geciteerde gedichten

'The Refined Man' van Rudyard Kipling, uit *A Choice of Kipling's Verse*, T.S. Eliot ed., Faber and Faber, Londen 1963. Fragment vertaald door Ko Kooman.

'Here Dead We Lie' van A.E. Housman, uit *Up the Line to Death*, Brian Gardner ed., Methuen and Co, Londen 1976. Fragment vertaald door Ko Kooman.

'Smoke curls up around the old gum tree trunk': oud Australisch volksliedje.

'The Man from Snowy River' van Banjo Paterson.

INFORMATIE OVER DE SCHRIJVER

John Marsden: 1950 –

John Marsden werd geboren in 1950 in Melbourne, Australië. Na de middelbare school ging hij naar de kunstacademie en studeerde hij rechten. Die studie brak hij af. Vervolgens had hij een aantal uiteenlopende beroepen, zoals lijkschouwer, medewerker in een circus en huismeester.

Nu is hij schrijver en woont hij in een oud huisje in Sandon in de buurt van Castlemaine op het platteland van de provincie Victoria. Hij beschrijft Sandon als 'het kleinste stadje van Australië: een kerk, een begraafplaats en een paar huizen'. Hij houdt van werken in zijn wilde tuin, van zwemmen in de beek en van wandelen in de heuvels met zijn hond.

John Marsden heeft enkele jaren lesgegeven op een middelbare school in Victoria en in New South Wales.

In 1991 bracht hij zes maanden in Parijs door als gastschrijver van de Keesing Studio.

Betrouwbaarheid en werkelijkheidszin zijn de kenmerken van zijn werk; hij wordt zeer geprezen voor zijn manier van schrijven over jonge mensen zoals zij ook werkelijk zijn.

John Marsden heeft verschillende onderscheidingen ontvangen, waaronder de CBC – de Australian Children's Book of the Year Award – in 1998. Zijn zesde roman *Letters from the Inside* verscheen in 1994 in het Nederlands onder de titel *Lieve Tracey... Lieve Mandy*. Het boek werd in Australië voorgedragen voor de CBC. In Nederland ontving het in 1995 een Vlag en Wimpel. In het najaar van 2001 verschijnt een herdruk.

Van Marsdens zesdelige oorlogsserie zijn in Nederland tot dusver vier delen verschenen: *Morgen toen de oorlog begon, Het holst van de nacht, Een kille dageraad* en *De avond valt.* Het volgende deel, *Het uur van de wraak*, verschijnt in het voorjaar van 2002.